3·1운동 숨은 이야기

3·1운동 숨은 이야기

차종환 · 이갑산 편저

다락방

머리말

1919년 3월 1일, 우리 민족은 총칼을 앞세운 잔혹한 일제의 무단통치를 떨치고 독립을 되찾기 위해 3천리 방방곡곡은 물론 한인이 거주하는 곳이면 세계 어느 곳에서든지 분연히 궐기하였다. 3·1운동은 신분·직업·성별·연령 등 모든 조건을 초월한, 거족적이고 평화적으로 전개된 만세시위였다.

3·1운동이 발발한 계기는 무엇보다도 일제의 침략에 부단히 항거해 온 독립정신에 기인한 것이다. 3·1운동이 없었다면 대한민국 임시정부도 없었고 제2차 세계대전 이후 일본이 항복을 하였더라도 우리는 독립을 못했을 수도 있었다.

일본은 더 이상 자학사관(自虐史觀)에 빠져 있어서는 안된다. 용서와 화해는 진정한 반성과 사죄가 선행되어야 가능한 일이다. 과거 동학혁명운동(1894)때의 만행 및 살인사건 그리고 독도를 계속 자신들의 국토라고 주장하는 것은 참으로 어처구니없는 발상이다. 이러한 언행은 제국주의의 망령을 부활시켜서 군국주의로 회귀하려는 선언으로 밖에는 볼 수 없다. 또한 1929년 광주 학생운동 때의 민족 차별과 폭력 탄압 등의 범죄 사실을 모두 사과해야 한다.

물론 한국인들도 이해성과 포용성 및 융통성 있는 역사관을 지녀야 한다. 과거에 너무 집착하다 보면 현재를 살아가는 데 문제가 발생 할 수도 있기 때문이다. 따라서 3·1 독립운동 33인 민족대표의 위대성을 인정하고 부역으로 일부 이용을 당한 자는 반성이 있어야 하며 당시 무관심하게 그냥 지켜보기만한 사람에게는 관대한 포용이 필요하다.

매국행위는 지탄받아 마땅하지만 미래 지향적인 입장에서 조국과 민족의 발전에 도움이 된다면 관대함과 포용력도 있어야 한다.

2019년은 일제강점기 최대의 독립운동인 3·1운동이 일어난 지 꼭 100주년이 되는 해이다. 광복 3/4세기를 지나 또 다른 역사의 장에서 맞이하는 3·1절은 단순한 기념일 이상의 의미로 우리에게 다가온다.

이 책은 100년 전에 일어난 3·1운동을 주도한 33인의 얼굴도 알지 못하는 후손들을 위하여 지금까지 알려진 역사 속의 이야기를 찾아서 편집한 것이다.

100년 전에는 민족주의가 왕성한 시대였다. 그러나 100년이 지난 현재의 이 시대는 세계화시대이며 다민족시대이다. 따라서 민족주의와 다민족주의를 재조명해 볼 필요가 있어서 펜을 들 용기를 냈다. 또한 100년 전 선조들이 빼앗긴 나라를 되찾겠다는 마음 하나로 목숨을 바쳐가며 싸운 독립정신을 알려주기 위한 목적도 있다.

끝으로 이 책을 발간하면서 3·1운동 백주년기념사업회의 관계자 여러분께 감사를 표하고자 한다.

또한 자료를 모아 주신 한미교육연구원 임원들과 김호 목사님, 자료를 정리하여 준 이종희, 김정수, 임헌조 님께도 고마움의 인사를 전한다.

己未獨立宣言書[1]

吾等은兹에我朝鮮[2]의獨立國임과朝鮮人의自主民임을宣言하노라此로써
世界萬邦에告하야人類平等의大義를克明하며此로써子孫萬代에誥하야
民族自存의正權을永有케하노라半萬年歷史의權威를仗하야此를宣言함
이며二千萬民衆의誠忠을合하야此를佈明함이며民族의恒久如一한自由
發展을爲하야此를主張함이며人類的良心의發露에基因한世界改造의大
機運에順應幷進하기爲하야此를提起함이니是ㅣ天의明命이며時代의大
勢ㅣ며全人類共存同生權의正當한發動이라天下何物이던지此를沮止抑
制치못할지니라

---

1 3·1독립선언서는 1919년 2월 28일 보성사에서 인쇄되어 3월 1일 배포되었다. 여기에 실린
3·1독립선언서는 보성사판을 따랐지만 조선(朝鮮)을 선조(鮮朝)로 잘못 표기한 부분은 바로 잡
았다.
2 보성사판 원문에는 선조(鮮朝)로 잘못 표기되어 있다

舊時代의 遺物인 侵略主義强權主義의 犧牲을 作하야 有史以來累千年에 처음으로 異民族箝制의 痛苦를 嘗한지 今에 十年을 過한지라 我生存權의 剝喪됨이 무릇 幾何ㅣ며 心靈上發展의 障礙됨이 무릇 幾何ㅣ며 民族的尊榮의 毁損됨이 무릇 幾何ㅣ며 新銳와 獨創으로써 世界文化의 大潮流에 寄與補裨할 機緣을 遺失함이 무릇 幾何ㅣ뇨

噫라 舊來의 抑鬱을 宣暢하려 하면 時下의 苦痛을 擺脫하려 하면 將來의 脅威를 芟除하려 하면 民族的良心과 國家的廉義의 壓縮銷殘을 興奮伸張하려 하면 各個人格의 正當한 發達을 遂하려 하면 可憐한 子弟에게 苦恥的財産을 遺與치 안이하려 하면 子子孫孫의 永久完全한 慶福을 導迎하려 하면 最大急務가 民族的獨立을 確實케 함이니 二千萬各個가 人마다 方寸의 刃을 懷하고 人類通性과 時代良心이 正義의 軍과 人道의 干戈로써 護援하는 今日吾人은 進하야 取하매 何强을 挫치 못하랴 退하야 作하매 何志를 展치 못하랴

丙子修好條規以來 時時種種의 金石盟約을 食하얏다 하야 日本의 無信을 罪하려 안이하노라 學者는 講壇에서 政治家는 實際에서 我祖宗世業을 植民地視하고 我文化民族을 土昧人遇하야 한갓 征服者의 快를 貪할 뿐이오 我의 久遠한 社會基礎와 卓犖한 民族心理를 無視한다 하야 日本의 少義함을 責하려 안이하노라 自己를 策勵하기에 急한 吾人은 他의 怨尤를 暇치 못하노라 現在를 綢繆하기에 急한 吾人은 宿昔의 懲辦을 暇치 못하노라 今日吾人의 所任은 다만 自己의 建設이 有할 뿐이오 決코 他의 破壞에 在치 안이하도다 嚴肅한 良心의 命令으로써 自家의 新運命을 開拓함이오 決코 舊怨과 一時的感情으로써 他를 嫉逐排斥함이 안이로다 舊思想舊勢力에 羈縻된 日本爲政家의 功

名的犧牲이된不自然又不合理한錯誤狀態를改善匡正하야自然又合理한
正經大原으로歸還케함이로다當初에民族的要求로서出치안이한兩國倂
合의結果가畢竟姑息的威壓과差別的不平과統計數字上虛飾의下에서利
害相反한兩民族間에永遠히和同할수업는怨溝를去益深造하는今來實績
을觀하라勇明果敢으로써舊誤를廓正하고眞正한理解와同情에基本한友
好的新局面을打開함이彼此間遠禍召福하는捷徑임을明知할것안인가쏘
二千萬含憤蓄怨의民을威力으로써拘束함은다만東洋의永久한平和를保
障하는所以가안일쑨안이라此로因하야東洋安危의主軸인四億萬支那人
의日本에對한危懼와猜疑를갈스록濃厚케하야그結果로東洋全局이共倒
同亡의悲運을招致할것이明하니今日吾人의朝鮮獨立은朝鮮人으로하야
금正當한生榮을遂케하는同時에日本으로하야금邪路로서出하야東洋支
持者인重責을全케하는것이며支那로하야금夢寐에도免하지못하는不安
恐怖로서脫出케하는것이며또東洋平和로重要한一部를삼는世界平和人
類幸福에必要한階段이되게하는것이라이엇지區區한感情上問題ㅣ리오

아아新天地가眼前에展開되도다威力의時代가去하고道義의時代가来하
도다過去全世紀에鍊磨長養된人道的精神이바야흐로新文明의曙光을人
類의歷史에投射하기始하도다新春이世界에来하야萬物의回蘇를催促하
는도다凍氷寒雪에呼吸을閉蟄한것이彼一時의勢ㅣ라하면和風暖陽에氣
脈을振舒함은此一時의勢ㅣ니天地의復運에際하고世界의變潮를乘한吾
人은아모蹰躇할것업스며아모忌憚할것업도다我의固有한自由權을護全
하야生旺의樂을飽享할것이며我의自足한獨創力을發揮하야春滿한大界
에民族的精華를結紐할지로다

吾等이玆에奮起하도다良心이我와同存하며眞理가我와幷進하는도다男
女老少업시陰鬱한古巢로서活潑히起來하야萬彙羣象으로더부러欣快한
復活을成遂하게되도다千百世祖靈이吾等을陰佑하며全世界氣運이吾等
을外護하나니着手가곳成功이라다만前頭의光明으로驀進할짜름인뎌

公約三章

一. 今日吾人의此擧는正義人道生存,尊榮을爲하는民族的要求ㅣ니오즉
   自由的精神을發揮할것이오決코排他的感情으로逸走하지말라
一. 最後의一人까지最後의一刻까지民族의正當한意思를快히發表하라
一. 一切의行動은가장秩序를尊重하야吾人의主張과態度로하야금어대
   까지던지光明正大하게하라

朝鮮建國四千二百五十二年三月 　　　　　日

朝鮮民族代表

孫秉熙 吉善宙 李弼柱 白龍城 金完圭 金秉祚 金昌俊 權東鎭 權秉悳
羅龍煥 羅仁協 梁甸伯 梁漢默 劉如大 李甲成 李明龍 李昇薰 李鍾勳
李鍾一 林禮煥 朴準承 朴熙道 朴東完 申洪植 申錫九 吳世昌 吳華英
鄭春洙 崔聖模 崔　麟 韓龍雲 洪秉箕 洪其兆

쉽고 바르게 읽는 3·1독립선언서

　우리는 오늘 조선[1]이 독립한 나라이며, 조선인[2]이 이 나라의 주인임을 선언한다. 우리는 이를 세계 모든 나라에 알려 인류가 모두 평등하다는 큰 뜻을 분명히 하고, 우리 후손이 민족 스스로 살아갈 정당한 권리를 영원히 누리게 할 것이다.

　이 선언은 오천 년 동안 이어 온 우리 역사의 힘으로 하는 것이며, 이천만 민중의 정성을 모은 것이다. 우리 민족이 영원히 자유롭게 발전하려는 것이며, 인류가 양심에 따라 만들어가는 세계 변화의 큰 흐름에 발맞추려는 것이다. 이것은 하늘의 뜻이고 시대의 흐름이며, 전 인류가 함께 살아갈 정당한 권리에서 나온 것이다. 이 세상 어떤 것도 우리 독립을 가로막지 못한다.

---

1 우리나라
2 우리나라 사람

낡은 시대의 유물인 침략주의와 강권주의에 희생되어, 우리 민족이 수천 년 역사상 처음으로 다른 민족에게 억눌리는 고통을 받은 지 십 년이 지났다. 그동안 우리 스스로 살아갈 권리를 빼앗긴 고통은 헤아릴 수 없으며, 정신을 발달시킬 기회가 가로막힌 아픔이 얼마인가. 민족의 존엄함에 상처받은 아픔 또한 얼마이며, 새로운 기술과 독창성으로 세계 문화에 기여할 기회를 잃은 것이 얼마인가.

아, 그동안 쌓인 억울함을 떨쳐 내고 지금의 고통을 벗어던지려면, 앞으로 닥쳐올 위협을 없애 버리고 억눌린 민족의 양심과 사라진 국가 정의를 다시 일으키려면, 사람들이 저마다 인격을 발달시키고 우리 가여운 자녀에게 고통스러운 유신 대신 온전한 행복을 주려면, 우리에게 가장 급한 일은 민족의 독립을 확실하게 하는 것이다.

오늘, 우리 이천만 조선인은 저마다 가슴에 칼을 품었다. 모든 인류와 시대의 양심은 정의의 군대와 인도의 방패가 되어 우리를 지켜 주고 있다. 그러므로 우리는 나아가 싸우면 어떤 강한 적도 꺾을 수 있고, 설령 물러난다 해도 이루려 한다면 어떤 뜻도 펼칠 수 있다.

우리는 일본이 1876년 강화도조약 뒤에 갖가지 약속을 지키지 않았다고 해서 일본을 믿을 수 없다고 비난하는 게 아니다. 일본의 학자와 정치가들이 우리 땅을 빼앗고 우리 문화 민족을 야만인 대하듯 하며 우리의 오랜 사회와 민족의 훌륭한 심성을 무시한다고 해서, 일본의 의리 없음을 탓하지 않겠다.

스스로를 채찍질하기에도 바쁜 우리에게는 남을 원망할 여유가 없다. 우리는 지금의 잘못을 바로잡기에도 급해서, 과거의 잘잘못을 따질 여유도 없다. 지금 우리가 할 일은 우리 자신을 바로 세우는 것이지 남을 파괴하는 것이 아니다. 양심이 시키는 대로 우리의 새로운 운명을 만들어 가는 것이지 결코 오랜 원한과 한순간의 감정으로 샘이 나서 남을 쫓아내는 것이 아니다. 우리는 단지, 낡은 생각과 낡은 세력에 사로잡힌 일본 정치인들이 공명심으로 희생시킨 불합리한 현실을 바로잡아, 자연스럽고 올바른 세상으로 되돌리려는 것이다.

처음부터 우리 민족이 바라지 않았던 조선과 일본의 강제 병탄이 만든 결과를 보라. 일본이 우리를 억누르고 민족 차별의 불평등과 거짓으로 꾸민 통계 숫자에 따라 서로 이해가 다른 두 민족 사이에 화해할 수 없는 원한이 생겨나고 있다. 과감하게 오랜 잘못을 바로잡고,

진정한 이해와 공감을 바탕으로 사이좋은 새 세상을 여는 것이, 서로 재앙을 피하고 행복해지는 지름길임이 분명하지 않은가!

　또한 울분과 원한에 사무친 이천만 조선인을 힘으로 억누르는 것은 동양의 평화를 보장하는 길이 아니다. 이는 동양의 안전과 위기를 판가름하는 중심인 사억만 중국인들이 일본을 더욱 두려워하고 미워하게 하여 결국 동양 전체를 함께 망하는 비극으로 이끌 것이 분명하다. 오늘 우리 조선의 독립은 조선인이 정당한 번영을 이루게 하는 것인 동시에, 일본이 잘못된 길에서 빠져나와 동양에 대한 책임을 다하게 하는 것이다. 또 중국이 일본에 땅을 빼앗길 것이라는 불안과 두려움으로부터 벗어나게 하는 것이며, 세계 평화와 인류 행복의 중요한 부분인 동양 평화를 이룰 발판을 마련하는 것이다. 조선의 독립이 어찌 사소한 감정의 문제인가!

　아, 새로운 세상이 눈앞에 펼쳐지는구나. 힘으로 억누르는 시대가 가고, 도의[3]가 이루어지는 시대가 오는구나. 지난 수천 년 갈고 닦으며 길러온 인도적 정신이 이제 새로운 문명의 밝아오는 빛을 인류 역사에 비추기 시작하는구나. 새봄이 온 세상에 다가와 모든 생명을 다

---

3 인도와 정의

시 살려내는구나. 꽁꽁 언 얼음과 차디찬 눈보라에 숨 막혔던 한 시대가 가고, 부드러운 바람과 따뜻한 볕에 기운이 돋는 새 시대가 오는구나.

온 세상의 도리가 다시 살아나는 지금, 세계 변화의 흐름에 올라탄 우리는 주저하거나 거리낄 것이 없다. 우리는 원래부터 지닌 자유권을 지켜서 풍요로운 삶의 즐거움을 마음껏 누릴 것이다. 원래부터 풍부한 독창성을 발휘하여 봄기운 가득한 세계에 민족의 우수한 문화를 꽃피울 것이다.

그래서 우리는 떨쳐 일어나는 것이다. 양심이 나와 함께 있으며 진리가 나와 함께 나아간다. 남녀노소 구별 없이 어둡고 낡은 옛집에서 뛰쳐나와, 세상 모두와 함께 즐겁고 새롭게 되살아날 것이다. 수천 년 전 조상의 영혼이 안에서 우리를 돕고, 온 세계의 기운이 밖에서 우리를 지켜 주니, 시작이 곧 성공이다. 다만, 저 앞의 밝은 빛을 향하여 힘차게 나아갈 뿐이다.

세 가지 약속

하나, 오늘 우리의 독립 선언은 정의, 인도, 생존, 존영[4]을 위한 민족의
　　　요구이니, 오직 자유로운 정신을 드날릴 것이요, 결코 배타적
　　　감정으로 함부로 행동하지 말라

하나, 마지막 한 사람까지, 마지막 한 순간까지, 민족의 정당한 뜻을
　　　마음껏 드러내라.

하나, 모든 행동은 질서를 존중하여 우리의 주장과 태도를 떳떳하고
　　　정당하게 하라.

　　　　　조선을 세운 지 4252년 3월 1일(1919년 3월 1일)

조선 민족 대표
손병희 길선주 이필주 백용성 김완규 김병조 김창준 권동진 권병덕
나용환 나인협 양전백 양한묵 유여대 이갑성 이명룡 이승훈 이종훈
이종일 임예환 박준승 박희도 박동완 신흥식 신석구 오세창 오화영
정춘수 최성모 최　린 한용운 홍병기 홍기조

----

4 고귀하고 세상에 빛남

목 차

*머리말

*독립선언서

제1장 3·1운동 이전의 민족의식

1. 한일병탄 · 22
2. 3·1 운동 이전의 민족운동 · · · · · · · · · · · · · 25
3. 민족의식의 태동 · · · · · · · · · · · · · · · · · · · 27
4. 민족의 분노 · 36

제2장 민족자결주의와 2·8독립선언

1. 민족자결주의와 독립운동 · · · · · · · · · · · · · 40
2. 김규식과 파리 강화회의 · · · · · · · · · · · · · · 48
3. 2·8독립선언 · 54

제3장 3·1운동과 시대상황

1. 일제의 무단통치와 경제수탈 · · · · · · · · · · 62
2. 3·1운동의 추진 · · · · · · · · · · · · · · · · · · · 76
3. 3·1운동의 진행 · · · · · · · · · · · · · · · · · · · 82
4. 민중들의 참여 · 94
5. 3·1운동의 의의와 평가 · · · · · · · · · · · · · · 100

제4장 3·1운동의 원동력

1. 고종황제의 독살설 · · · · · · · · · · · · · · · · · · 110

2. 상인과 학생들의 활약 · · · · · · · · · · · · · · · · 113

3. 과격해진 만세시위 · · · · · · · · · · · · · · · · · · 118

제5장 민족운동의 탄압

1. 민족교육 탄압 · 124

2. 33인의 검거 · 127

3. 식민통치의 피해 · · · · · · · · · · · · · · · · · · · 130

4. 폭력과 비폭력 · 135

5. 일본 관헌의 피해 · · · · · · · · · · · · · · · · · · 139

제6장 3·1운동과 인물들

1. 민족대표 33인과 민중 · · · · · · · · · · · · · · · · 144

2. 유관순 · 148

3. 3·1운동과 이승만 · · · · · · · · · · · · · · · · · · 151

4. 제암리 학살과 스코필드 · · · · · · · · · · · · · · · 156

5. 여운형과 3·1운동 · · · · · · · · · · · · · · · · · · 160

6. 손병희 · 163

7. 현순 · 165

8. 한용운 · 167

9. 이완용 · 170

제7장 전국에 울려퍼진 대한독립만세

1. 3·1운동의 영향 · · · · · · · · · · · · · · · · · · · 176

2. 3·1운동의 규모 · · · · · · · · · · · · · · · · · · · 183

3. 또다른 독립선언서들 · · · · · · · · · · · · · · · · · 188

4. 봉화만세운동 · 191

5. 독립사상의 고조 · · · · · · · · · · · · · · · · · · · 194

6. 3·1 민중혁명운동 · · · · · · · · · · · · · · · · · · 199

제8장 종교계의 활동

1. 천도교의 절대적 공헌 · · · · · · · · · · · · · · · 206

2. 개신교의 동참과 천주교의 불참 · · · · · · · · · · · · · 210

3. 불교계의 합류 · · · · · · · · · · · · · · · · · · 215

4. 유교와 충청지방 · · · · · · · · · · · · · · · · · 217

제9장 지역의 3·1운동

1. 전국으로 퍼진 독립만세운동 · · · · · · · · · · · · · · 222

2. 경기도 지방 · · · · · · · · · · · · · · · · · · 226

3. 강원도 지방 · · · · · · · · · · · · · · · · · · 230

4. 충청북도 지방 · · · · · · · · · · · · · · · · · 232

5. 충청남도 지방 · · · · · · · · · · · · · · · · · 234

6. 전라북도 지방 · · · · · · · · · · · · · · · · · 237

7. 전라남도 지방 · · · · · · · · · · · · · · · · · 239

8. 경상북도 지방 · · · · · · · · · · · · · · · · · 244

9. 경상남도 지방 · · · · · · · · · · · · · · · · · 246

10. 황해도 지방 · · · · · · · · · · · · · · · · · 249

11. 평안남도 지방 · · · · · · · · · · · · · · · · · 251

12. 평안북도 지방 · · · · · · · · · · · · · · · · · 254

13. 함경남도 지방 · · · · · · · · · · · · · · · · · 257

14. 함경북도 지방 · · · · · · · · · · · · · · · · · 259

제10장 외국과의 연계

1. 중국 동북지역 · · · · · · · · · · · · · · · · · 262

2. 일본의 반응 · · · · · · · · · · · · · · · · · · 267

3. 미주지역의 3·1운동 · · · · · · · · · · · · · · · 273

4. 연해주 지역 · · · · · · · · · · · · · · · · · · 282

5. 영국과 프랑스의 반응 · · · · · · · · · · · · · · · 284

6. 소련의 입장 · · · · · · · · · · · · · · · · · · 287

7. 3·1운동과 지하신문 · · · · · · · · · · · · · · · 289

제11장 3·1운동의 역사적 의의와 이후의 투쟁

1. 문화통치 · 296

2. 3·1운동의 민족사적 의의 · · · · · · · · · · 301

3. 3·1운동의 세계사적 의의 · · · · · · · · · · 305

4. 한성 정부의 수립 · · · · · · · · · · · · · · · 311

5. 임시정부의 수립과 활동 · · · · · · · · · · · 315

6. 임시정부의 세계사적 의미 · · · · · · · · · · 320

7. 임시정부와 독립군 · · · · · · · · · · · · · · 326

8. 광복군의 대일 전쟁 · · · · · · · · · · · · · 329

9. 봉오동·청산리대첩 · · · · · · · · · · · · · · 331

10. 무장독립전쟁 · · · · · · · · · · · · · · · · 333

11. 6·10만세운동 · · · · · · · · · · · · · · · · 336

12. 광주학생독립운동 · · · · · · · · · · · · · · 340

13. 관동대지진 · · · · · · · · · · · · · · · · · 344

14. 미 의원단 내한과 민족운동 · · · · · · · · · 346

15. 일제의 동화정책 · · · · · · · · · · · · · · 351

제12장 최근의 논쟁과 우리의 과제

1. 건국일 논쟁 · · · · · · · · · · · · · · · · · 356

2. 초·중등학교에서 다루는 3·1운동 · · · · · · 361

3. 3·1정신과 통일정신 · · · · · · · · · · · · · 364

4. 3·1운동 100주년 기념사업추진위원회(민간 주도) · · · · · · · · 366

5. 대통령 직속 3·1운동 및 대한민국 임시정부 수립 100주년 기념사업
   추진위원회(정부 주도) · · · · · · · · · · · · 370

6. 3·1운동 100년 범국민대회 · · · · · · · · · 380

∗참고 문헌

∗연표(3·1운동을 중심으로)

제1장

3·1운동 이전의 민족의식

1

한일병탄

1910년 8월 22일 오후 순종 황제의 위임을 받은 총리대신 이완용과 일본 측 대표인 통감 데라우치(寺內政議) 사이에 한일병탄조약이 조인됨으로써 조선 왕조의 500년 사직은 끝나고 말았다. 조약문에는 대한제국 황제는 대한제국에 대한 그의 자주적 권리를 완전히, 그리고 영구적으로 일본 황제에게 양도하도록 되어 있다. 더 나아가 일본이 대한제국의 통치와 행정을 넘겨받는다고 되어 있다. 1910년 8월 29일자 총독의 포고령으로 확정된 바와 같이 이날부터 한국인은 일본 황제의 신하, 말하자면 일본의 신민이 되었다.[1]

일본 정부가 외국에 보낸 설명의 하나는 한국이 제3의 국가와 맺은 조약들은 무효이며, 일본이 맺은 국제법적 조약이 한국에 적용될 것임을 밝혔다. 이때부터 일본은 한국에서 자신의 주권을 행사하였다. 1910년 8월 29일

---

1 이선근, 『한국사』 現代篇, 을유문화사, 1965, pp.190–220

자 일본 정부의 설명에 의하면 대한제국 황제는 앞으로 왕의 칭호만을 가지며, 대한제국은 앞으로 조선이라 불리워야 한다고 규정되어 있다. 일본 지배하의 1910년부터 1945년까지의 기간 동안을 일본 정부가 강요한 명칭인 '조선'으로 부르게 하였다.

퇴위하는 고종황제에게 일본 정부는 1910년 8월 29일에 병탄의 근거를 해명하는 포고문을 작성케 하였다. 고종은 그 근거로서 오랜 취약점과 뿌리 깊은 폐단을 극복할 능력이 없음을 들어야 했다. 일본의 조치에 저항할 의도를 가진 사람들은 조금의 관용도 기대할 수 없음이 일본 총독 데라우치의 포고문에 밝혀져 있다.

1910년 10월 30일자 천황 칙령으로 총독부가 설치되고 통치기구의 세부 조직과 업무가 조정되었다. 총독부 조직의 일반적 업무, 내정, 재정, 농정, 상업과 산업 및 재판 문제 등을 위한 다섯 부서의 장관들이 있었다. 총독만이 한국 정책에 대하여 책임이 있고, 법을 대신하는 정령(政令)과 부령(府令)으로 통치할 권한을 지닌다. 그에게는 일본의 수상보다도 더 많은 권력이 주어진 것이다.

이후에 총독의 위치가 변하였지만 처음에는 일본 본토의 신민대신, 그리고 후에는 내무대신 밑에 배속되었다. 그러나 실제로는 조선의 총독들은 모국의 정책과는 거의 무관하게 조선을 독자적이고 독립적으로 통치하였다. 조선의 지배가 쉬워진 것은 세기 전환기부터 시작된 일본인의 한국 이주가 급격하게 늘어났기 때문이었다. 이미 1910년에는 171,500명의 일본인이 한국에 살고 있었다. 그 숫자는 1920년에는 두배(347,900명)에 달하였고 1939년에는 거의 네 배(650,100명)가 되었다.

일본인들은 통치기구의 중요한 요직을 독점했을 뿐만 아니라 상업과 산업 분야에서도 주도적 위치를 차지하였다. 일본의 조선 지배의 결정적 도구는 경찰이었지만 초기 10년간은 주로 헌병이었다. 총독이 한국 주둔 일본군의 최고 통수권자였기 때문에 헌병은 총독 직속이었다.

한국의 전체 경찰은 1910년에 1,712명이었는데 1918년에는 14,358명이 되었고 1937년에는 20,647명이 되었다. 경찰은 한국인에게 공포와 전율을 퍼뜨렸다. 일본 경찰에 의한 고문과 탄압의 기록은 수없이 많다. 그들은 거리낌 없이 태형(笞刑)을 가하기도 하였다.

한국인 경찰의 수는 점차 감소하기는 했지만 중요한 비율을 차지하고 있었다. 일본 정부는 병탄조약에서 총독부에 충성을 바치는 한국인들에 대해서는 공직을 약속하였기 때문에 한국인을 조선의 통치에서 완전히 배제시킬 수가 없었다.

그러나 그들은 65명의 한국인으로 구성된 자문기관인 중추원의 설치와 같은 공허한 조치만을 취했을 뿐이었다. 이 기관은 전혀 주목받지 못했다. 이 기관의 고문은 1910년 병탄조약에 서명한 이완용이었다. 한국 사람들은 이완용을 배신자로 낙인찍었다. 그러나 1910년 이전의 몇 년간 한국의 지도계층에는 많은 친일 정치가들이 있었다는 점을 기억하여야 한다. 그들의 많은 수가 이완용과 함께 중추원에 들어간 것이다.

2

3·1운동 이전의 민족운동

나라를 배반하고 일본인에게 빌붙은 자는 죽이거나 집을 불태우는 등 국권을 빼앗긴 이후에도 우리 민족의 독립의지는 꺾이지 않았다. 일제는 안악 사건, 105인 사건 등을 조작하여 국내에 남아 있던 계몽운동 계열의 인사들을 탄압하고, 의병에 대한 색출과 공세를 더욱 강화하였다. 이를 피하여 많은 애국인사들이 해외로 망명하였고, 국내에 남은 인사들은 비밀결사 단체를 만들어 항일운동을 이어 나갔다.

1912년 전국 각지의 유생들이 모여 대한독립 의군부를 비밀리에 조직하였다. 이들은 조선총독부와 일본 당국에게 조선에서 물러갈 것을 요구하는 한편, 의병전쟁을 계획하였다. 1915년에 대구에서 만들어진 대한광복회는 만주에 무관학교를 설립하기 위한 군자금을 모으는 등 만주의 독립운동 단체와 연락을 꾀하였다. 이 밖에 교사와 학생 중심의 비밀결사도 생겨났다. 1913년에 평양의 숭의여학교 교사와 학생들이 송죽형제회를 만들고 자금을 모아 해외로 보내거나 국내에 잠입한 회원에게 숙박비, 여비를 지급

하는 등 독립운동을 후원하였다. 평양의 대성학교 출신 학생들도 비밀결사
단체인 기성단(1914), 자립단(1915)을 조직하였다.

중국 만주지역의 독립군 기지 건설은 국권 피탈 직전 서간도로 건너간
신민회 회원들에 의하여 시작되었다. 이들은 유하현 삼원보에 자치기관인
경학사와 부민단을 만들고, 신흥강습소(신흥무관학교)를 세워 독립군 간부를
양성하였다. 북간도의 용정촌과 명동촌에서도 이주 동포를 기반으로 조직
된 간민회, 중광단 등의 항일단체가 학교 등 교육기관을 설립하여 민족교
육을 실시하였다.

이 밖에 북만주의 소·만 국경지대인 밀산부에 세운 한흥동(韓興洞)도 중
요한 독립군 기지였다. 연해주의 블라디보스토크 신한촌에서는 망명한 의
병과 계몽운동가들은 힘을 모아 권업회를 조직하였다(1911). 권업회는 이상
설과 이동휘를 정·부통령으로 하는 대한광복군 정부라는 독립군 조직을 만
들었다(1914). 연해주 지역의 독립운동은 한때 일제의 사주를 받은 차르 정
부의 탄압으로 주춤하였으나, 러시아혁명 이후 다시 활기를 띠기 시작하였
다. 3·1운동 이후 러시아 한인동포들은 전로한족회 중앙총회(대한국민의회)
를 결성하여 독립운동의 새로운 방향을 모색하였다.

미주지역에서도 노동이민으로 형성된 동포사회를 기반으로 항일단체가
생겨났다. 1909년에 안창호, 박용만, 이승만 등이 중심이 되어 만든 대한인
국민회는 점차 조직을 확대하고, 독립운동 자금을 모아 서북간도와 연해주
의 독립운동을 지원하였다. 또한 박용만은 하와이에서 대조선국민군단을
조직하여(1914), 청장년을 대상으로 군사훈련을 실시하였다. 멕시코의 동포
들도 숭무학교를 세워 독립군을 양성하였다.

일제의 무단통치로 국내에서 항일투쟁이 어려워지자, 민족운동가들은
일찍부터 이주 농민들이 살고 있던 압록강 건너편 서간도, 두만강 건너편
북간도, 그리고 러시아령 연해주에 새로운 독립운동 기지를 마련하였다.

민족의식 民族意識의 태동

항일저항의식의 일면에는 종교활동·근대교육 등을 통한 민족의식의 배양을 들 수 있다. 민족의식은 당시의 각종 비밀결사·종교단체·각급학교 등을 통하여 3·1운동의 잠재력으로 숙석되어 왔다. 충청시방에서의 상황을 살펴보면 다음과 같다.

충남 예산의 서당훈장 김한종이 영남의 박상진(朴尙鎭)으로부터 '대한광복회'란 비밀결사 설립에 참여하라는 연락을 받고, 천안의 장두환을 권유 참여시켜, 이 지역 자산가의 명단을 작성해 줌으로서 의연금(義捐金)을 모으고자 하였다.[2] 또 충북 괴산군 문광면에 사는 서당훈장 정홍섭은 보은군 내 북면의 이종각과 1916년에 비밀결사 '흠치교'(靑林敎의 일파)를 조직하여 국권 반환을 위한 계획을 추진하다가 검거되었다.[3]

---

2 박영석 「대한광복회 연구」, 『한국 민족운동사연구』 1, 1986, p.92.
3 「地方民政彙報」, 1917년 5월 23일, 高警 제161호, 『三一運動前の 조선 국내 상황』(국학자료원, 三一運動編 1).

당시의 우리 민족은 일제 헌병·경찰의 감시와 탄압 속에서도 일제 당국과 매국노를 매도하는 낙서나 일상의 희롱 등의 방법을 통하여 나라 잃은 분풀이를 하였다. 이런 상황에서 국권 회복을 위한 비밀결사단체가 자연발생적으로 조직되어 활동하였지만 그들은 서로 연결될 수는 없었다. 그러나 일제는 우리 민족의 항일독립정신을 뿌리 뽑기 위하여 이들 단체의 색출에 총력을 기울였다.[4]

전국적인 추세로 볼 때 신문화운동을 통한 배일사상의 고취는 일반적인 상황이었다. 하지만 충청지방에서의 신문화운동은 활발하지 못한 것으로 평가된다. 그 까닭은 이 지방민의 성격이 보수적이었다는 측면에서 찾아야 할 것 같다. 그리고 이 같은 성향은 충남보다는 충북이 더욱 짙었다고 보여진다. 그렇지만 이 지방 나름대로 민족의식이 배양되고 있었음은 물론이다.

일제 헌병대장·경무부장의 연석회의 보고서인 「조선소요사건상황」에 의하면 이 지방(특히 충남의 경우) 3·1운동의 직접 요인으로 기독교·천도교측의 선동과 유사 종교단체인 청림교·단군교의 활동으로 구별하고 있다. 그런데 충북에서는 종교계의 선동으로 운동이 일어난 경우가 거의 없다.[5]

천도교 제3대 교주이며 3·1운동의 대표적 지도자인 손병희가 성장하여 활동한 이 지역에서 오히려 천도교측이 주도한 독립만세운동이 거의 없었던 까닭은 일제측이 밝히고 있듯이 사전에 충북 전역에 걸쳐 일제 검속을 실시했기 때문이라고 보여진다. 신문화운동을 통한 민족의식의 배양에서 다른 일면을 담당한 것은 각종학교였다.

이는 근대의 신교육을 통한 민족주의 사상의 고취 결과이기도 하지만, 그 경향은 성격상 사립학교가 공립학교보다 훨씬 강했다. 참고로 당시 충

---

4 최영희, 「三─운동에 이르는 민족독립운동의 원류」, 『三─운동 50주년 기념논집』, 1969, p.37.

5 당시 충북에는 예수교노회 31, 북감리교 29, 구세군 10으로 모두 70개의 기독교회가 있었다(전게논문, 김진봉, 「三─운동과 민중」 p.353 참조

청지방의 사립학교는 모두 139개가 있었다.[6] 이들 각급학교에서는 새로운 세계 조류에 따라 직간접으로 민족의식을 배양하고 있었다.

그 대표적인 예로 충주 간이농업학교 교사 유흥식, 공주 영명학교 교사 김관회·이규상·현언동,[7] 천안 광명학교 교사 강기형 등을 꼽을 수 있다. 이들 학교를 비롯한 각급학교 학생이 3·1운동을 주도한 것은 충남이 10여개 교인데 반하여 충북은 2개교 뿐이었다.

1896년 10월, 우리나라 최초의 장로교회가 평양에 창립되면서 관서지방의 기독교는 급속한 발전을 거듭하여 도시를 중심으로 점차 교세가 확대되어 갔다. 그리고 평양신학교가 설립되어 제1회 졸업생 7명을 배출한 이래, 장로교 계통의 교역에 뜻을 둔 사람은 평양 유학(일종의 순례)을 하지 않으면 안되는 실정이 되었다.[8]

이 학교 제1회 졸업생 7명 중에 105인 사건에 연루된 사람이 있었는데, 이것은 당시의 애국지사들이 기독교에 귀의하던 경향을 짐작할 수 있게 한다. 한일병탄을 선후하여 많은 애국시사가 기독교에 들어가게 된 목적은 신앙생활이 그 첫째 이유이지만, 한편으로는 교회를 거점으로 항일투쟁정신을 결집해 보고자 하는 의도가 다분히 작용하고 있었다.

한편 천도교는 성천(成川) 사람 나용환(羅龍煥)이 1886년에 제2대 교주 최시형(崔時亨)을 찾아가서 동학에 입교하고 돌아와 포교를 시작한 이래, 이곳 전역에 걸쳐 대교구, 교구, 전교실(傳敎室) 등 체계적 기구를 설립하였는

---

6 그 중에서 충북에는 각종학교 41, 종교계열 학교 7, 계 48개교였다. 반면에 충남에는 보통학교 2, 각종 학교 73, 종교계열 학교 16, 계 91개교로 충북보다 43개교가 더 많았다(국사편찬위원회 편, 『한국독립운동사』 1, 1965, pp.902~903 참조).

7 국가보훈처, 『독립운동사자료집』 제5집, 1972, pp.1137~1140.

8 국가보훈처, 『독립운동사 제2권』, 1971, p.353

데. 이들은 주로 산간지역으로 들어가 교세를 확대하였다. 그리고 3·1운동 때는 민족대표로 그를 비롯하여 4명이 서명하였다. 한편 3·1운동을 전후하여 천도교 중앙본부의 간부급으로 활동한 사람들은 모두 이 지방 출신이었다.[9] 이같이 관서지방에서 천도교세가 확대 성장할 수 있었던 것은 동학농민군 봉기 때 직접적인 피해가 미치지 않았기 때문이라고 판단된다.

1910년부터 1918년까지의 항일독립운동은 크게 두 갈래로 나누어진다는 것이 일반적인 견해이다. 그 하나는 의병전쟁으로 대표되는 무장독립운동이고, 다른 하나는 민족의 개화와 실력 양성을 목표로 하는 애국계몽운동이다. 그러나 의병전쟁은 1909년 일제의 대토벌 작전으로 큰 타격을 받은[10] 후 국내에서의 활동이 거의 불가능하게 되면서 그들은 국외로 망명하거나 혹은 국내의 애국계몽운동에 참여하여 독립운동을 계속하게 된다. 그 중에서 애국계몽운동은 그 후 3·1운동의 잠재력을 축적한다는 면에서 중요한 배경이 된다.

특히 관서지방에서의 애국계몽운동은 각급 교육기관을 통해 꾸준히 전개되었다. 이 지방 신교육의 선구자는 도산 안창호(島山 安昌浩)이었다. 그는 광무(光武) 3년(1899) 강서(江西)에 최초의 사립학교인 점진학교(漸進學校)를 설립하였으며, 평양에 대성학교를 설립하였다. 이 학교 학생들은 20세에서 30세까지의 청년이었고, 당시의 학교는 기울어져가는 국운을 회복해 보겠다는 하나의 애국집단체였다. 이들 학교에서는 민족정신의 고취에 전념하였고, 일부에서는 군사훈련을 실시하여 상무(尙武)정신을 기르기도 하

---

9 전게서, 『독립운동사 제2권』, p.355.

10 의병전쟁의 종식 원인은 일제의 무단통치에 의한 탄압이란 측면에서도 찾아볼 수 있으나, 그 주도층은 대개가 위정척사파(衛精斥邪派)의 사상을 계승한 유생(儒生)으로서 주체적인 지도력이 부족하였고, 그들 자신이 아직 전통적 속성을 벗어나지 못한 계층이었다는 점도 중요한 원인으로 지적된다(류청하, 「3·1 운동의 역사적 성격」, 『한국근대민족운동사』 p. 452 참조).

였다.[11]

3·1운동 이전 관서지방의 대표적인 사립학교로는 민족대표 중의 한 사람인 남강 이승훈(南崗 李昇薰)이 설립한 정주(定州)의 오산학교, 유여대(劉如大)가 설립한 의주(義州)의 양실학교 외에도 강계(江界)의 영실학교, 선천(宣川)의 신성학교(信聖學校), 평양의 숭실중학교·광성고등학교·숭실대학, 영변(寧邊)의 숭덕학교 등이 있었다.

관서지방은 다른 지방에 비하여 기독교세가 번창하였고, 신문화와 신교육의 도입이 빨랐으며, 배일사상이 강하였다. 그러므로 일제는 이 지방을 배일세력의 소굴로 간주하여 한일병탄과 동시에 안악사건(安岳事件)과 105인 사건을 날조하여 민족주의 사상과 신문화운동을 뿌리 뽑으려 하였다. 그러나 이 지방의 애국계몽운동은 이에 좌절하지 않고 계속 전개되어, 거족적인 3·1운동의 밑바탕이 될 수 있었다.

'합방' 후 의병전쟁의 잔여 병력과 애국계몽운동계의 독립전쟁론자들이 만수지방을 중심으로 독립운동 기시 건설을 준비하는 동안 애국계몽운동계의 국내 잔여 세력은 본격적인 민족운동을 펼 기회를 노리고 있었다. 이를 눈치 챈 조선총독부는 이들을 탄압하기 위하여 소위 안악(安岳)사건, 105인 사건을 만들었다. 그 결과 민족운동 계열이 상당한 타격을 받기는 했지만 이후에도 비밀결사를 통해 기회를 기다리다가 제1차 세계대전 후 민족자결주의 선포를 기회로 이용하게 된 것이다. 1910년 일본에게 국권을 강탈당한 지 10년째, 일본의 억압으로 조선민족의 자유가 숨 쉴 구멍도 없게 되고, 일본의 수탈(收奪)로 민중의 생활은 막다른 데까지 떨어져 이제는 사생결단의 궐기 이외에는 다른 길이 없어진 끝의 대폭발이 3·1운동이었다.

11 전게서, 『독립운동사 제2권』, p.351.

일본은 통감부(統監府)를 총독부(總督府)로 바꾸면서 그들 스스로 공언한 조선통치의 기본방침이 이른바 무단정치(武斷政治)였다. 그 무단정치의 모습을 상징하는 것의 하나가 공무원의 복제(服制)였다. 총독부는 그 산하 경찰관은 물론, 일반 문관·교원에 이르기까지 금테 두른 군모(軍帽)형 모자에 군도를 차게하여 복장에서부터 조선인을 위압하였다.

조선총독부의 무단정치는 영국의 총독 제도와 러시아의 총독 제도를 참고한 식민지 지배 가운데서도 가장 악랄한 제도였다. 무관 총독을 정점으로 하여, 그 수족이 되어 민중의 저변까지 파고 든 것이 헌병경찰이었다.

이 헌병경찰제는 1904년 노일전쟁이 일어나면서 시행되기 시작하여 국치(國恥) 후에도 계속 존속시킨 것이다. 이 헌병경찰제의 특징을 단적으로 드러내는 것이 태형(笞刑)이었다. 어느 나라를 막론하고 전(前)근대사회에서 흔히 채택되었던 이 태형은 일본만 하더라도 명치(明治)유신 이후에 폐지된 것인데, 조선인에 대해서는 구법(舊法)의 전통을 살린다는 일단으로 이를 존속시키고 나아가 이것을 최대한으로 악용하였다. 태(笞)를 맞으면 사람의 등에 업혀 나오는 것이 보통이었다. 이 태형은 재판에 의하여 선고되기도 하였지만, 실제로는 개개의 헌병이나 순사에게 부여되어 있는 즉결권(卽決權)에 의하여 임의로 행사되었다.

총독부의 이러한 광적(狂的)인 탄압의 여러 예가 바로 국치 직후에 일어난 105인 사건이다. 총독 암살 미수라는 사건을 조작하여 관서(關西) 일대 기독교계를 중심으로 한 반일세력을 뿌리 뽑으려 한 것이 이 사건이다. 이와 같은 탄압에도 불구하고 저항은 도처에서 일어났다. 그 중에는 1913년에 전라도 일대에서 전(前) 의병계 인사들이 '독립의군부(獨立議政府)'를 조직했다가 그 해에 발각된 사건, 같은 1913년에 경상도를 중심으로 대한광복단이 조직되었다가 1917~1918년에 걸쳐 일대 검거선풍을 일으킨 사건 등이 있다. 이 외에도 사건의 내용마저 은폐되고 만 사례가 많지만 당시는 총독부 기관지인 ≪매일신보≫ 이 외에는 신문 발행이 허가되지 않았다. 이 신문에는 허위 사실이 대부분이었고 또한 민간에 깊게 뿌리박고 있는 민족의식을 말살하기 위하여 일제는 서점이나 향교·서원·개인주택 등을 뒤져 일본인들이 싫어하는 서적 50여 종, 20여 만권을 색출하여 불살라 버리기까지 하였다.

일제의 무단통치의 피해는 전국적인 것이었으나, 각 지역별로 양상은 달랐다. 그리고 이처럼 지역적으로 다른 양상의 피해 자체가, 그 지방 3·1운동의 배경 또는 그 발생 요인으로 크게 작용하고 있음을 알 수 있다. 그것은 1919년 6월, 일본 헌병대장이 경무부장 회의에서 보고한 내용 중에도 잘 나타나 있다.[12]

여기에서 관서지방민의 불만을 추출해 보면 다음과 같다. 첫째, 일본인 관리와 조선인 관리간에는 인간 차별과 급여차가 심하고, 높은 수준의 재능을 가진 사람도 중요한 일에 참여할 수 없으며, 심지어 일본인 노동자도 조선인 지식계층 및 유산계층에 대하여 모욕적이고 억압적인 언행을 서슴치 않고 있다.

둘째, 당시의 제 법규가 우리 민족에게는 너무 가혹한 것이었다. 예를 들면 ①사유림 보육(私有林 保育)·벌채 규칙과 화전경작의 제한이 엄격하여 농민의 고통이 컸으며 ②간접세·지방세·각종 조합비, 부역(賦役) 및 술·담배에 따른 세금, 가축에 대한 세금, 수렵에 대한 세금 등 세제(稅制)가 가혹하였으며, 세금 미납을 이유로 솥·냄비까지 차압하는 데 따른 고통 ③묘지(墓地) 규칙·가축 도살규칙 및 장유유서의 붕괴 등 전통적인 미풍양속을 파괴

---

12 그 내용은 「조선소요사건상황」 이라는 책자로 되어 있으며, 국가보훈처에서 간행한 「독립운동사 제6권」에 수록되어 있다.

한 데 대한 불평 ④언론·출판의 제한과 의사(意思) 발표의 기회 박탈에 대한 불만 ⑤광업(鑛業)·수리(水利)·개간(開墾) 등 사업을 일본인에게 독점당하고, 농·공·상업상의 이익을 수탈당하여 고향을 떠나지 않을 수 없으며, 도로의 개수(改修) 등으로 소유자의 의사에 반하여 토지를 침탈당하고, 뽕나무 식재를 강요당하여 주요 농산물의 경작 면적 감소 및 노력의 강제동원으로 인한 불만 등이었다.[13] 이 같은 관서지방민의 여러 가지 불만은 점점 격화되어 항일 적개심은 날로 커져 갔다.

1910년 국권 탈취의 공포 분위기를 조성한 뒤 이토오 히로부미 일행은 고종을 협박하여 을사조약을 맺고 외교권을 박탈하였다.[14] 그러나 고종은 끝까지 문서에 수결하지 않았음은 물론, 조약의 무효를 내외에 선언하였다.[15] 때문에 이는 국제법상으로 무효이며 1910년 8월 체결한 「한일합방조약」을 포함하여 모든 조약은 원천무효임을 분명하게 주장할 수 있다. 따라서 최고 통치자의 결정이 선행되어야 함에도 불구하고 망국 5대신의 가결만으로 문서가 법적 효력을 발생한다고는 볼 수 없는 것이다.

그러나 당시 통감은 일본인 고문의 감독과 주재군 사령관에게 병력 동원권이 부여되어 있었기에 서류가 제대로 갖추어지지 않은 을사조약을 효력이 있다고 해석한 것이다. 이에 고종은 이의 원인무효와 침략 사실을 전세계에 알리기 위하여 10여 명의 특사를 세계 각지에 보내 호소하며 협력해 줄 것을 외쳤다.[16]

그러나 을사조약 무효를 위한 노력에도 불구하고 이상설·이준·이위종의

13 전게서 「독립운동사 제6권」, pp. 782~784.,
14 李瑄根, 「한국사」 現代篇, 을유문화사, 1965, pp. 190~220.
15 《대한매일신보》, 1907년 1월 16일자.
16 朴殷植, 「海牙회담의 밀사」 「韓國痛史」, pp.78~99.

헤이그 3특사는 실의를 당하고 일본제국주의는 고종을 무력으로 퇴위시키고 왕위를 순종에게 양위시켰다.[17]

또한 이들 부자간의 상봉도 국권 회복의 의욕을 불러일으킨다며 창덕궁과 덕수궁으로 분리 유폐시켰다.[18] 결국 주체성이 강한 고종은 1919년 1월 일제에 의해 독살 당하였다.[19] 일제는 고문통치에서 차관통치로 행정력을 장악하고, 군대 해산, 사법업무 탈취, 경제·문화 침략, 경찰권 위탁 등으로 목을 조이더니 일진회 같은 친일조직을 앞세워 민의를 조작하며 한국을 손아귀에 넣었다.

1919년 이토오 히로부미가 하얼빈에서 안중근 의사에게 사살 당했으면서도 집요하게 한국을 불법적으로 침략한 것을 보면 어떠한 인적·물적 손실이 뒤따른다 해도 일본 정부의 정한론은 치밀하게 이루어지고 있었음을 알 수 있다. 이때에도 한국인의 국권 회복을 위한 저항은 자결보국으로부터 교육투쟁·의병전쟁, 언론투쟁, 종교적 저항, 비밀결사항쟁, 개별 투쟁 등 무장항쟁과 정신문화적인 저항에 이르기까지 수십만명이 희생당하였다. 그러나 한편으로 보면 우리가 일원화·조직화·국력화되지 못했고 또한 근대화와 침략수법에 앞선 일본을 국력으로 이기지 못하고 강점을 당할 수밖에 없었다.

---

17 朴殷植, 앞의 책, 「伊滕이 我 皇位 廢位함」

18 黃玹 《梅泉野錄》 권5, 광무11년, 1 未條

19 이현희, 「동학혁명과 민중」 대광서림, 1985, pp. 120~139.

4

민족의 분노

　일제는 한일병탄조약이 발표된 직후에 한국민의 거족적인 저항이 없는 것을 보고 안도하였다. 조선총독부의 선전 기관지인 매일신보는 당시의 서울과 지방의 치안 상황에 대하여 다음과 같이 보도하고 있다.

　"시국 해결의 정황은 도처가 정온하여 하등 위험한 상태가 없는데, 원래 조선의 동란은 경성을 중심으로 일어나 지방이 부화(附和)하던 것이라. 그런 즉 이번의 정온은 경성에 대하여 치안을 극력 보지한 결과라, 경성만 무사하면 지방은 결코 우려할 바 없으니, 즉 일파(一派)가 움직이지 않으면 만파(萬派)가 따라 평온함이라고 모 당국자가 언명하더라."

　그러나 이것은 일제 무단통치하의 표면상 현상에 불과하였다. 극소수의 매국 무리배를 제외한 모든 한국인은 일제의 한국 병탄에 항거할 뜻을 가지고 있었다. 조선총독부는 한국민의 항일독립운동을 막기 위하여, 사전에 헌병 경찰력을 동원하여 야만적인 고문과 태형을 가했으며, 항일독립운동가는 색출하여 절도범·강도범·치안 위반범·모살범·내란범 등의 죄를 씌워

처단하였다. 이러한 일제의 무력 탄압으로 이 시기의 독립운동은 지하운동으로 바뀌었으며, 크게 두 줄기로 나뉘어 있었다. 그 하나는 의병운동을 계승한 무장투쟁이고, 다른 하나는 애국적 신문화운동을 통한 실력 양성운동이었다.

한국이 일제에 의해 강제로 병탄되자 국민들은 나라 잃은 슬픔과 분노에 몸부림쳤다. 총독정치에 반대하다가 체포되어 일본 경찰의 모진 고문으로 옥중에서 죽는 애국지사가 많았고, 또 평생을 상복차림으로 하늘을 보지 않고 죽어간 유생도 있었다.

한편 망국의 한을 이기지 못하여 일제 지배하의 생존보다는 깨끗한 죽음을 택함으로써 국민의 각성을 촉구하는 지사도 속출하였다. 이들 순국지사들은 대개 양반 관료와 유생이었으나 간혹 천민도 끼어 있었다. 이들은 세상을 깨우치는 시(詩)나 유서 또는 유언을 남기고, 단식·음독 자살 등으로 자결하였다. 일제는 이러한 순국지사가 생기면 그 가족을 협박하여 말이 새어 나가지 못하게 함은 물론, 그 장례식에 참석하는 것도 금지시켰다. 한일병탄 후의 의병투쟁은 헌병경찰제도에 기낸 조선총독부의 무난통치가 확립되어감에 따라 더욱 곤경에 빠지게 되었다.

그러나 의병은 수십 명 또는 7~8명의 인원으로 적의 헌병 분견소나 경찰 주재소를 습격하여 파괴하였고 의병투쟁을 하던 많은 의병들은 일본 경찰에 체포되어 모진 고문 끝에 장기형을 받고 투옥되거나, 총살 또는 교수형으로 순국하였다. 그리하여 국내에서의 무장투쟁이 불가능하게 되면서 항일운동은 대개 비밀결사의 형태로 바뀌어 갔고 일부는 만주로 건너가 그곳을 근거지로 하는 무장독립투쟁으로 계승되었다.

이후 국내에서의 항일독립운동은 애국적 신문화운동과 비밀결사가 중심이 되었다. 교육열의 고조, 기독교와 천도교의 교세 확장은 교육·종교적 집회나 결사를 통하여 독립운동의 새로운 기반을 마련하게 되었다.

제2장
민족자결주의와 2·8독립선언

1

민족자결주의와 독립운동

미국 대통령 윌슨이 제1차 세계대전 종전의 강화조건으로 1918년 1월 8일 제시한 14개 조항 중에서 식민지 상태에 있는 약소민족에게 가장 주목을 받은 것은 제5조와 제14조이었다.

제 5조: 모든 주권문제의 결정에 있어서는 당해 주민의 이해가 그 자격을 결정받아야 할 정부의 형평법상(衡平法上)의 요구와 동등한 중요성을 갖는다는 원칙의 엄격한 준수에 기초해서 모든 식민지의 요구가 자유롭고 개방적이며 절대적으로 공정하게 조정되어야 한다(민족자결의 원칙).

제 14조: 크고 작은 국가를 막론하고 정치적 독립과 영토 보전을 상호 보장하기 위하여 특수한 서약하에 하나의 일반적인 제국가의 결사체가 형성되어야 한다[1](국제연맹의 설치).

---

1 Herbert Hoover, The Ordeal of Woodrow Wilson, 1958, pp.21~22

이 두개의 조항은 식민지 상태에 있는 약소민족의 독립운동가들을 흥분시키기에 충분한 것이었다. 윌슨은 1918년 11월 11일 독일이 항복하자 전후의 강화가 이 14개조의 원칙에 의하여 이루어지게 될 것을 거듭 확인하였다. 이에 전세계의 30여 민족들은 파리 강화회의에 자기들의 독립문제 토론을 요청하기 위하여 대표단을 보내게 되었는데 한국 민족도 그 중의 하나이었다. 그러나 윌슨의 민족자결주의의 원칙은 문자의 뜻이나 표면적 주장과는 달리 약소민족의 독립을 주장하거나 지원한 것이 아니었다. 특히 한국 민족의 독립에 대해서는 그러하였다.

협상국 지도자들은 1918년 10월 독일의 항복이 눈앞에 닥치자 강화회의 준비 회담을 열고 윌슨의 14개조가 강화회의의 원칙으로서 받아들일 수 있는 것인가를 정식으로 검토하게 되었다. 여기서 주목할 것은 이 해석문서에서 윌슨의 참모진들은 윌슨의 14개조의 제5항인 민족자결의 원칙이 패전국인 독일 식민지 및 동맹국의 식민지에만 해당된다는 것을 명백히 못 박은 점이다.

당시 미국의 극동정책은 연합국의 일원인 일본이 태평양 쪽으로 팽창하는 것을 막고 방향을 동북아시아 쪽으로 돌리는 것이었으며, 만주에 대한 일본의 지배도 인정하는 입장이었다. 윌슨의 극동정책은 입으로는 민족자결주의를 말하면서도 실제로는 일본의 한국 강점을 승인한 루즈벨트 - 태프트의 정책과 같은 것이었다. 그의 정책은 한국의 독립을 지원하기는커녕 일본의 아시아 침략을 승인하고 한국의 독립운동을 봉쇄하는 것이었다.

당시 윌슨은 말로라도 민족자결의 뜻을 이야기했지만 국무장관 랜싱 (Robert Lansing)은 이 용어의 사용조차 싫어할 정도였다. 실제로 파리 강화회의의 1919년 1월 11일 이후의 수정규약에는 민족자결이라는 용어는 없고 '그들 형태의 정부에 대한 피통치자의 동의의 지배'라는 표현으로 대치하여 식민지 주민의 동의를 얻은 지배를 강조하였다. 윌슨도 1919년 2월 2일의 수정안에서는 민족자결의 내용을 스스로 뺐으며, 그가 만든 국제연맹 규약에서는 민족자결이라는 용어를 사용하지 않았다.

미국은 한국을 시종일관 일본 영토로 간주하였으며, 한국의 독립을 지원할 의사는 처음부터 없었다. 윌슨의 민족자결주의의 본질은 결국 제1차 세계대전의 패전국 식민지 중에서 폴란드와 체코슬로바키아에게는 독립을 의미하는 것이었지만 기타 지역에 대해서는 위임통치라는 고차원적 식민통치 방법을 도입한 식민지 재분할의 방법이었으며, 승전국 열강의 식민지에 대해서는 현상 유지 이외의 어떠한 것도 의미하는 것이 아니었다.

윌슨의 민족자결주의 그 자체는 식민지 상태에 있는 약소민족의 대규모 독립시위운동을 촉발할 힘이 없는 것이었다. 민족자결주의의 본질이 사전에 천명되지 않았음에도 불구하고 한국 민족의 독립운동가들이 그 본질적 한계를 잘 파악하고 있었던 것은 주목할 만한 것이다.

조선민중의 생활은 물적·심적으로 이제는 더 이상 견딜 수 없는 사태에까지 와 있었다. 이때 조선민중으로 하여금 일대 민족운동을 일으킬 결의를 갖게 한 계기가 찾아왔으니, 곧 미국 대통령 윌슨(T.W. Wilson)이 제창한 민족자결주의(民族自決主義)가 그것이다. 민족자결주의는 제1차 세계대전의 전후 처리(戰後處理) 원칙인 이른바 14개 조항의 일부로 1918년 1월 8일 연두교서에서 제기되었다. 그러므로 세계의 모든 식민지민족과 약소민족들은 강한 자극을 받고 밝은 내일을 기약할 수 있다는 신념으로 분기하게 되었다.

그러나 우리의 민족 지도자들은 민족자결주의의 현실적 적용에는 한계가 있고, 더욱이 일본이 전승국 대열에 끼어 있는 국제적 처지로 보아, 한국의 독립을 실현하기는 어렵다는 것을 처음부터 알고 있었다. 그럼에도 불구하고 민족자결주의에 의해서 우리의 자결권을 행동으로써 주장하고, 또 국제적으로 호소할 수 있다고 확신하여 독립만세운동의 선두에 섰다.

본래 윌슨 대통령이 민족자결주의 사상을 처음으로 밝힌 것은 미국이 제
1차 세계대전에 참전하기 전인 1916년 5월 27일이었다. 이 사상은 당면한
어떤 구체적 정책이라기보다는 새로운 세계 질서의 기본적 이념으로 제창
되었던 것이다. 이에 대해서 맨 처음 반응을 보인 것은 미국에 거주하는 한
국 동포들이었다.

윌슨의 민족자결주의가 발표되자 미국에 거주하는 많은 약소국 민족들
은 이에 호응하여 움직이기 시작하였다. 그리하여 1917년 10월에는 노르웨
이·스웨덴·아일랜드 등이 주최국이 되어 세계 약소국 민족들의 요구를 종
합해서 전후 강화회의에 제출할 의안 작성 준비를 위하여 14개국이 모이는
세계 약소국 동맹회의가 뉴욕에서 소집되었다. 이 회의의 개최가 알려지자
한국 민족대표로 재미동포 박용만이 참석하였다. 이어서 다음 해에 발표된
윌슨의 41개 조항 중, 제5조와 제14조에서 우리 민족의 자결권을 주장할 수
있는 근거를 갖게 되었다.

제1차 세계대전은 1914년에 일어났다. 유럽에서는 독일·오스트리아·터
키 등 동맹국과 러시아·프랑스·영국 등 연합국 사이에 격전이 거듭되고,
극동에서는 일본이 연합국의 편을 들어 독일이 지배하던 중국의 청도와 남
양군도를 점령하였다.

1918년 11월 제1차 세계대전이 끝나고 전후 문제가 처리될 단계에 이르
자, 재미동포들은 12월 1일 서재필, 안창호, 이승만 등이 중심이 되어 재미
한인 전체 대표자회의를 소집하였다. 여기에서 위의 2개 조항에 근거하여
이듬해 프랑스 파리에서 개최되는 강화회의에 우리 대표를 보내기로 결의
하고, 대표로 이승만·민찬호·정한경 등 3인을 선정하였다.

그러나 이들의 파리행은 미국 정부가 여권을 발급해주지 않아서 실현되지 못했다. 이처럼 재미동포들은 윌슨의 민족자결주의가 현실적으로 뚜렷한 한계가 있다는 것을 알면서도, 그 본질적 이념에 따라 우리 민족의 자결권을 주장하고 그 방법의 하나로서 파리 강화회의에 한국의 독립을 호소하려고 했던 것이다.

윌슨의 민족자결주의와 전쟁의 종식은 독립운동의 중요한 계기가 되었다. 세계대전이 끝나면서 그 결과로 폴란드·체코슬로바키아·이집트 등 강대국에 예속되어 있던 약소민족들이 독립을 하게 되었다. 일제의 강압 아래 신음하는 조국의 장래 운명을 근심하던 일본 도쿄의 한국 유학생들은 이러한 국제 정세를 보면서 가슴이 부풀어 "이제 독립의 때가 왔다."고 외쳤다. 그러던 차에 도쿄에서 발간되는 영자신문 「재팬애드버타이저」(Japan Advertiser 1913. 12. 1)와 「아사히신문」(朝日新聞 1918. 12. 15)에 재미동포 이승만 등이 한국 대표로 파리 강화회의에 참석한다고 보도되자, 세계 정세에 민감한 재일한국 유학생들은 큰 충격을 받았고, 결국 도쿄에서 조선독립청년단의 독립선언으로 발전하게 되었다.

이때 도쿄의 한국 유학생들은 언론 암흑 상태에 있던 국내보다는 훨씬 자유로운 처지에서 국제 정세를 파악할 수 있었으므로, 일본 신문의 보도에 접하기 전에 이미 윌슨의 민족자결주의에 대하여 상당한 이해가 있었다고 생각된다.

한편 중국으로 망명한 우리 애국지사들도 윌슨이 민족자결주의를 제창한 이래 여러 가지 논의를 하였지만, 특히 종전 직후 중국에게 파리 강화회의에 대표 파견을 권유하려고 미국 대통령 특사 크레인(Charles R. Crane)이 상해에 온 것이 직접적인 계기가 되었던 것 같다.

당시 중국의 저명인사들은 상해 칼턴호텔에서 크레인 특사를 위한 환영회를 열었는데, 이 모임에 한국인으로는 여운형이 참석하였다. 이때 여운형은 크레인 특사의 연설에 감동하여, 환영회가 파한 뒤 직접 그를 찾아가 한국이 독립을 하는데 힘써 주기를 부탁해서 응낙을 받았다. 이에 힘입은 여운형은 장덕수·조동우와 협의하고, 강화회의에 제출할 한국대표 파견의 청원서 2통을 작성하여, 강화회의와 윌슨 대통령에게 전달하는 임무를 당시 상해에서 영자신문「밀라드 리뷰(Millard Review)」를 발행하는 밀라드(Thomas Millard)에게 청탁하였다. 이 자리에서 밀라드는 파리 강화회의에서 한국 문제가 논의될 가능성이 희박하다고 말한 바 있었다.

그러나 여운형은 대한청년당 김규식을 민족대표로 선출하여 이듬해 1월 파리로 떠나게 하였으며 또 여운형은 국내·일본·만주·노령지방의 동포로 하여금 독립운동을 일제히 전개토록 선우혁을 국내로, 장덕수와 조용운을 일본으로 잠입케 하고, 자신은 만주와 노령지방으로 떠났다.

이 같은 국외의 사정과는 다른 처지에 놓여 있던 국내 동포들은 윌슨의 민족자결주의 사상을 즉시 알지는 못한 것 같다. 당시 국내에서 발행되던 일제의 어용신문들은 윌슨 대통령의 강화 의견을 간략하게 보도하면서도 민족자결주의란 용어를 사용하지 않았으며, 또 이에 대한 해설기사도 제공치 않았다. 그 까닭은 한국 민족을 자극할까 두려웠기 때문이었다.

그러나 일제의 이 같은 은폐 정책에도 불구하고 민족자결주의 사상은 점차 국내 동포에게도 알려지게 되었고, 그 역할은 신문의 보도보다는 도쿄 유학생의 귀국, 재미·재중 동포의 활동을 통해서 였을 것이다.

한국의 독립운동가들은 일본이 비록 전승국이 되어 기세가 더욱 등등해졌을지라도 국제 정세가 독립운동에 반드시 불리하게 작용하는 것만은 아니라고 판단하여 윌슨의 민족자결주의를 기회로 포착하였다. 이때 주목해야 할 것은 독립운동의 지도자들이 윌슨의 민족자결주의가 승전국의 일원인 일본의 식민지 조선에는 적용되지 않는 것임을 알고 있었다는 사실이다.

이 점은 윌슨의 민족자결주의와 파리 강화회의를 맨 처음 기회로 포착하여 3·1운동에 연결시킨 상해의 신한청년단원들과 3·1운동의 민족대표 33인에 이르기까지 모두 그러하였다. 그럼에도 불구하고 한국의 독립운동가들은 파리 강화회의의 기회를 놓칠 수 없다고 판단하여 파리에 대표를 파견함과 동시에 국내외 독립운동가들에게 극비리에 이 계획을 알렸다. 이 기회를 주체적이고 능동적으로 포착하여 승전국 열강들에게 민족자결의 원칙을 패전국 독일 등의 식민지에만 적용할 것이 아니라 승전국인 일본의 식민지에도 적용하라고 요구하고 나선 것이다. 2·8독립선언의 추진자들도 민족자결주의의 한계를 알고 있었다는 사실은 2·8독립선언문에서도 잘 나타나고 있다.

이러한 사실들을 종합해 볼 때, 우리가 주목해야 할 것은 3·1운동의 직접적 진원을 이룬 상해의 신한청년당이나, 3·1운동의 도화선 역할을 한 2·8독립선언의 추진자들이나, 3·1운동을 점화한 민족대표들이나, 대부분의 독립운동 지도자들은 윌슨의 민족자결주의가 독일을 비롯한 제1차 세계대전의 패전국 식민지 처리에만 적용되는 원칙이며 우리나라에는 적용되지 않는 원칙임을 명확히 알고 있었다는 사실이다.

3·1운동은 윌슨의 민족자결주의가 독립을 갖다 주리라고 보고 일으킨 운동이 아니다. 오히려 민족자결주의를 기회로 포착하여 독립운동을 고양시킴으로써 그것을 승전국의 식민지에까지 적용하도록 변화시키려 한 것이다. 즉 국제 정세의 변화를 주체적이고 능동적으로 포착하여 독립운동에 유리하게 활용하려고 한 것이다.

여기서 주의할 것은 3·1운동과 민족자결주의가 관련이 없다는 것을 강조하고 있는 것이 아니라는 점이다. 양자는 관련을 갖고 있다. 한국 독립운동가들의 능동적인 '기회의 포착'으로서 관련되어 있는 것이다. 거듭 강조하거니와 3·1운동은 윌슨의 민족자결주의의 사상적 영향을 받고 일어난 독립운동이 아니다. 그것은 초기 개화운동 이래 당시까지의 민족운동, 예컨대 1884년 갑신정변, 1894년의 갑오농민혁명운동, 1896~1898년의 독립협회와 만민공동회운동, 1905~1910년의 애국계몽운동과 의병운동, 1910년 이후의 국내외 독립운동 등이 국민 속에 주체적 민족독립 역량으로 축적되면서 국제 정세의 변화를 능동적으로 포착해서 일어난 독립운동이었다.

2

김규식과 파리 강화회의

1919년 3월 3일 파리에 도착한 김규식은 파리 시내에 사무실을 차리고 타이피스트와 통역을 구하여 '한국공보국'을 설치했다. 김규식은 물론 그를 파견한 상해의 독립운동계에서도 파리회의에 큰 기대를 걸고 있었으므로 혼자서 그 일을 감당할 수 없다고 생각한 김규식은 당시 스위스 취리히 대학에 재학 중이던 이관용을 불렀는데 그는 졸업시험 준비를 제쳐놓고 달려왔다. 또 5월 초순에는 상해에서 김탕(金湯)이 합세하였고, 6월에는 미군에 지원하여 유럽전선에 참전했다가 제대한 황기환이 독일에서 와서 공보부의 서기장이 되었다.

6월에는 상해에서 조소앙이 오고 7월에는 여운형의 동생 여운홍 역시 상해에서 와서 합류함으로서 진용이 어느 정도 짜이게 되었다. 일본의 심한 방해공작으로 어려움이 많은 중에서도 4월 10일자로 ≪공보국회보(Circulaire)≫ 제1호가 출간되었다. 이 제1호에는 상해에서 현순(玄楯)이 보낸 3·1운동에 관한 기사를 번역해 실었다. 「자필 이력서」에서는 그동안 조선에서는 3·1운동이 일어났으나 대전 직후라 전신 사정이 좋지 않아 4월 2일에야 파리에 소식이 전해졌음이라 했다.

　김규식 중심의 한국공보국은 4월 중에 평화회의에 제출할 한국 독립에 대한 탄원서와 첨부자료 '한국 민족의 주장'을 작성했다.

　신한청년당 대표, 대한국민회 대표, 대한민국 임시정부 대표 김규식의 이름으로 된 탄원서는 20개 항목으로 되었는데 이정식 교수의 요약에 의하면 다음과 같다.

　1. 한국 민족은 4,200년의 역사를 가지고 있다.
　2. 한국이 주권국가라는 것은 여러 나라들이 조약으로 인정하였다.
　3. 한국의 주권은 이러한 조약으로 인정된 것일 뿐만 아니라 국제적으로 인정받은 것이었으므로 어떤 한 나라가 단독으로 처리할 수 없다.
　4. 일본이 한국의 독립을 침범했다.
　5. 이러한 주권의 침범에 대하여 한국 민족은 항의를 하였고 또 하고 있다.
　6. 일본 통치의 폭압으로 인하여 이러한 항의는 계속 강화되고 있다.
　7. 한국의 교육과 사상을 일본이 통제하며 억압하고 있다.
　8. 한국의 재산을 일본이 신랄하게 통제하고 있다.
　9. 한국의 기독교를 일본 정부가 박해하고 있다.
10. 일본이 한국에서 시행했다는 개혁은 형무소 내에서의 개혁과 마찬가지이며 일본인을 위한 것이다.
11. 일본이 한국에서 갖는 목적은 일본의 이익만을 위한 것이다.
12. 한국 민족의 이익뿐만 아니라 영국이나 프랑스의 극동에서의 이익을 위해서도 한국의 독립은 긴요하다.
13. 일본은 한국과 구미 각국의 무역통상을 제거하고 있다.
14. 일본은 극동 대륙에 팽창 침략하여 영국, 프랑스 각국과 대항할 것이다.

15. 일본의 대륙 팽창의 각종 증거

16. 한국인의 일본 통치에 대한 반항은 3·1운동으로 실증되었다.

17. 한국대표는 한국 내에서의 혁명운동에 관한 정보를 많이 받고 있다.

18. 한국 임시정부가 조직되었다.

19. 3·1운동은 전국적으로 전파되고 있으며, 일본 정부는 폭행으로 보복 또는 진압하고 있다.

20. 한일합방에 대한 조약은 무효이다. 그에 대한 이유 여러 가지를 제시하였다.

일본은 한반도 강제점령을 전후하여 국제 사회에 대해 한국 민족은 자치능력이 없으며, 그것이 동아시아의 평화를 유지하기 어려운 원인이라 선전하고 한반도를 강점하는 핑계로 삼았다. 김규식은 이 같은 전후 사정을 잘 알고 있었기 때문에 그가 작성한 이 탄원서에서는 그 같은 일본의 선전이 거짓임을 알리기 위해 한국 민족이 자치능력을 가진 민족임을 강조하고 있으며, 3·1운동의 폭발이 그 좋은 증거가 되어주었다.

김규식은 5월 12일자로 탄원서와 「한국 민족의 주장」 등 두 가지 문서를 윌슨 미국 대통령과 로이드 조지 영국 수상, 클레망소 강화회의 의장 등에게 보내고 또 그 중요 내용을 서신으로 보내기도 했다. 한편으로 김규식은 「한국의 독립과 평화」라는 35쪽으로 된 인쇄물을 만들어 배포했다. 그 내용은 한국이 개항한 후 구미 각국과 일본 및 중국 등과 체결한 조약들을 분석하여 각국이 한국과 맺었던 약속을 환기시킴으로써 일본의 한국 침략과 그 학정의 부당성을 논박했다. 그리고 강화회의를 취재하러 온 각국 신문기자 및 대표들을 대상으로 활발하게 외교를 펼쳤다. 1919년 8월 6일 파리의 한국공보국이 외국기자클럽에서 마련한 연회를 그 예로 들 수 있다.

이 연회에서는 프랑스 하원 부의장 샤알즈 르붑(charls Lebourq)이 사회를 맡았고, 80명의 참석자 중에는 한국포병학교 교수를 지낸 프랑스 재건국 장 빠예(General Payeur) 장군, 한국 공사대리를 지낸 러시아 참사관 군즈버그(Baron de Gunzburg)경, 프렌당(M, Frandin) 전권대사, 국회의원 마린(Louis Marin), 전 모스크바 시민의회 의장 미노(Joseph Minor), 북경대학 교수 이유연(Li Yu Ying), 파리주재 중국총영사 라오(Lao) 등이 있었다. 이 연회석상에서 프랑스 말로 된 「한국독립선언서」와 조지 드크록(George Ducrocq)이 쓴 『가난하나 아름다운 한국(Pauvre et Douce Coree)』이라는 책자와 작은 한국 깃발이 기념품으로 주어졌다.

이 연회석상에서 김규식은 한국의 지리와 역사를 간단히 말하고, 한국에는 평화가 없으며 한국인은 독립을 원한다고 말했다. 그에 이어 중국의 이유영 교수, 러시아의 전 모스크바 시민의회 미노 의장, ≪뉴욕 타임즈≫의 셀돈(Charles Seldon), 프랑스의 낸시 시의원 마린고, 미국의 유력 주간잡지 ≪하퍼즈≫의 기본즈(Gibbons) 등이 한국 주장의 정당성을 성원하는 발언을 했다. 1919년 3월 13일 파리에 도착하여 사무실 마련 등 준비를 끝내고 활동을 시작한 김규식이 파리를 떠난 것은 같은 해 8월 9일이었다. 그러니까 실제 활동한 기간은 약 4개월간이라 할 수 있는데, 이 짧은 기간에 눈코 뜰 새 없이 활동하였지만 별 성과는 없었다.

1919년 4월 11일 수립된 상하이 임시정부는 파리 강화회의에 특사를 파견하여 우리 문제를 부각시킨 약간의 성과를 근거로 국제연맹에서 임시정부 자체의 승인을 얻을 수 있으리라 기대하고 있었다. 그러나 파리 강화회의에서는 일본의 끈질긴 방해로 한국 문제가 상정되지 못하였다.

여기의 글들은 대한민국 임시정부를 대표하여 파리 강화회의에 파견된 김규식이 현지에서 어떤 활동을 하도록 계획되었는가를 이해하는데 도움이 될 만하다.

1. 강화회의에 참석한 각국 대표들을 면접하고 한국에 대한 동정과 지지를 얻을 것.
2. 파리에 비공식적으로 가 있는 유력한 인사들과 면담할 것.
3. 일본 무단통치하의 한국의 정치, 경제, 교육 및 종교적 여러 가지 사정을 알릴 것.
4. 일본의 한국과 한국인에 대한 야욕을 폭로할 것.
5. 일본의 몽고, 시베리아, 산동(山東), 양자강 지역, 복건(福建), 태국, 필리핀, 남해(南海) 및 인도에 대한 야욕을 폭로할 것.
6. 한국은 극동문제를 해결하는데 있어서 열쇠와 같은 중요한 위치에 있는 것을 역사적, 지리적 및 전략적 이유를 들어 설명할 것.
7. 미국, 영국, 프랑스, 이탈리아의 유력하고 책임 있는 신문기자들의 동정적인 협력을 얻어 한국 독립에 대한 세계적 여론을 조성할 것.
8. 미국, 영국, 프랑스, 이탈리아, 중국의 유력지를 통하여 전세계에 한국 사정을 알리고 세계의 정치가들, 외교 지도자들, 그리고 전세계 사람들 사이에 한국을 동정하는 여론을 조성할 것.
9. 파리, 런던, 샌프란시스코, 상해 등지에 홍보국을 설치하고, 또 모든 방법을 통하여 직·간접적으로 활약할 것. 세계의 정치가들과 외교지도자들, 그리고 각국 국민들간의 여론이 어떻게 돌고 있는지를 극동에 알릴 것.
10. 선전물, 선전작품, 그림이 든 전단 등을 작성 배포할 것.
11. 왜 한국이 독립하여야 하는가 하는 이유를 설명하며, 한국 사람이 자치할 능력이 있다는 것을 과시할 것.
12. 강화회의에서 대표로서 인정 받을 것을 정식으로 요구하고, 한국 해방에 대한 정식 청원서를 제출할 것, 이 청원서는 자세하고도 포괄적일 것.

세계사적으로는 제국주의 전쟁이었던 제1차 세계대전이 막 끝난 시점에서, 그리고 민족사적으로는 일본에게 강점당한 지 거의 10년이 되어가는 시점에서 상해지역으로 망명했던 조선의 독립운동가들이 조국 독립의 방법을 어디에서 구하려 했는가를 짐작하게 한다.

　주로 미국, 영국, 프랑스 등 전승국들의 후원을 기대했던 것 같은데, 한반도를 점령하고 있는 일본은 같은 전승국이었다. 파리 강화회의에서 활동했으나 별 소득을 얻지 못한 김규식은 모스크바 쪽으로 눈을 돌리게 된다.

3

2·8독립선언

재일 한국 유학생들은 국내에서보다 앞서 항일독립운동의 횃불을 올렸
다. 즉 1919년 2월 8일 재일한국 유학생들은 도쿄에 있는 조선기독교청년
회관에서 조선청년독립단의 이름으로 독립을 선언하였다.

이때 일본에서는 조선기독교청년회·조선유학생학우회·조선학회·조선
여자친목회 등의 애국단체가 있었는데 모두 학생을 중심으로 한 조직체였
다. 이들 단체는 겉으로는 친목과 학술 연구를 내세웠지만 속으로는 애국
사상의 고취에 노력하였다.

조선유학생학우회는 1912년 10월 27일에 조직된 단체로서 도쿄에 있는
한국 학생이면 누구든지 자동적으로 회원이 되었고 만일 이 회에 나오지 않
거나 회원과 섞이지 않는 사람이 있으면 그를 국적(國賊) 또는 왜놈의 앞잡
이라고 부를 정도로 항일정신이 투철하였다. 이 회는 정기적인 총회 외에도
때때로 웅변회·토론회·강연회·졸업생 축하회·신입생 환영회 등을 개최하
고, 「학지광(學之光)」이란 잡지를 발간하여 항일사상을 고취하였다.

재일 유학생들은 「재팬애드버타이저」지에 보도된 재미동포의 활동 상황에 크게 자극되어, 비밀리에 조국의 독립 문제를 토의하였다. 1919년 1월 6일 조선기독교회관에서 열린 조선유학생학우회 주최의 웅변대회에서는 민족자결주의의 원칙에 따라 한국의 독립을 일본 내각과 각국의 대·공사(大·公使)에게 청원할 것을 결의하였다.

그리고 실행위원으로 최팔용·송계백·전영택·서춘·김도연·백관수·윤창석·이종근·김상덕·최근우 등 10명을 선출하였다. 그 뒤 전영택은 병으로 사임하고, 새로 이광수와 김철수를 추가 선출하여 실행위원은 11명이 되었다. 이들 11명은 독립운동의 추진 방법을 협의하여 독립선언서를 일본 정부, 각국 대·공사(大·公使), 귀중 양원의원(貴衆兩院議員)에게 보내기로 결정하는 한편, 최팔용과 나용균으로 하여금 자금을 모금케 하고 백관수와 이광수는 독립선언서를 기초케 하였다.

그리고 송계백과 최근우를 국내에 밀파하여 최린·송진우·최남선·현상윤 등과 접촉하여 국내에서도 독립운동을 일으킬 것을 청하는 동시에, 독립선언서 등 서류 인쇄에 필요한 활자와 운동자금을 마련해 오게 하였다. 이런 점 등으로 미루어 보아 2·8독립선언은 사전에 국내의 지도층과 긴밀한 연락을 취해온 끝에 3·1운동의 시동 역할로 일으킨 것이다.

실행위원은 일본 경찰의 감시를 피해가면서 비밀 회합을 거듭하여 조선청년독립단을 조직하고 민족대회 소집 청원서 및 독립선언서와 결의문을 국문·일문·영문 등으로 작성하였다. 2월 8일 도쿄의 기독교청년회관에서 학우회 임원선거를 한다는 명목으로 유학생대회를 열었는데, 참석한 인원은 약 4백 명으로 유학생 거의 모두가 모였다.

조선독립청년단의 이름으로 11명의 대표(실행위원)가 서명한 독립선언서를 낭독하기 시작하니, 회의장 내외는 대한독립 만세소리와 환호성으로 가득 찼다. 이어 김도연이 연단에 올라 결의문을 낭독하자 군중 중에는 감격에 복받쳐 통곡하는 사람도 있었다. 이 같은 조선독립청년단의 2·8독립선언은 한국 청년학도들이 일본의 수도 도쿄 한복판에서 대한독립만세를 고창하고, 독립을 선언했다는 데에 의의가 있다. 그리고 국내 3·1운동의 선도적 역할을 했다는 데에 보다 큰 역사적 의의가 있는 것이다.

일본 유학생 중에 통합된 학생기구를 희망하는 사람들의 열망에 의해 서로의 지, 덕, 체 발달과 학술 연구와 의사의 소통을 목적으로 조선유학생학우회가 조직된 것은 전술한 바 있다. 한편 1906년 8월에 창립된 조선기독교청년회는 유학생들의 사회활동에 커다란 공헌을 하였다. 1915년 11월 10일 조국에 관한 학술 연구를 목적으로 와세다대 학생 신익회 외 7명, 메이지대 학생 김양수, 장덕수, 최두선 등의 발기로 조직된 '조선학회'의 회합은 항상 피끓는 애국론으로 일관한 항일 유학생들의 애국비밀결사조직이었다.

이와 같이 일본 유학생들은 강한 애국적 주체의식을 가지고 일제 강점기 전후를 막론하고 각종 단체를 통하여 애국적 발언을 서슴치 않았다. 이렇듯 이들 유학생 단체는 2·8독립운동의 이론적 근거를 제시하며 조직적 세력으로 태동되었다. 이들은 윌슨 미국 대통령의 민족자결주의 원칙에 매우 민감하게 반응하면서 2·8선언을 준비하였다.

"일본내에 재학 중인 애국학생은 모두 동맹휴교하고 조국으로 돌아가
민족투쟁의 지도에 참가하라."

이러한 격문이 재도쿄 조선청년독립단 동맹휴교촉진부의 명의로 각 학생들에게 발송되었다. 이후 2월 8일부터 5월 15일 사이에 일본에서 귀국한 조선인 491명 가운데 학생이 359명이었다. 일본 유학생들의 귀국은 국내 3·1혁명을 전후하여 민족항쟁의 여건 조성에 큰 영향과 업적을 남겼다.

학생독립운동사는 어느 의미에서는 민족독립운동사에서 핵심적인 위치에 있다고 볼 수 있다. 학생은 지성과 행동성이 겸비되어 있기 때문에 그 민족의 장래를 결정짓는 매개와 요인이 되는 것이다.

이러한 의미에서 청년학생들의 기상이 살아 숨쉬고 불의에 저항하는 힘을 표출하였던 일제강점기의 학생들의 외침은 그 하나하나에 민족의 역량을 담은 것으로 귀중한 가치를 지니고 있다. 특히 2·8독립운동은 일본제국주의의 수도에서 감행된 학생들의 항일운동이었던 점에 중요한 의의가 있으며[2] 거국적 민족운동이었던 3·1혁명의 모체가 되어 그 이후에 각종의 민족운동, 사회운동, 국내외의 항일투쟁운동을 이어나가는 원동력이 되었다.

이는 2·8독립운동을 주도하였던 많은 학생들이 이에 그치지 않고 국내외에서의 항일민족운동을 도모하고 그들의 시위에 내재한 저항정신을 가슴에 품고 독립투사로서의 자립의지를 밑바탕으로 삼았기 때문이다. 그중에서도 주목되는 것은 2·8선언과 그 이후 재일 항일독립투쟁에 관계하였던 신진청년들이 1919년 4월 13일 상해에서 대한민국 임시정부를 수립하고 운영하는데 적극 기여했다는 점이다.[3]

이러한 2·8독립운동의 정신은 3·1혁명을 거쳐 6·10만세운동, 수원고농(서울농대 전신) 항일운동(1928), 1929년의 광주학생항일운동, 나아가 현재까지 이어졌으며(6·10 항쟁), 학생이 민족광복투쟁의 전위적 존재임을 자각하게 하였다. 또한 안으로 단체를 통한 독서, 회합, 토론 등에 의해 민족독립을 모색했다는 점에서 질적으로도 높은 가치를 지니고 있다.

1919년을 전후한 일본 도쿄 유학생들의 항일투쟁사 연구는 2·8독립운

2 李炫熙, 「한국학생항일독립운동사」, 『한국 민족운동사연구논총』(趙一文 編) 영남대, 1988, pp. 331~362.

3 李炫熙, 『()政と 李東()硏究』(日本版), 동방도서, 1994, pp. 157~260.

동이 갖는 역사성을 인식하고 학생독립운동사를 다루는 데 빠져서는 안 될 거족적 민족항쟁인 3·1혁명의 초석임을 재확인하고 2·8독립운동의 의의를 다지는 것이다. 민족의 자유와 주체성을 마구 짓밟았던 일제의 침략행위는 그 규모와 성격이 가장 크고 잔혹한 것으로 수많은 한국 민족의 생명을 살육하고 재산을 약탈하였으므로 당연히 이에 대한 민족의 독립투쟁은 치열하게 끊임없이 계속되었다.[4] 우리 민족은 유구한 역사적 전통 안에서 이민족의 침략에 대하여 끊임없는 항쟁의 역사를 가지고 있다.

2·8독립선언서에 서명했던 유학생들은 최팔용, 전영택, 서춘, 백관수, 윤창덕, 송계백, 이종근, 김상덕, 김도연, 최근우 등이었다. 2·8독립선언서를 작성한 이광수는 중국으로 망명하여 상하이 임시정부에서 일하게 되었다.

신용하는 2·8독립선언의 의의로 ①3·1운동을 촉발하는 데에 결정적 작용을 하였다. ②만주, 러시아령에서의 '대한독립선언'의 발표와 독립운동 고양에도 직접적 영향을 끼쳤다. ③3·1독립선언서의 내용에도 심대한 영향을 주었다. ④일본 내에 체류, 거주하는 한국 민족과 학생, 노동자들의 독립운동을 급속히 고양시켰다. 등의 4가지를 들었다.

2·8독립선언 이후 이어지는 일제하 항일민족운동은 3·1운동을 계기로 새로운 단계에 접어들었다. 그것은 항일운동의 사상적 지주로 작용하였던 기존의 정치이념이 3·1운동 이후에는 서구적 민주주의와 사회주의 사상으로 갈리었기 때문이다. 또, 전략적으로도 국내에서는 합법적인 문화운동이 우세하였으나, 1930년대 이후에는 비합법적인 지하운동이 항일운동의 주류를 이루게 되었다. 3·1운동으로 유감없이 발표된 민족의 독립 요구를 무력으로 진압한 일제는 문화정치를 표방하고 탄압의 완화를 선전하였다. 문

---

4 李炫熙, 『대한민국임시정부』, 한국 민족운동연구회, 1991, pp. 49~88.

화정치의 이름 아래 동아일보와 조선일보 등 한국인의 민간 신문을 허가한 것은 속임수의 하나였다.

그러나 두 신문은 한말 항일언론의 전통을 계승하여 일제 식민통치를 비판하고 민족의식을 일깨우는 데 앞장섰다. 교활한 일제는 두 신문을 10년간 600회 이상이나 압수하였고, 다섯 차례나 정간처분을 함으로써 민족언론을 통제하였다.

제3장

3·1운동과 시대상황

일제의 무단통치와 경제수탈

한일합방조약(1910·8·29)이 공포됨과 동시에 일제는 서울 남산에 조선총독부를 설치하고, 그들의 헌병 경찰권을 동원하여 헌병경찰 통치를 실시하였다. 총독은 일본 천황에 직속되어, 육해군의 군 통솔권을 가지며, 직권으로 총독부령을 제정할 수 있는 권한을 가졌다. 중앙의 경무총장에는 헌병 사령관, 각도의 경무부장에는 헌병대장을 배치하였다.

제1대 총독 데라우치(寺內正毅)는 무단 정치가로서 관용을 모르는 잔혹한 행정가였다. 그는 한국인의 정치적인 모임은 말할 것도 없고, 단순한 집회마저도 금지하였으며, ≪대한매일신보≫ 등 항일적인 언론기관을 모두 조선총독부의 기관지인 ≪매일신보≫에 흡수하였다.

유생들이 아이들을 모아 ≪계몽편≫이나 ≪동몽선습≫ 등을 가르치던 서당까지 민족의식을 일깨운다며 통제하였다. 당시의 보통소학교는 서울을 비롯하여, 큰 도시에만 있었 고, 지방에는 일개 군에 하나가 있을 정도였다. 보통소학교의 수는 1백개 정도에 지나지 않았고, 수업 연한은 4년제이었다. 교장은 모두 일본인이었고, 교원들도 대부분 일본인이었으며 한국인은 매우 적은 숫자였다. 교원들은 모두 제복을 입고 금테모자에 칼을 차고 교단에 서서 군국주의적인 위압감을 줌으로써 민중을 억압하였다.

또한 일본은 한국을 일본의 식량 공급지, 원료 공급지, 상품시장으로 만들기 위하여, 철도와 항만·도로·통신 등의 사업에 손을 댔으며 화폐와 금융제도도 통제하고 일본식으로 고쳤다. 한편 1908년경에 동양척식주식회사를 앞세워, 토지 약탈 사업을 크게 벌여서 많은 토지를 강제로 빼앗았다. 이들 책동은 모두 철저하게 식민지 사회구조의 형성에 초점이 맞추어져 있었다. 그들은 독립운동가를 불령지도(不逞之徒), 완미지도(頑迷之徒)라고 멋대로 이름 붙여, 재판 절차도 거치지 않고 헌병 마음대로 고문을 가하거나, 형벌·과료(科料) 등을 처분하게 하였다. 그들은 또 자문기관으로 중추원을 두었으나 1919년까지 한번도 회의를 소집하지 않았으니 한국인을 속이기 위한 괴뢰기관에 지나지 않은 것이었다.

일제는 한국민의 거국·거족적 항쟁에 이간·미행·예비구속을 무기로 한 고등경찰 통치를 표방하는 등 표면적이나마 정책을 전환하였다. 1919년 8월 사이토 마코토(齋藤實)가 조선총독으로 부임하여 고등경찰 통치로 바꾼다며 한국민의 항일투쟁 열기를 회유하였다.

일제는 헌병경찰제에서 보통경찰제로 고치고 육해군 대장에 한정하였던 총독의 자격을 문관 출신 중에서도 임명하는 것으로 방침을 바꾸었다. 그리고 일본인과 동등하게 교육의 균등을 기하고 언론 통제를 완화한다는 것을 선전하며 조선일보·동아일보·시대일보의 창간을 허용하였다. 그러나 1945년까지 8명의 조선총독 가운데 문관 출신은 한명도 없었고 교육 차별이 심하여 결국 1929년의 광주학생운동이 전국적으로 확산되었다.

반면 각종 경찰 등 경비기관이나 그 예산은 증가하는 추세를 보였다. 감옥은 증설되고 사상범은 날로 격증하였다. 이때 발간이 허가된 민간신문은 한국인의 독립운동 사실을 표현하여 그들의 동태와 연락상황, 계보 등을 편리하게 파악하는 데 주요 목적이 있었다. 따라서 혹독한 검열·압수·삭제·정간·폐간 등과 매월 5~6건의 검속건수가 보고되었다. 결국 이는 한민족의 근대적인 성장과 의식의 계발을 말살시키자는 기술적 통치책이었다. 또한 일제는 1923년 9월 무고한 한국민 수천명을 학살한 관동대지진사건을 일으켰다.

한일합방 후 일본이 약속한 행복의 정체가 무엇인지는 분명하게 되었다. 그것은 상호 행복이 아니라 한국 민족의 희생을 바탕으로 한 일본인의 행복 증진이었다. 한국인의 가슴 속에 쌓이는 것은 풀리지 않는 울분뿐이었다.

국내에서의 독립운동이 불가능하게 되자 만주·상해·시베리아·미국 등 해외로 망명하는 지사(志士)들의 수가 늘어났다. 그 중에서도 만주의 북간도와 서간도는 강을 경계로 한국과 접하고 있는 만큼 많은 지사들이 모여 교육과 군사훈련으로 독립투쟁을 꾀하였는데 이시영 등이 여기서 활약하였다. 이상설(李相卨)은 역시 같은 방법으로 시베리아에서 독립운동을 전개하였다. 상해에서는 신규식 등이 손문 등 중국의 혁명지사들과 연결되어 독립운동을 하였다.

한편 미국에서는 안창호가 흥사단을 조직하여 인격 수양과 무실역행(務實力行)을 모토로 한 민족운동을 전개하고, 하와이에서는 이승만이 언론에 의한 활동을 하였다. 그리고 국내에서도 갖은 악조건 속에서도 이들 망명지사들과 연결하여 독립운동을 전개할 기회를 노리고 있었다. 그리고 그 기회는 다가왔다.

1914년에 시작된 제1차 세계대전은 4년 동안이나 계속된 큰 전쟁이었지만 1918년 독일이 항복함으로서 연합국의 승리로 끝났다. 미국 대통령 윌슨(Wilson)은 전후 문제의 처리에 있어서 민족자결주의를 포함하는 14개 조약의 원칙을 제시하였다. 비록 베르사이유조약을 지배한 복수(復讐)의 정신은 월슨의 원칙을 관철시켜 주지는 못하였지만 팽창하는 약소민족들의 민족운동에 호응한 민족자결의 원칙은 어느 정도 적용될 수 있었다.

그 결과 오스트리아제국 안에서 체코슬로바키아·유고슬라비아·루마니아 등의 독립국이 생겨났고, 러시아의 지배를 받던 폴란드·핀란드·에스토니아·리투아니아·라트비아가 독립하였다. 민족자결주의의 원칙은 일본의 무단정치(武斷政治)에 신음하던 한국 민족에게도 열광적인 환영을 받았음은 물론이다.

1917년 스톡홀름에서 열린 만국사회당대회에도 중국으로 망명한 지사들은 대표를 파견하여 한국의 독립을 요청하였다. 또 같은 해에 뉴욕에서 25개국의 약소민족회의(弱小民族會義)가 열렸을 때에도 대표를 파견하여 한국의 독립을 국제언론에 호소하였다. 그러나 독립운동이 적극적으로 진행된 것은 세계대전이 끝난 뒤부터였다. 즉 1919년 2월, 중국 상해에 모인 민족운동가들은 파리의 평화회의에 김규식을 대표로 파견하여 독립을 호소하였다.

당시 조선의 경제지표를 살펴보면 대외 무역은 1만원에서 1919년에는 50,502만원으로 5배 이상 증가하였다. 일본과의 교역(交易)이 절대적인 비중을 차지한 것은 물론이었다. 그리고 수출을 월등하게 능가하는 수입의 대부분은 일본 상품이 차지하고 있었다. 이러한 산업은 총독부의 보호하에서 대부분 일본인 회사가 경영하는 것이었다. 사실 총독부 자체가 한국에서 가장 큰 기업체이었다. 총독부는 철도·항만·통신·항공 등의 시설을 운영하고 인삼·소금·아편(阿片) 등을 전매하였는데 여기서 나오는 수익은 굉장한 것이었다. 그 반면에 한국의 민족자본은 발전의 길이 막혀 있었다. 총독부가 공포(公布)한 회사령(會社令)은 총독에게 회사의 설립, 해산에 대한 절대적인 권한을 부여한 것이었다.

그러므로 한국인의 자본에 의하여 경영되는 회사가 겪는 곤란은 더 말할 필요가 없었다. 조선은행이나 혹은 농공은행(식산은행) 같은 금융기관도 일본인의 독점이었기 때문에 한국인 기업체가 필요한 자본을 융자받는다는 것은 어려운 일이었다. 요컨데 한국인의 모든 경제적 활동은 최소한도에 국한되고 그 대신 총독부를 앞에 내세운 일본인 회사들은 엄청난 이윤을 내는 유리한 조건이었던 것이다.

조선총독부는 1910년 10월 1일부터 불법적으로 총독부 관제와 지방 관제, 각종 관제 및 직무규정을 발포·시행하고, 일본제국주의는 총독을 육해군 대장 중에서 임명하여 전권을 장악케하고 수많은 관리를 총독 감독하에 임명하였다.[1] 일본인은 고위직인 고등관이나 판임관을 독점하였고 충성하는 한국인에게는 벼슬을 주어 회유하였다.

1911년 조선총독부는 의병전쟁의 토벌이 종료되었다며 경비기관을 밀집제에서 분산제로 개편, 헌병분견소·파견소·출장소를 200여 지역에 증설하였고[2] 1919년 3·1혁명 이후 외형적으로는 보통경찰제로 고쳐 민족의 이간과 사전 검속을 강화한 특별고등경찰 통치를 시행하였다.

일제는 1910년 조선총독부 재판소령과 1912년 조선감옥령에 의거, 전국 24개소에 감옥을 확장 설치하고 무수한 애국지사를 투옥하였다. 불평하는 자는 부랑아나 불령선인이라 하여 징역에 처하니[3] 감옥에 갇힌 자는 105인 사건을 포함하여 그 수가 10만명이나 되었다.[4] 한국인은 이처럼 언론·출판·결사·교육의 자유를 박탈 당하였고, 애국지사들은 무차별 학살·투옥·추방을

---

1 ≪조선총독부관보≫, 1910년 10월 1일.

2 ≪매일신보≫, 1911년 10월 13일.

3 양영환, 「일제의 침략기구」, 『한국사』 21, 국사편찬위원회, 1976.

4 尹慶老, 「105인 사건과 신민회 연구」, 일지사, 1990, pp. 54~95

당하였으나 5천년간 자주독립을 실천해 온 민족의 역량은 국내외에서 더욱 강화되어 갔다.

일제 무단통치의 목적의 하나는 조선인의 재산을 본원적으로 탈취하는 데 있었다. 동양척식주식회사(東洋拓殖株式會社: 東拓)는 조선에 진출하는 일본인 농민을 조선총독부 책임하에 정착시키는 극악의 식민지 수탈체제를 의미하는 것이었다.

일본은 일본인 이민을 모집하여 1인당 평균 2정보의 토지와 이주비를 제공하고, 영농자금도 저리로 대여하여, 일본인은 무일푼이라도 한국에 건너오면 쉽사리 자작농이 되고, 또 작은 자본으로 자본주가 될 수 있었다. 이와 같이 날로 늘어가는 일본인 이민의 많은 수가 고리대금업에 종사하였다. 그들은 한국인의 토지를 저당잡고 돈을 대부하여 기일내에 상환하지 않았다는 등의 이유로 가차 없이 그 토지를 빼앗는 등 온갖 악랄한 방법으로 치부를 하였다.

강권을 배경으로 한 일본자본의 이 같은 수탈적 침투는 곧 농촌 수공업의 해체, 민족자본의 쇠퇴, 소지주의 몰락과 자작농의 소작농화 등 전래(傳來)의 토착(土着) 경제에 대한 급격하고도 심각한 압박으로 나타났다. 그러한 예로 국치 직전부터 시작되어 1918년에 일단락된 소위 토지조사사업을 들 수 있다. 이 관계법령에 의하면, 토지 소유자는 사위(四圍) 경계에 표목(標木)을 박고 거기에 지적(地籍), 지모(地貌) 등 소유관계를 상세히 적게 되어 있었다.

그러나 새 제도에 익숙하지 못한 당시의 농촌 실정으로 보아, 까다로운 여러 사항을 기재할 말뚝을 규정대로 소정 기일 내에 만들어 세우지 못하는 농가가 많았다. 일본인들은 그런 말뚝이 박히지 않은 토지를 마치 사냥꾼처럼 찾아내어 멋대로 제 말뚝을 박았고, 한번 그렇게 되면 그 말뚝은 헌병대나 경찰서의 채찍으로 지켜져 움직이지 않았다.

이 토지조사사업은 조선인의 엄청난 토지를 일본인의 토지로 바꾸어 놓았다. 또한 일단 총독부가 국유지로 편입했다가 불하의 형식으로 일본이나 동척을 비롯한 일본계 회사로 넘어간 토지도 방대한 양에 달하였다. 수탈은 토지에 그치지 않았다.

임업(林業)에서도 사유림을 신고하게 하는 동시에 임상(林相)이 좋은 묘지림이나 부락림 같은 것은 빼앗아 국유림으로 편입한 뒤 이것을 대량으로 일본인들에게 불하하였다. 산림의 남벌(濫伐)도 심하여 부락 근처에도 호환(虎患)이 잦을 정도로 울창했던 전국의 산림이 점차로 벌거숭이가 되면서 해마다 하천의 범람으로 막대한 피해를 입게 되었다.

어업(漁業)에 있어서도 모든 황금 어장은 일본인에게 넘겨주었을 뿐만 아니라, 신식 기구를 사용하는 어업은 일본인에게만 허가하고, 조선 어민은 원시적인 낚시질 어업에만 묶이고 만 것이다. 이러한 상태였으니 조선 농민의 생활이 얼마나 피폐됐던가는 더 말할 것이 없다. 토지조사사업의 결과로 조선인 지주는 극소수만 남고 자작농 약 20%, 자작 겸 소작농 약 40%의 상태가 되었으며, 조선인 소유 토지의 상실은 이후에도 날이 갈수록 심해졌다.

1910년대에는 일본의 재벌자본이 아직 본격적으로 진출하지 않았고 그 대신 소규모의 공장과 수공업이 압도적으로 많았다. 그 때문에 노동자의 수는 점점 증가하였지만 노동 조건은 극도로 나쁜 상태에 있었다. 특히 임금 수준에 있어서는 조선인 노동자와 일본인 노동자 사이에는 큰 차이가 있었다.

1913년의 통계를 보면 서울의 토목노동자의 경우도 조선인의 일급(日給)이 40전이었던 데 비해 일본인은 80전, 부두노동자의 경우 일본인은 120전인데 비해 조선인은 43전이었으며, 서울 철도공장 노동자의 경우 일본인의 월급은 31원 59전이었고 조선인은 12원 44전이어서 조선인의 임금은 일본인의 2분의 1 내지 3분의 1에 지나지 않았다.

낮은 임금과 긴 노동시간, 비인간적인 대우, 민족적 차별 때문에 1910년대에도 노동파업이 자주 일어났다. 1916년에 파업건수 8건, 참가인원 458명 중 조선인 참가자는 362명으로 79%이던 것이 1919년에는 파업건수 84건, 참가인원 수 9,011명 가운데 조선인이 8,283명으로 비율이 92%로 증가하였다.

식민통치 10년 동안에 자본가·농민·노동자 등 사회구성원 각계각층이 식민통치의 피해를 직접적으로 그리고 구체적으로 입으면서 그들의 정치의식과 사회의식은 급격히 높아져 갔고 여기에 일부 종교인·지식인들이 불을 지르게 되자 항일민족운동은 삽시간에 전 민족적인 운동으로 확산되어 갔다.

일제는 조선총독부 직원 및 일반 문관, 교원까지도 금테의 제복·제모와 일본길 등을 착용케하어 헌병경찰 지배체제를 확립시키고자 했다. 동시에 황국신민화를 획책하여 식민지교육을 감행하였다. 이에 애국지사들은 해외로 망명하거나 비밀조직을 형성하여 민족의 힘을 길렀다. 조선총독부는 부일귀족을 회유하기 위해 중추원을 두어 총독의 자문기관이라고 하였지만 이 단체의 의장은 정무총감이고 의원은 일제가 직접 임명하였다. 이 단체는 3·1혁명 때까지 한번도 회의가 소집되지 않았던 친일매국노들의 모임이었다.[5]

일제는 국토를 강점하고자 토지 약탈을 단행하였다. 이를 위해 1910년 국권 피탈과 함께 조선총독부내에 토지조사국을 설치하고 1912년 토지조

---

5 이현희, 『조동우항일투쟁사』, 심이출판사, 1992, pp. 49~59.

제3장 - 3·1운동과 시대상황 * 69

사령을 발표하였다.[6] 1918년까지 막대한 자금과 인원을 동원하여 착취를 완료하게 계획되어 있었고, 이 약탈을 통하여 한국인에게 토지 소유권을 인정케 한다고 거짓 회유하였다. 그러나 배일감정과 복잡한 수속 절차를 감당할 수 없었던 선량한 대다수의 농민들은 조상 대대로 경작하던 자기 소유의 토지를 토지조사국에 신고하지 않으므로 상당한 토지를 수탈당하고 말았다. 1930년경에는 888만 정보(町步)의 전답·임야를 착취당하였으니 그것은 전 국토의 약 40%에 달하는 엄청난 규모이었다. 강제로 빼앗은 토지의 일부는 동척(東拓)이나 불이흥업(不二 興業) 등 일본인 경영의 매판회사에 시가보다 훨씬 싼 값으로 독점불하되었다.

그 결과 일본인이나 그 회사는 지주가 되었고 예전의 양반들은 빈농이 되었으며 대부분의 경작자인 농민은 영세소작농으로 전락하였다. 따라서 소작농은 화전민과 유랑민이 되어 동삼성·연해주 방면으로 유랑하지 않을 수 없었다. 그들은 뒤에 항일독립운동의 기지를 형성하였고 독립투사 배출의 근거지가 되었다.[7]

임업에서도 산림령이 공포되어 마구잡이 벌채정책으로 막대한 국공유 산림과 민간 소유 산림을 일본제국주의의 약탈계획에 따라 전 산림의 50% 이상을 점탈 흡수당하였다. 어업에서도 5배의 어획고를 뒤지고 있었고 황금어장도 빼앗겼다. 조선총독부는 특혜로 일본인 재벌에게 광상(鑛床)을 주었다. 그 가운데 금·은·철·납·텅스텐 등의 생산량은 수천 배의 급격한 증가를 보여주고 있으며 특히 제1차 세계대전 전후에는 생산량이 현격한 증가를 보이고 있다.[8]

—

6 慎鏞廈, 「조선토지조사사업연구」 한국연구원, 1979, pp. 89~95.

7 趙機濬, 「일제의 경제정책」, 「한국사」 21, 국사편찬위원회, 1976.

8 ≪조선총독부관보≫, 1909~1920년도별 통계 참조.

❖ 한·일 어획고

(단위:원)

년도 \ 항목	한국인		일본인	
	총어획고	1인 평균	총어획고	1인 평균
1909	3,690,300	49	3,076,800	195
1918	14,670,068	54	18,193,334	245

(조선총독부 통계연보)

❖ 한·일 광산액

(단위:원)

구 분	한국인	일본인	기타 외국인	계
1909	325,876	1,297,074	2,964,562	4,587,512
1915	384,010	2,820,682	7,311,274	10,515,966
1917	857,839	7,615,982	8,584,281	17,058,102
1918	299,100	74,673,745	5,865,219	80,838,064

1920년 한국인에게 허가된 광구 수가 23개소인데 비해 일본인의 것은 150개소였다. 그 외에도 일본은 철도·항만·통신·항공·도로 등의 시설을 자국 경제부흥에 맞게 개편하고, 인삼·소금·연초·아편 등을 국가 전매사업으로 독점하여 엄청난 이익을 착취함으로써 한국의 민족자본은 철저하게 차별을 당하면서 연명하기에 급급한 반면에, 일본인들의 회사나 자본은 하루가 다르게 성장하였다.

조선총독부는 회사령 등을 만들어 산업경제권을 장악하고 금융조합·농공은행 등의 존폐를 결정하는 직접 감독권을 휘두르며 경제활동을 좌우하여 민족자본은 말살 위기에 몰렸다.

1) 식량의 수탈

제1차 세계대전에 참전하여 자본주의의 기반을 급속하게 키울 수 있었던 일제는 고도성장을 위하여 한국에 대한 경제적 수탈을 강화하였다. 그들은 공업화정책에 따라 생산이 부족하게 된 식량을 한반도에서 착취하려는 이른바 식량증식계획을 짜서 이를 한국 농촌에 강요하였다. 일제는 일본 본토에서 1918년 쌀값 폭등이 일어나자 그 돌파구로 미곡 수출이라는 미명하에 엄청난 양의 한국 쌀을 탈취해 갔다. 이를 위해 실시한 것이 산미약탈 계획으로 1920년 초 실시하여 15개년으로 끝나게 계획을 수립하였다. 그러나 산미증식은 예정대로 실시되지 못하였음에도 불구하고 수탈량은 계획보다 훨씬 초과하였다.

한국인의 1인당 쌀 소비량은 1년에 일본인의 1석 5두의 절반도 안 되는 5두 정도를 가지고 겨우 연명하였다. 일본은 한국인을 위한다는 명목하에 조·수수·콩 등 잡곡을 동삼성으로부터 들여와 대용식으로 연명케 하였다.

❖ **산미약탈계획기간의 생산량과 수탈량**

(단위 : 만석)

연도	생산량	대일 수탈량	수탈량 비율(%)
1920	1,270	185	14
1922	1,501	321	21
1924	1,520	460	30
1926	1,477	544	37
1928	1,351	702	52
1930	1,370	540	39
1931	1,920	840	44
1933	1,630	870	53

〈조선총독부 통계연보〉

그러나 세계적인 농업공황에 허덕이게 된 일본은 한국쌀의 탈취 지속으로 오히려 공황을 촉진하는 결과가 되자 1934년에 남은 1년 계획을 채우지 못하고 중단하였다. 그들은 13년이라는 기간 동안 근 5,000여 만석의 쌀을 탈취해 갔다.

이 계획이 중단된 1933년만 보더라도 일제는 한국의 증산량을 훨씬 초과한 양을 수탈해 갔다. 이 결과, 한국의 농민은 기아선상에서 허덕이다가 농촌을 떠나 만주 등으로 삶의 터전을 찾아 유랑의 길을 떠나거나 화전민으로 전락할 수밖에 없었다. 쌀을 수탈당할 뿐만 아니라 증산에 투입된 수리 조합비, 비료 대금, 곡물 운반비 등도 착취를 당하여 농민은 이중으로 고통을 받았다.

2) 농민의 영세화

산미증식계획의 실시는 1934년에 중지되고 말았다. 그것은 세계적인 농업공황에 휩쓸려 들어간 일본이 한국의 쌀을 수입하는 것을 공황을 촉진시키는 것으로 여겼기 때문이다. 증식계획은 중지되었으나 동계획의 수행과정에서 토지의 개량, 품종의 개량, 경종 기술의 진보, 수리시설의 설치 등 기술면의 향상이 행하여졌다. 특히 수리시설은 수리조합에 의하여 경영되는 것으로 전국에 약 150개가 있었고 그 공사비는 1조원이 넘는 것이었다.

그러나 공사비와 인건비의 과다로 인하여 수리조합은 경영난에 빠졌고, 이에 따라 수리 지역의 토지는 상당한 액수의 수리조합 공과금을 바쳐야 했다. 수리시설 시공전보다 올라야 할 땅값이 도리어 시공 후에 떨어지는 경향이 많았던 까닭은 이러한 데에 그 요인이 있었다.

결국 농민에게 이로워야 할 수리시설은 도리어 농민을 빈곤으로 몰아넣었다. 이리하여 중간의 자작농과 자작 겸 소작농은 몰락하고 소작농이 부쩍 늘게 되었다. 그 반면에 일본인 지주는 늘어만 갔다.

3) 상품시장의 구실

일본은 한국을 식량 공급지 이외에 또 상품시장으로 기대하고 있었다. 1920년 일본은 한국과의 관세제도를 철폐하여 일본의 독점시장으로서의 성격을 더욱 강화하였다. 그 결과 1931년에 대일본 수출액은 동년(同年) 총수출액의 95%였고, 일본으로부터의 수입액은 총수입액의 80%를 차지하고 있었다. 일본의 대한수출액(對韓輸出額)이 그 총수출액에서 차지하는 비중을 보더라도 상품시장으로서의 한국의 중요성을 알 수 있다. 즉 1939년에 일본 총수출의 34%가 대한국 수출이었다.

그런데 일본으로부터 수입되는 것은 완제품이 그 대부분을 차지하고 있었다. 가령 1921년에는 수입액의 75.6%가 완제품이었다. 그리고 그 완제품이란 것은 의료품·사류(絲類)·주류(酒類)·연초(煙草)·지류(紙類)·기계(機械) 등이었으니 일용품이 그 대부분을 이루고 있는 셈이다. 그런데 한국으로부터 일본에의 수출은 쌀을 그 주요 내용으로 하는 식료품이 대부분이었고 그 다음이 원료(原料)와 원료제품이었다.

4) 중공업의 발전

1920년에 총독부는 회사령(會社令)을 철폐하였다. 이로 인하여 회사의 설립은 허가주의에서 계출주의(屆出主義)로 변하였다. 이제 회사는 까다로운 절차를 거쳐서 허가를 받지 않아도 설립할 수 있게 되었다. 그러나 이것이 한국의 민족자본을 육성하기 위한 것이라고 생각한다면 큰 오해이다.

그것은 성장하는 일본의 자본주의가 제1차 세계대전의 전쟁경기를 지나고 난 뒤 유리한 자본 투하(投下)의 시장을 한국에서 발견한 때문이었다. 한국을 단순한 제품의 판매시장이 아니라 투자시장화 하려는 목적에서였던 것이다. 한국인의 임금은 일본인의 반(半) 밖에 안되는 싼 것이었다.

5) 광업(鑛業)의 개발

광업도 공업에 못지않은 속도로 발전하였음은 여러 통계에서 찾아 볼 수 있다. 즉 만주사변 직전 1930년의 광산액(鑛産額)은 2,465만원이었으나 중일전쟁 직전인 1936년에는 11,043만원으로 450%의 격증(激增)을 하였다. 더구나 1942년에는 44,542만원으로 상승하였으니 이는 1936년의 4배요, 1930년의 18배에 달하는 것이다. 12년 사이에 18배로 비약했다는 것은 놀라운 발전이 아닐 수 없다.

2

3·1운동의 추진

그동안 3·1운동의 동기로 민족자결주의와 2·8독립선언이 거론되어 왔으나, 근래에는 고종황제의 갑작스런 붕어(사망)에 그 비중을 두려는 경향이 대두되었다.

민족자결주의는 제1차 세계대전이 끝나고 이듬해 초에 열린 파리 강화회의를 계기로 그 결실이 3·1운동으로 발전되었다는[9] 주장이 있다. 이 무렵 세계 평화를 위한 새로운 사조가 널리 퍼져나갔으며, 이것이 우리 민족의 독립운동을 촉진한 것은[10] 부인할 수 없지만 3·1운동이 전적으로 민족자결주의의 영향으로 일어난 것은 아니다.

1910년 일제에게 강제로 나라를 빼앗긴 우리 민족의 가슴 속에는 자주독립사상이 흐르고 있었다. 민족지도자들 중에 적극적인 인사는 중국·만주·

---

9 이보형, 「삼일운동에 있어서의 민족자결주의의 도입과 理解」, 『3·1운동 50주년기념논집』(동아일보사, 1969), p. 175.

10 박은식, 『한국독립운동지혈사』하(박은식전서 상)(단국대학교 출판부, 1975), p.513.

노령·미주 등 국외로 망명하여 독립운동을 줄기차게 전개하였으며, 국내에 남아 있던 비교적 소극적인 인사들도 비밀리에 독립사상을 고취하면서 기회가 오기를 기다리고 있었다.[11]

일본 동경의 조선 유학생들은 제1차 세계대전이 종식되면서 폴란드·체코슬로바키아·이집트 등 약소민족들이 속속 독립을 성취하는 형세를 보면서 가슴이 부풀었다. 한편 중국에 망명한 인사들도 독립운동의 여러 가지 방법에 대하여 논의하였다.

이와는 달리 국내에서 발행되던 『매일신보』를 비롯한 일제의 어용신문들은 1916년 5월 31일의 '미국 대통령 강화 의견'이란 기사를 시작으로, 1918년에도 이와 관련된 내용을 몇 차례 보도하였지만 민족자결주의라는 용어는 쓰지 않았다. 그 까닭은 우리 민족에게 절대적인 영향을 주게 될 것이 두려웠기 때문이다. 그러나 이 새로운 세계 사조는 동경 유학생들의 귀향이나 재미·재중 동포의 활동을 통해서, 또는 미국 선교사들의 입을 통해서 국내의 지도급 인사들에게 알려지게 되었다.

일제는 1918년 11월 5일, 조선총독부의 기관지인 『매일신보』의 사설을 통해서 민족자결주의를 비판 또는 부정하는 방향으로 정책을 바꾸었다. 그러나 오히려 이것을 국내에 널리 전파시키는 결과를 가져오게 되었다. 손병희(孫秉熙)·오세창(吳世昌) 등 국내의 지도층 인사들은 민족자결주의 사상을 우리 민족에게 적용하기는 어렵다는 사실을 확실히 알고 있었다. 그럼에도 불구하고 민족자결주의의 취지에 따라 우리 민족의 독립을 선언하였다.

3·1운동은 러시아혁명의 영향으로 일어났다는 견해도 있다. 1917년 10월의 러시아 사회주의 혁명이 시기적으로 3·1운동보다 조금 앞서기 때문에 외견상 그 가능성을 배제할 수는 없다. 일제는 점차 격렬해지는 3·1운동을

---

11 국사편찬위원회 편, 『한국독립운동사 2』(1966), p.138

무력으로 진압하기 위하여 한반도에 군대를 증파하는 공식 이유로 볼셰비즘(Bolshevism)이 널리 퍼지는 것을 방지하기 위함이라고 발표하였다. 그러나 『뉴욕 선(New York Sun)』의 견해[12]에서도 볼 수 있듯이 이는 사실과 부합되지 않는 왜곡된 주장이다.

일본의 한국 유학생들은 국내보다 한발 앞선 1919년 2월 8일, 동경에서 조선청년독립단의 이름으로 한국의 독립을 선언하였다. 이 같은 쾌거는 국내외의 우리 민족에게 큰 충격을 주었다. 그러나 동경 유학생들은 2·8독립선언에 앞서, 국내의 지도층 인사들과 긴밀한 협의를 거쳐, 독립선언문 등의 인쇄에 필요한 자금을 마련해 갔다. 그러므로 2·8독립선언은 3·1운동과 별개의 것이 아니고, 사전에 국내의 지도층 인사들과 긴밀한 연락을 취하면서 3·1운동의 시동 역할로 추진된 학생독립운동이었다.[13]

고종황제의 갑작스런 사망은 1919년 1월 22일의 일이었다. 이때 덕수궁에서 기거하던 황제는 68세였지만 건강이 좋았는데, 1월 21일 밤에 갑자기 중병에 걸려 이튿날 새벽에 붕어하였다. 이 소식을 전하는 당시의 격문에서는 독시(毒弑)를 주장했으며, 이 독시설이 빠르게 퍼져나가 식민지하에 있는 우리 민족의 항일감정을 절정으로 끌어 올렸다.

그러나 일제는 1월 25일로 결정된 영친왕과 일본 황족녀 방자(芳子)의 혼례가 끝난 뒤에 고종황제의 사망을 발표키로 하고 숨겨 오다가, 항간의 풍문이 비등하고 민심이 격앙되자 할 수 없이 1월 23일에 이 사실을 발표했는데, 그 내용의 요지는 "오늘 상오 3시에 뇌일혈로 갑자기 붕어하였다."는 것이었다.[14]

당시에 널리 알려진 고종황제의 독시설은 다음과 같다.

즉 일제는 파리 강화회의에 보낼 탄원서를 이완용(李完用)을 비롯한 윤덕

---

12 한국공보국 편, 「한국의 독립을 위하여」, 『독립운동사자료집 제4집』(국가보훈처, 1971), p.753.

13 이병헌 책, 『삼일운동』, pp.54~55.

14 앞의 책, 『독립운동지혈사』, p.515.

례(尹德來)·조중응(趙重應) 등이 각계의 대표라고 가칭하여 서명 날인하고, 고종황제께 이를 비준하여 줄 것을 간청하였으나 실패하였다. 이에 대한 분풀이로 윤덕영·한상학(韓相鶴)으로 하여금 궁녀 두 사람을 시켜 밤참으로 늘 잡수시는 식혜에 독약을 넣어 올리게 한 뒤에, 두 궁녀마저 남은 독약을 먹여 참살함으로써 비밀이 새어 나가지 않게 하였다는 것이다.[15]

그리고 1월 22일 새벽 4시에 윤덕영·윤택영(尹澤榮)이 여러 귀족을 궁궐에 소집하여 회의를 열고, 황제가 붕어한 것은 일본인이 시해한 것이 아니라는 문서를 만들어 서명을 받으려 하다가 박영효(朴泳孝)·이재완(李載完)의 반박으로 흐지부지되고 말았다. 또 민영기(閔泳綺)·홍긍섭(洪肯燮)은 어체를 염습하다가 시신이 너무 빨리 문드러지는 것을 보고 이상하다고 말하였다. 이 말이 궁궐 밖으로 퍼져나가자 일본 경찰은 두 사람을 잡아가서 힐문하고 엄히 주의시켰다.

이런 말들이 퍼지면서 전국적으로 민심이 비등하였고, 수십만 군중은 삼베옷을 입고 대궐 앞에 몰려들어 자리를 깔고서 밤낮으로 호곡(號哭)하며, 경향 각지의 상인도 가게문을 닫고 서로 조상(弔喪)하였다. 또 공·사립학교의 남녀 학생들도 스스로 학과를 파하고 머리를 풀어 통곡하면서 거리를 헤매어, 자기 부모를 잃은 것과 똑같이 슬퍼하기를 오랫동안 계속하였다.

이처럼 고종황제의 사망에 대하여 명성황후(明成皇后)까지 시해한 일제 측 발표를 믿을 사람은 없었다. 그러므로 고종황제의 갑작스런 붕어는 일제의 식민지 통치하에 신음하던 우리 민족의 항일감정을 더욱 격렬하게 만들었으며, 민족자결주의와 2·8독립선언의 선도적 역할 못지않게 거족적 독립운동의 직접적 동기가 되었다.[16]

---

15 김병조(金秉祚) 편저(編著), 『한국독립운동사략 상편』, 『독립운동사자료집 제6집』, pp.34~35.
16 앞의 논문, 「3·1운동의 성격」, pp.63~66.

3·1운동은 처음에 천도교·기독교 등 종교 단체와 학생 조직이 각각 독자적으로 계획 추진하였다. 그 이유는 일제가 무단통치를 실시한 이래 국내의 사회단체 대부분이 해체되었지만, 종교단체와 교육기관은 다행히 어느 정도의 자유 활동이 가능했기 때문이다. 따라서 뜻있는 애국인사들은 종교에 의지하거나 교육에 힘쓰면서, 국권 회복의 기회를 기다리고 있었다.

천도교측은 손병희(孫秉熙)를 대표로 하여 국내에서의 독립운동을 추진하는 과정에서 구체적인 계획을 세우게 되었다. 먼저 독립운동의 3대 원칙으로 첫째, 대중화할 것, 둘째, 일원화할 것, 셋째, 비폭력으로 할 것과 그 실천 방법으로 ①독립선언서를 발표하여 민족의 여론을 환기시키고 ②일본 정부와 귀(貴)·중앙원(衆兩院) 및 조선 총독에게 국권 반환 요구서를 보내고 ③미국 대통령과 파리 강화회의에 독립청원서를 제출하여, 국제 여론에 의하여 일본에 압력을 가함으로써 독립을 성취하기로 결정하였다.[17]

그리고 거족적인 독립운동을 일으키기 위하여 기독교·불교·유림 등 각 종교 단체를 망라하고, 대한제국시대의 이름 있는 인사들을 민족대표로 내세우기로 합의하였다. 그리하여 1월 중순 경부터 우선 박영효(朴泳孝)·한규설(韓圭卨)·윤용구(尹用求)·김윤식(金允植)·윤치호(尹致昊)·이완용(李完用)을 상대로 교섭을 벌였으나 이에 응하는 사람이 없었다.[18]

이에 천도교측의 독립운동을 추진해 온 인사들은 다시 평북 정주(定州)에 있는 기독교 유력인사 이승훈(李昇薰)과 만나 협의 끝에 찬성을 얻었다. 그리하여 이승훈은 평안도 지방의 기독교 동지를 규합했으며[19] 2월 17일 경 다시 서울에 와서 박희도·함태영(咸台永) 등과 협의하여 숱한 결렬의 고

17 전게서, 「삼일운동」, pp.63~66 참조.

18 「의암 손병희선생 전기」, pp.328~329.

19 상계서, pp.333~335 ; 현상윤(玄相允), 「삼일운동 발발(勃發)의 개략(槪略)」, 「사상계」, 1963년 3월호.

비를 넘기면서 가까스로 기독교측의 합류를 성사시켰다.[20] 그리고 박희도
는 독립운동의 일원화 원칙에 따라 별개의 학생측 추진 계획을 중단시키고
이에 합류하게 하였다.[21] 천도교·기독교·학생측의 개별적인 독립운동 추진
계획이 일원화되고, 불교측이 이에 가담함으로써 최남선이 지은 독립선언
서에 서명할 민족대표의 인선이 끝났다.

이밖에도 독립운동을 계획 추진하는데 중요한 역할을 한 인사 중 서명에
빠진 사람은 16인이다. 이들이 모두 포함된 49인이 곧 3·1운동의 중앙지도
부를 형성했던 것이다.[22]

그동안 이 중앙지도부의 구성원을 48인이라고 하는 견해가 많았는데 그
까닭은 당시 3·1운동을 계획 추진한 민족지도자로 지목 구금되어 일제에게
재판을 받은 인사가 모두 48인이었기 때문이다. 그러나 민족대표로 서명
한 33인 중의 한 분인 김병조가 이 역사적인 독립운동을 정리 기록하여 후
세에 남기기 위하여, 평북에서 3·1운동을 주도한 직후 중국으로 망명하여
구금되지 않았기 때문이다. 그는 후에 상해의 대한민국 임시정부 요인으로
활동하는 한편,『韓國獨立運動史略(한국독립운동사약)』등의 저술을 남겼다

---

20 전게서,『삼일운동비사』, p.51 ;『高等警察要史』, p.18.

21 전게서,『한국독립운동사 2』, pp. 159~161.

22 삼일운동의 중앙지도부는「독립선언서」의 서명인사로, 천도교측의 손병희(孫秉熙) 권동진(權東鎭) 오
세창(吳世昌) 최린(崔麟) 이종일(李鍾一) 권병덕(權秉悳) 양한묵(梁漢黙) 김완규(金完圭) 홍기조(洪基
兆) 홍병기(洪秉箕) 나용환(羅龍煥) 박준승(朴準承) 나인협(羅仁協) 임예환(林禮煥) 이종훈(李鍾勳) 등
15인, 기독교측의 이승훈(李昇薰) 양순백(梁旬伯) 이명용(李明龍) 유여대(劉如大) 김병조(金秉祚) 길
선주(吉善宙) 신홍식(申洪植) 박희도(朴熙道) 오화영(吳華英) 정춘수(鄭春洙) 이갑성(李甲成) 최성모
(崔聖模) 김창준(金昌俊) 이필주(李弼柱) 박동완(朴東完) 신석구(申錫九) 등 16인, 불교측의 한용운
(韓龍雲) 백용성(白龍城) 등 2인을 합한 민족대표 33인과 그밖의 비서명인사로 송진우(宋鎭禹) 현상
윤(玄相允) 정노식(鄭魯湜) 김도태(金道泰) 최남선(崔南善) 임규(林圭) 박인호(朴寅浩) 노헌용(盧憲容)
김홍규(金弘奎) 이경섭(李景燮) 함태영(咸台永) 안세항(安世恒) 김세환(金世煥) 김지환(金智煥) 강기
덕(康基德) 김원벽(金元璧) 등 16인으로 모두 49인이었다(김진봉(金鎭鳳),「삼일운동의 전개(展開)」,
『한국사학3』, 한국정신문화연구원, 1980. P.15참조).

3·1운동의 진행

    천도교·기독교·학생측의 개별적인 독립운동 추진 계획이 단일화되고, 불교측이 이에 가담함으로써 독립선언서에 서명할 민족대표의 인선이 시작되었다. 천도교측에서는 2월 25일부터 27일까지 3일간에 걸쳐, 손병희·권동진·오세창·최린·이종일·권병덕·양한묵·김완규·홍기조·홍병기·나용환·박준승·나인협·임예환·이종훈 등 모두 15명이 서명하였다.

    그리고 기독교측에서는 27일 서명을 마쳤는데, 서명자는 이승훈·양순백·이명용·유여대·김병조·길선우·신홍식·박희도·오화영·정춘수·이갑성·최성모·김창준·이필주·박동완·신석구 등 16명이었다. 이에 불교측의 한용운·백용성을 합하여 민족대표는 모두 33인으로 결정되었다.

    이 33인의 민족대표 외에도 거사 계획에 중요한 역할을 담당한 인사들이 있었으나, 그들은 개인 사정이나 또는 독립운동의 다음 일을 위하여 서명에서 빠졌다. 그들은 중앙학교의 송진우·현상윤·현상윤의 동지 정노식·김도태, 그리고 최남선과 그의 동지 임규, 천도교의 박연호·노헌용·김홍규·

이경섭, 기독교의 함태영·안세환·김세환·김지환, 학생대표 강기덕·김원벽 등 16인이었다.[23] 이렇게 하여 3·1운동의 중앙지도부가 형성되었다. 불교 측에서도 민족대표로 2인이 포함되기는 하였으나, 불교계 전체의 행동통일 은 아니었다.

또 유림측에서 중앙지도부에 참여하지 못한 것은 그들의 생각이 전관료 (前官僚)와 마찬가지로 아직 독립의 시기가 성숙하지 못하였다고 판단하였 거나, 혹은 다른 종교단체에 이끌려 다니는 것을 좋아하지 않았거나 또는 그 방대한 세력을 신속하게 움직일 수 있는 조직력이 없어서 여러 가지로 제약을 받았기 때문이었다.

3·1혁명은 외래사조의 영향보다는 1894년 동학혁명 이후 성숙되어 온 민중구국운동이 자생적이고 전통적인 자주이념에 따라 내재적으로 발전되 어 온 것으로 2·8 도쿄 유학생들의 독립선언을 계기로 폭발하였다.

망명지사들을 중심으로 한 해외의 독립운동은 국내의 3·1혁명과 병행하 여 독자적으로 추진되어 노령·연해주·상해·일본·미주·유럽 등 각지의 민 간 및 교육기관에서 한인사회를 기반으로 싹트기 시작하였다. 특히 해외의 독립운동 기지 가운데 중요한 곳은 임정지역과 동삼성 일대였다.[24] 이 지역 의 이점을 고려하여 이회영·이시영 등 경주 이씨의 6형제가 가산을 정리하 고 동지 이상룡 등과 서간도 삼원보로 이주하여 기반을 닦았다.

이상설·이승희 등은 밀산부 한흥동을 독립운동 기지로 삼았다.[25] 이곳을 중심으로 민족지도자들은 그들이 세운 학교를 통해 민족교육과 독립군의 간부를 양성하였으며 이상설과 이동휘를 정·부통령으로 하는 대한광복군 정부가 이동녕 등이 참가한 가운데 블라디보스토크에 설립되었다. 이런 내

23 상게서(上揭書), pp.161~162.

24 최종건, 「大韓民國臨時政府文書編覽」, 現代史, 1980, pp. 98~130.

25 李炫熙, 「海外의 獨立運動」, 「韓國現代史」 5, 신구문화사, 1969.

외의 분위기 속에서 국내의 민족독립운동도 착실히 준비되고 있었다.

2월 27일 오후 6시경부터 천도교에서 경영하는 보성사인쇄소에서 공장 감독 김홍규가 채자(採字)하고 사장 이종일이 교정한 독립선언서 21,000매를 인쇄하여 경운동(慶雲洞) 이종일의 집에 운반하여 두었다가, 28일 아침부터 여러 사람에게 분배하여 전국 각지에 전달하였다.

이때 각자가 수수(授受)한 매수는 정확하지 않으나 서울의 이갑성은 세브란스의전 학생 김성국(金成國)에게 1,500매를 주어 숭동예배당에 가서 강기덕에게 전하게 하였다. 이즈음 숭동예배당에는 김원벽·한위건(韓偉建) 등 학생대표들이 다수의 전문·중등학생을 집합시켰으므로 이들에게 선언서를 나누어 주고 서울의 각처에 배포하도록 지시하였다.

그 담당구역을 보면 종로 이북은 불교 학생이, 종로 이남은 기독교 학생이, 남대문 밖은 천도교 학생이 맡기로 하였다. 국내외 요로에 독립선언서 및 각종 문서를 전달하는 것은 중요한 일이었다. 먼저 일본의 요로에 전달 책임을 맡은 임규(林圭)는 최남선에게서 독립선언서와 독립통고문을 받아 가지고, 2월 27일 밤 서울을 떠나 3월 1일 오후 동경에 도착하였다. 그는 즉시 문서를 등사해서 3월 3일에는 일본 총리대신과 귀·중앙원에 우송하였으며, 5일에는 각 정당·중견의원·각 신문사·각 대학·저명학자 등에게도 우송하였다.[26]

다음 미국 대통령과 파리 강화회의에 보내는 호소문 발송은 기독교측의 현순과 김지환이 담당하였다. 그 방법은 2월 26일에 먼저 목사 현순을 중국 상해로 출발시키고, 3월 2일 아침에 전도사 김지환에게 호소문 2통과 독립선언서 10매를 주어 출발케 하였다. 김지환은 이날 밤 11시경 만주(滿洲) 안동(安東)에 도착하여 목사 김병농에게 문서를 주어 현순에게 우송하도록 부

---

26 앞의 책, 『한국독립운동사2』 pp.164~165.

탁하였다.[27]

국내에서 조선총독에게 독립의견서와 독립선언서의 전달을 담당한 사람은 이갑성이었다. 그는 3월 1일 민족대표가 태화관에 모였을 때, 세브란스 의전의 서영환(徐英煥)에게 그 문서를 주어 총독부에 전달하게 하였다. 이렇게 하여 모든 계획이 완료되었다.

1894년 동학혁명의 항일항쟁 이후 싹터온 민중들의 구국사상과 정신은 이후 3·1독립운동과 계속된 항일투쟁, 독립협회의 자주자강운동, 그리고 1900년대의 저항적이고 근대화된 애국계몽운동, 비밀결사항쟁을 가능하게 하였다.[28]

1910년 국권 피탈 후 일제는 한국을 통치하기 위하여 헌병경찰을 끌어들여 폭력적으로 한국민을 억누르는 헌병경찰 통치를 실시하였다. 이때는 총칼을 앞세워 식민지 통치를 강화하던 시대였다. 그들은 1910년부터 각종 법을 마음대로 만들어 정치·경제·사회 전반에 걸쳐 한국에서의 이득권을 차지하였다. 뿐만 아니라 이른바 토지조사사업이라는 명목으로 우리나라 땅의 3분의 1을 빼앗아간 것은 악랄한 식민통치의 한 방법이었다.

그러나 우리 애국지사들은 조금도 굴하지 않고 비밀리에 모임을 만들어 애국결사운동을 전개하였다. 따라서 헌병경찰의 힘으로 우리나라를 통치하게 한 장본인 아카시 경무총감도 "가장 막기 힘든 것이 비밀리에 만든 모임들이다. 조선의 학식 있는 인물들은 세 명만 모이면 한국의 앞날을 근심하고 있는 형편이다."라며 비밀결사가 가장 골치 아픈 저항세력이라고 지적하였다. 이는 1910년대의 우리 민족의 항쟁이 얼마나 끈질긴 독립투쟁이었나를 알 수 있게 한다.

---

27 상게서, p.165.

28 이현희(李炫熙), 「국내민중운동사」, 『한국현대문화사대계(韓國現代文化史大系)』5, 고대민연(高大民研), 1980.

신민회의 안악사건과 105인 사건을 비롯하여 1913년 3월에는 선비 중심의 독립의군부와 광복단·흥사단이 조직되어 활동한 이래 1914년에는 창의소단·국민군단, 천도구국단, 1915년에는 선명단, 조선국권회복단, 광복회, 신한혁명당, 1916년에는 자립단, 1917년에는 한족회, 조선국민회, 1918년에는 신한협회, 신한청년당 등이 국내외에서 각기 만들어져 무장 독립활동을 끈질기게 이어갔다.[29]

당시의 자주독립정신은 기독교의 박애정신과 천도교의 개벽사상, 불교의 유신개혁이념에 의하여 발전하기 시작하였다. 따라서 이 같은 비밀결사와 민족운동의 전통이 그대로 연결되어 3·1혁명을 가능케 하였다. 천도교는 나라를 일본에 빼앗긴 직후부터 이미 1894년 동학혁명운동의 항일구국정신과 1904년에 실시하였던 갑진년의 개화를 위한 신생활운동과 같은 민족운동을 다시 일으켜 빼앗긴 국권을 찾아야 한다고 생각하고 있었다. 이에 이종일[30] 등은 민중구국운동본부로서의 임무를 수행하기 위하여 1914년 8월 말 천도교의 직영 인쇄소인 보성사 안에 비밀결사인 천도구국단을 조직하였다.[31]

그 뒤 같은 해 12월 14일 서울 돈의동 오세창의 집 사랑에서 천도교도 권동진, 최린 등 세 사람이 모였다. 이때는 제1차 세계대전이 종결되고 민족자결주의가 성행하였으므로 화제는 자연스럽게 그러한 문제를 주제로 삼았다.[32]

오세창이 "권선생님, 최교장, 요즘 학생들의 동향은 어떠합니까? 요새 풍설에 의하면 상해나 미국에 가 있는 망명객들이 파리 강화회의장으로 가서

---

29 신재홍(申載洪), 「1910년대의 국내외에서의 민족운동」, 「한국사」21, 국사편찬위원회, 1976.
30 이현희, 「묵암 이종일 선생의 생애와 사상」, 「新人間」 제306호, 1978.
31 이현희, 「新資料解題黙菴備忘錄」, 「국학자료」 제30호, 1978.
32 이현희, 「3·1독립운동과 임시정부의 법통성」, 동방도서, 1987,) p. 5.

우리나라의 억울한 사정을 호소한다는 말이 돌고 있습니다. 우리도 천도교의 정신으로 민족운동을 일으켜야 하지 않겠습니까?"하고 말하자 "그렇소. 우리에게 좋은 기회를 줄 것 같습니다."하고 권동진은 대답하였다.[33]

권동진과 최린이 가려고 막 일어설 때 학생복 차림의 청년이 들어왔다. 청년은 공손히 인사하며 앉았다. "송계백올시다." 권동진과 최린도 인사를 받으며 따라 앉았다. "요즘 도쿄 유학생들의 동태가 어떠한가?" 오세창의 물음에 그는 씩씩한 어조로 만국평화회의에 도쿄의 남녀 유학생들이 독립청원서를 제출할 계획이라고 말하였다. 그리고 독립선언서의 초안을 내놓았다. 학생들의 독립정신에 참석자들은 감명을 받았다. 송계백은 얼마간의 운동자금을 얻어가지고 도쿄로 돌아갔다. 오세창 등 3인의 천도교 신도들은 손병희를 찾아갔다. 손병희는 그동안 일본이 동학혁명운동에도 간섭하여 일이 뜻대로 되지 않은 것에 분개하고 있었다.[34]

그러나 한번 민생을 위한다면 주저하지 않고 일어서야 하며, 교세 확충을 위해서도 그는 한국 민족의 대표라는 것을 항상 잊지 않고 있었다. "이 일은 우리 천도교 단독으로만 일으킬 것이 아니오. 2천만 동포의 이름으로 각계를 총망라해야 하는 것이오." 하며 모든 계획의 실행을 최린이 담당케 하였다.[35]

최린은 이때 중앙학교 구내 사택과 숙직실에서 거사를 준비하고 있던 중앙고등보통학교 송진우를 만나고 다시 교사 현상윤, 김성수, 최남선 등을 차례로 만났다. 이때부터 그들은 중앙학교 내의 송진우 처소에서 모든 일을 의논하였으며, 국내 저명인사들도 포섭하기로 결정하였다. 그리고 민족

33 「동암일기(東菴日記)」, 1919년 2월 22일

34 이현희, 「삼일운동과 김성주(金性柱)」, 「평전(評傳) 인촌(仁村) 김성수」, 1991, 인촌기념회.

35 이현희, 「3·1독립운동과 임시정부의 법통성」 동방도서, p. 7.

독립운동의 3대 원칙을 내세웠다.[36]

이들은 이 원칙에 따라 활동을 시작하였다. 몇 차례의 의논 끝에 이번 거사에는 천도교를 비롯하여 기독교, 불교, 유교의 각 종교단체가 참가하도록 하고, 대한제국시대의 고관들을 끌어들이기로 뜻을 모았다. 당시 천도교측은 이 운동을 위해 자결하겠다는 사람이 50명이나 되었다고 한다.

먼저 기독교측 이승훈을 찾아갔다. 이승훈은 일찍이 선각자 안창호의 연설을 듣고 각오한 바 있어 후진을 교육하겠다고 오산학교를 경영하던 인물로 신민회에 가담하여 105인 사건으로 감옥에서 고생한 경험도 있는 애국투사였다. 이들의 말을 듣고 이승훈은 다음날 함태영을 만나 서울 경기지역 조직을 부탁하고 다시 선천으로 가서 목사 양전백, 장로 이명룡, 목사 유여대, 김병조 등을 만나 그동안 서울에서 들은 독립운동에 관한 내용을 전하고 기독교계에서도 가담하자고 요청하였다. 모였던 사람들은 모두 찬동하고 [37] 양전백과 이명룡은 함께 서울로 가서 운동할 것을 약속하며 유여대와 김병조는 독립운동을 이승훈에게 위임한다고 도장까지 주었다.

그러나 이승훈이 시간적 여유를 요청하였다. "나도 그리 생각하지만 기독교에도 파가 있으니 각 파가 합동하여 의논한 후 같이 대동단결하여 참여하도록 할 터이오. 잠시 우리들끼리 모여 토의할 여유를 주시오." 그는 천도교 총수 손병희가 내놓은 5천원을 여비로 받아 기독교계의 단합을 위한 활동을 시작하였다. 이렇게 하여 기독교측에서는 평양 일대의 장로교와 서울 경기지역의 대한감리교가 손잡고 독립운동을 전개하되 천도교측과 의논하여 하기로 결정하였다.

불교계에서는 이 소식을 듣고 한용운과 백용성 스님이 이에 가담하였다.

---

36 『의암 손병희선생 전기』, 천도교 중앙총부 1967, pp. 125~175.
37 김양선(金良善), 「삼일운동과 기독교계」, 『삼일운동 50주년기념논집』, 동아일보사, 1969.

그리고 박희도와 이갑성은 청년학생들을 동원하고자 연희전문 김원벽, 보성법률상업학교 강기덕, 경성의학전문 한위건 등 서울 시내 각급 전문학교 학생대표 10여 명을 모아 "지금 민중운동이 종교인들을 중심으로 계획, 추진되니 그대들도 시기가 오면 즉각 나서서 소속된 학교의 학생들을 동원해 주면 이 운동은 더욱 크게 확대되고 성공될 가능성도 있을 것이다." 하고 독립운동에 가담할 것을 종용하였다.

이에 각 학교 학생들은 자기들끼리 독립선언을 계획하고 있던 중 천도교와 기독교, 불교 합동의 독립선언에 찬성하고 대동단결하여 함께 만세를 부르기로 결정하였다. 일이 이만큼 진행되자 독립선언서에 이름을 밝힐 민족대표 33인을 선정하였다. 이렇게 하여 거족적 독립운동을 위해 국내에서의 대대적인 민중연합세력이 이루어진 것이다.

남은 문제는 독립선언서의 기초와 인쇄, 배포의 과정이었다. 이는 최남선이 자진하여 독립선언서의 기초를 1월 11일 완료하고 2월 20일부터 보성사에서 인쇄한 뒤 2월 26일부터 천도교·불교·기독교·남녀 학생들에게 배포하였다. 전국 8도를 분담하여 3일에 걸쳐 거의 전국적으로 배포되었고[38] 천도교의 각 교구와 기독교의 교회, 불교계는 각 사찰로 배포, 전달하였다.

학생층은 박희도, 김문진 등에게 연결되어 강기덕, 김원벽 등을 통해 넘겨졌으며 서울 시내 기독교계 여학생들에게도 배포되어 다수를 동원할 수 있었다.[39]

거사일을 3월 1일로 결정한 뒤 2월 28일 손병희의 가회동 자택에서 최종 모임을 갖고 민족적 지상과업이 성취될 것을 굳게 믿는다고 상호간에 약속하였다. 이 모임에서 박희도의 긴급 제의로 만세 장소는 폭동 우려가 있다

---

38 이현희, 「삼일운동에 관한 연구」, 『성신여대논문집』 12, 1979.
39 이현희, 『한국현대사의 모색(摸索)』, 이우출판사, 1979, pp. 88~122.

고 하자 손병희는 장소를 태화관으로 제의하고 선언서를 낭독한 뒤 경찰에 자원 피체의 결의를 다짐하였다.[40]

국내에서는 1919년 1월 무렵부터 천도교, 기독교, 불교 그리고 학생대표들이 비밀리에 모임을 갖고 대대적인 만세시위 계획을 마련하였다.

이들은 대외적으로 우리의 독립을 청원하고, 대내적으로는 대중화, 비폭력 등의 원칙에 따라 운동을 전개한다는 방침을 세웠다. 민족대표 33인의 이름으로 서명한 '독립선언서'도 비밀리에 준비되어 전국에 미리 배포되었다. 1919년 3월 1일 오후 2시가 가까워지면서 탑골공원에는 수많은 학생과 시민들이 모여들었다. 민족대표들은 불상사를 피하기 위해 장소를 음식점 태화관으로 옮겨 독립선언서를 낭독한 뒤, 자진 투옥되었다.

탑골공원에서는 민족대표들이 오지 않자 군중 가운데 한 학생이 뛰어나와 이미 배포된 독립선언서를 낭독하였다. 선언서 낭독이 끝나자 누가 먼저랄 것도 없이 '조선독립만세!'를 외쳤다. 선언식을 마친 탑골공원의 군중들은 가슴에 숨겨 온 태극기를 힘차게 흔들며 '조선독립만세'를 외치며 서울 시가를 누볐다. 때마침 고종의 국장에 참석하려고 전국 각지에서 올라온 사람들도 시위 대열에 합류하였다. 시위 군중은 여러 대열로 나뉘어 각 방면으로 행진하였다.

농촌에서의 탄압은 처참하기 이를 데 없었다. 경기도 화성군 송산면에서는 마을 전체를 불태우고 마을 주민을 학살하였으며, 화성군 향남면 제암리에서는 마을 주민을 교회에 가두고 불을 질러 타 죽게 하였다(4월 15일). 전국적으로 7천 5백여 명이 피살되고 4만 6천여 명이 체포되었으며 1만 6천여 명이 부상당하였다. 그리고 49개소의 교회와 학교, 715호의 민가가 불

---

40 「동암일기(東菴日記)」, 1919년 3월 1일.

탓다. 또한 천안의 아우내장터에서 만세시위를 벌이다 체포되어 악랄한 고문 끝에 죽은 유관순(柳寬順) 소녀의 경우처럼 체포당한 인사들의 고통은 말하기 어려울 정도였다.

3·1운동은 당장 독립을 성취하는 효과를 가져오지는 못했지만 우리 민족의 독립운동을 한 차원 높이는 계기를 가져왔을 뿐만 아니라, 일제의 파쇼통치를 소위 '문화통치'로 바꾸는 전기를 마련하였다. 3·1운동은 또한 세계 약소민족국가들의 민족운동을 고양시키는 파급효과를 가져왔는데, 중국에서 일어난 5·4운동(1919)과 인도에서의 비폭력 무저항운동, 그리고 베트남·필리핀·이집트 등지에서의 민족해방운동에 큰 자극을 주었다.

3·1운동은 국내뿐만 아니라 나라 밖으로도 번져 나갔다. 서북간도, 중국의 상하이, 소련의 시베리아와 연해주, 미주 지역에서도 만세시위가 잇달았다. 일본에서도 도쿄 유학생들이 국내의 3·1운동 봉기 소식을 듣자 곧 만세시위를 전개하였으며, 오사카의 동포들도 뒤이어 시위를 벌였다.

앞서 기술한바와 같이 3·1운동의 발전과정은 대체로 3단계로 나누어 볼 수 있다. 제1단계는 민족대표 33인 혹은 48인이 독립을 선언함으로써 이 운동에 불을 지른 단계이다. 이들 민족대표들은 대체로 애국계몽운동계의 국내 세력, 곧 개항 이후 계속 성장해 온 신지식인 및 종교인, 식민통치와 이해관계를 달리하던 민족자본가 및 중소지주 등으로 구성되어 있었으며 민족대표들은 이들 사회계층을 대표했다.

일반적으로 식민지에 있어서 초기 단계의 민족해방운동은 민족자본가 및 지식인 계층의 주도 아래 일어났으며 3·1운동의 경우도 그러하였다. 다만 애국계몽운동계의 민족운동 방법론을 이어받았던 만큼 이들의 방법론도 비무장주의·무저항주의의 단계를 넘어서지 못하였다.

이들의 역할은 대중운동을 현장에서 지도하는 단계까지 나아가지 못하고 일단 독립을 선언하는 데 그쳤다. 그리고 독립선언문에서도 식민지 아래서의 민족자본가와 농민·노동자 계층의 구체적인 이해관계를 지적하면서 대중운동을 적극적으로 유도하는 데까지 나아가지는 못했다. 그럼에도 무단통치 아래서 항일민족운동을 촉진하는 데는 큰 몫을 담당하였다.

3·1운동의 제2단계는 민족대표의 독립선언에 뒤이어 주로 학생들과 도시의 노동자 및 상인층에 의해 전국의 주요 도시로 확산된 단계이다. 독립의 선언에 그친 3·1운동을 전국의 주요 도시로 확산시킨 중개역은 학생과 젊은 지식인들이 담당했고 여기에 식민지 지배의 직접적인 피해를 받는 도시의 노동자·상인 등이 호응한 것이다. 특히 노동자들의 3·1운동에 대한 반응은 민감했다.

이 무렵에는 전국에 20여 개의 노동조합이 조직되어 있었지만 이들 노동조합이 독립선언을 사전에 연락받은 것 같지는 않다. 그럼에도 3월 2일 서울에서 일어난 4백여 명의 노동자 시위를 비롯하여 평양·겸이포 등지에서 노동자들이 시위를 했다. 3월 22일에는 남대문 부근의 노동자 약 8백명이 '노동자대회' 깃발을 들고 시위하는 등 이후에도 전국 각지에서 노동자 시위가 계속되었다.

제3단계는 주요 도시로부터 다시 전국의 각 농촌지방으로 확산된 단계이다. 민족대표들의 독립선언문에 '토지조사사업'의 기만성이나 농촌 및 농민문제가 전혀 포함되지 않았고 그 문장 자체도 농민들이 이해하기 어려운 것이었음에도 식민지 치하에서 해를 거듭할수록 자작농에서 자소작농으로, 자소작농에서 소작농으로, 소작농에서 농업노동자나 화전민으로 전락해 가지 않을 수 없었던 농민들은 이 운동에 적극 참여하여 전국 방방곡곡의 시골 장터에서 거의 1년 동안이나 만세시위를 계속하였다.

민족대표들은 최고 3년형을 받았다가 일본의 회유정책으로 형기 전에 모두 풀려났지만 시위에 참가했던 민중들의 피해는 대단히 컸다. 시위는 평화

적인 방법으로 시작되었으나 일본이 무력으로 탄압함으로써 마침내 폭동화
했고 따라서 희생도 그만큼 커져 갔다. 약 2백만명이 시위에 참여했다.

　일본측은 8명의 관헌(官憲)이 피살되고 158명이 부상당했으며 면사무소·
헌병대·경찰관서 등 278개의 건물이 불탔다. 농민들의 비무장 시위에 대한
정규 일본군의 무차별 사격과 야만적인 고문은 식민지 통치사상 그 유례
가 드문 것이었다. 특히 무고한 주민을 교회 안에 가두어 놓고 불을 지른 경
기도 제암리 학살사건은 전세계적으로 알려진 일본군의 대표적인 만행이
다.[41]

41　강만길, 한국현대사, 창작과 비평사, 1990.

4

민중들의 참여

　전국적으로 확대된 3·1운동 과정에서 민족의 자주독립을 절규하다가 쓰러진 우국지사가 너무 많았다. 이제 3·1운동 100주년을 맞아 몇가지 사례를 들어 이름없는 영웅들의 민족혼을 상기하고자 한다.

　천도교인들은 '조선독립은 천도교의 생명이다. 조선독립을 떠나서 천도교 없고, 또 천도교 없이 조선은 독립할 수 없다'고 호언할 만큼 3·1운동 의지가 확고하였다. 뿐만 아니라 장기간에 걸친 성미운동 등을 통해 독립운동 자금을 축적하였기 때문에 기독교측과의 통합 성사가 용이하였다.

　지방운동의 주체는 대부분 농민이었지만 큰 도시의 상인들은 일제히 동맹철시를 단행하여 일제에 경제적 타격을 줌은 물론 독립의식 확산에 큰 영향을 끼쳤다. 그리고 학생들의 동맹휴학과 전차종업원, 연초제조회사, 금광 노동자들의 파업은 3·1운동의 열기를 한층 고조시키는 역할을 하였다.

3월 3일 어두운 밤에 세브란스병원에 근무하는 정태영(鄭泰榮)이 종로 보신각에 몰래 올라가 종의 몸통에 '자유종'이라고 써 붙이고 온 힘을 다하여 종을 치니 근처를 순시하던 일경이 내려오라고 소리친 일이 있었다. 그는 "잠시만 기다려라. 몇 차례만 더 울리리라. 대한독립에 자유종이 없어서 되겠느냐?" 하고는 힘껏 종을 치니 서울 시민들은 한밤중에 놀라 깨어 '자유종이 스스로 울린다'고 하였다.

평남 안주군수 김의선(金義善)은 일제의 잔학한 탄압과 학살을 보다못해 헌병대에 찾아가 엄중 항의하고 순절한 백성들의 집을 찾아 시체를 어루만지며 "그대가 죽었다 해도 독립정신으로 죽었으니 참으로 영광스런 죽음이로다. 그대의 뒤를 따를 자는 반드시 많으리라." 하니, 유족들이 그의 대의를 듣고 감복하였다. 그는 뒷날 군수직을 사임하고 압록강을 건넜다.

이해 4월 황해도 안악군의 면장회의에서 일본 관리가 조선독립의 가부를 물으니 용문면장 원병로가 벌떡 일어나 '조선은 반드시 독립할 것이다.'라고 큰소리로 말하다가 관헌 수십명에게 질타당하였다. 그는 일제측의 온갖 회유와 협박에 굴복치 않고 끝내 면장직을 사임하였다.

3월 23일 충북 청주군 서부지역 주민들은 수십 곳의 산마루에서 봉화를 올리고 대한독립만세를 외쳤다. 이에 호응해서 충남·경기·강원·경상도 지방에도 봉화만세운동이 확산되었다.

한 미국 선교사는 여행 중 공장에 다니는 15세 소년을 만나 3·1운동에 관해 이야기를 나눈 다음 "독립운동에 대한 금지, 영웅으로 죽겠다는 꿈, 독립을 위한 구원의 노래를 부르며 한국 소년들은 자라고 있다."고 하였다.

『차이나 프레스』의 미국인 특파원은 서울의 어느 소학교 학생들은 일본인 교장 앞에 나아가 "일본 교과서를 더 이상 사용하지 않을 때 학교로 돌아오겠습니다."라고 말하면서 깍듯이 인사를 하고 돌아갔다고 했으며, 일본 관헌의 협박을 이기지 못해 동맹휴학을 풀고 개교한 어느 소학교의 수업시간에 일본인 교사가 "우리나라의 수도가 어디냐?"고 일본말로 물으면, 어린 학생들은 '서울, 서울'이라고 한국말로 대답하고, 때때로 교실 안에서 독립만세를 외쳤기 때문에 일본인 교사들은 간담이 서늘해졌다고 하였다.

서울의 연합신학교에 다니는 한 청년은 일본인이 만세를 부른 한국 소녀의 머리채를 끌고 가면서 심하게 구타하는 광경을 보고, 일본인에게 달려들어 주먹과 발길질을 하다가 일본 관헌에게 붙잡혀 두 팔이 칼로 잘린 뒤 교도소로 끌려갔다. 이를 본 선교사는 다음날 그 청년의 아버지를 찾아가 위로의 말을 했는데, 그 노인은 "나는 그 놈의 두 팔이 달아난 것을 아까워하지 않습니다. 그렇게 훌륭하고 남자다운 일을 하기 위해서라면 그 녀석의 목숨이 달아나도 애석하지 않아요." 라고 하였다.

영국인 선교사 게일(J.S. Gale)은 한국 민족의 용기 없음을 꾸짖어 오다가 3·1운동을 직접 보고 난 뒤, "일찍이 서양인들은 한국 민족은 겁이 많고 비겁한 민족으로 알았으나, 현재의 한민족은 세계 역사상 유례가 없는 용기와 자제력이 있음을 실증하는 바이다." 라고 재평가했다.

대구복심법원에서 지역 주동자 72인이 공판을 받을 때 이만집(李萬集) 목사의 심문 내용을 보면, "너는 종교가로서 한국인을 선동해 국가의 불행을 일으킴은 불령한 망동이 아닌가?"라고 판사가 묻자, 그는 미소를 지으며 "한국에서 나서 자란 한국 백성이니 우리나라와 우리의 백성을 위하여 거사함이 의당하다."고 대답하였다.

판사가 "이 일을 시작한 장소와 격문을 인쇄한 곳이 어디냐?" 하니 "모두 내 집이다." 다시 판사가 "주동자는 누구냐?" 고 물으니, 그는 "나다. 그러니 저 72인의 형벌을 모두 나에게 시역케 하라. 그래도 부족하거든 나의 후손 대대로 복역케 하라." 고 분연히 말하였다는 기록이 있다.

이외에도 3·1운동때 이름 없이 사라진 영웅들이 많다.

3·1운동의 주체 세력은 과연 민족대표 33인이었는가?

다들 동의하는 것 같으나, 오늘의 역사가들 연구를 보면, 이러한 견해가 틀렸음을 알 수 있다. 주동세력은 학생들과 민중들이었다. 이들은 3·1운동을 처음부터 계획하고 조직하는 과정에서부터 당일에 독립선언문을 낭독하고 전국적으로 파급시키는데 주동적 역할을 하였다.

민족지도자들은 독립선언서에 이름을 적고, 당일 태화관에 모여서 선언서를 낭독하고 일본 경찰에 연락하여 체포되어 갔을 뿐이다.

애당초 3·1운동의 시발은 이미 2·8독립선언을 동경에서 가진 국외에 있던 학생층의 운동에 자극을 받은 것이다. 33인은 학생들이 거족적인 독립만세운동을 제시했을 때 대체로 소극적이고 미온적이었다. 물론 2·8독립선언에 필요한 자금의 일부를 손병희 선생이 지원한 바는 있다. 송건호는 이렇게 말하고 있다.

"33인이 거사를 하게 된 직접적인 동기가 무엇이냐 하면 그것은 동경 유학생의 선언이다. 송계백이라는 와세다대 학생이 2·8선언문을 가지고 서울의 지도급 인사인 현상윤, 최린, 송진우, 손병희를 감동시키고 움직이지 않았다면, 33인이 과연 3·1독립선언이라는 형태로 항일전선에 나오게 되었을까 하는 의문이 있다."

3·1운동은 민족지도자라는 소수의 엘리트들이나 흔히 말하는 귀족층이
나 봉건사회의 부르조아들의 운동이 아니었고 '전 민족이 총 궐기한 민족운
동'이었다. 3·1운동에 참가한 사람들을 직업별로 보면 농민이 제일 많았던
점도 민중운동이었음을 말해준다. 종교별로 보면 기독교인과 천도교인이
제일 많았는데, 천도교는 일찌기 농민해방과 인권운동의 선구자적 종교였
고 기독교는 역시 민중 속에 뿌리를 내린 명실공이 민중종교였다.

그러므로 이 두 종교에 속한 종교인들이 다수를 이루었다면 이 운동의
주체 세력이 민중인 것은 말할 필요도 없다. 이만열은 다음과 같이 주장하
고 있다.

"3·1운동의 거사계획 과정에서 뿐만 아니라 3·1운동의 전국적인 동태화
과정에서는 민중이 거의 절대적인 운동의 추진체였다.“

이현희의 기록을 보면, 학생측의 움직임은 천도교측이 민중운동을 일으
킬 준비가 되어 있다는 소식을 듣고 본격화되었다.[42] 박희도는 1월 29일경
서울의 전문학교 학생 10여 명을 종로 대관원(大觀園)으로 초빙하였다. 이
자리에서 보성전문 학생인 주익은 국제 정세를 분석 보고하고, 약소국의
독립 기운이 조성되는 때에 우리가 궐기하면 성공할 것이라고 주장하였다.

상해에서 신한청년당이 김규식을 파리 강화회의에 대표로 파견하여 한
국 독립의 가능성이 더욱 고조되어 감에 따라 행동 방향을 모색하던 학생
들은 시위운동으로 돌입할 기세를 취하였다.[43]

이에 김원벽, 강기덕 등은 박희도와 협의하고 시위운동은 조직이 필요함

---

42 김대상(金大商), 「삼일운동과 학생층」, 「삼일운동 50주년 기념논집」, 동아일보사, 1969.

43 「한국독립운동사」 2, 국사편찬위원회, 1966, pp. 150~179.

을 건의하여 각 학교별 동원책을 선정, 책임지게 하였다. 한편 한용운은 불교중앙학림 학생 백성욱, 김법린 등 10여 명을 계동 유심사로 조치하고 독립만세 시위 계획을 설명하니 동참을 수락하였다.

3·1운동에 참여한 대부분의 민중은 ①파리 강화회의에서 미국의 후원에 의하여 한국이 독립할 수 있을 것이라고 믿었던 자 ②한국은 독립선언에 의하여 이미 완전히 독립되었다고 확신한 자 ③반신반의하여 확신은 없지만, 만일 운동에 참여하지 않으면 독립이 성취된 뒤에는 불리한 처지에 서게 된다고 생각한 자 ④독립이라는 일종의 군중심리에 사주되어 의리적으로 투신한 자 ⑤아무런 자신이나 자각도 없이 무의식적으로 참여한 자 등으로 분류하고 있다.

그러나 3·1운동에 참여한 사람들의 민족의식에 차이가 있었고 그 동기가 달랐다고 하더라도, 일단 만세운동 대열에 참여하게 된 뒤에는 오직 민족의 독립을 위하여 한몸을 돌보지 않았다.

5

3·1운동의 의의와 평가

3·1운동은 독립을 즉각 쟁취하는 목적에는 실패하였다. 그러나 3·1운동은 장기적 관점에서는 독립운동을 고양시키고 궁극적으로 독립을 쟁취하는 기초를 닦는 데는 성공하였다. 뿐만 아니라 3·1운동 그 이전의 국권회복운동이나 그 이후의 독립운동과는 달리 그것을 기획하고 조직한 지도자들의 목표보다는 훨씬 크게 성공한 운동이었다. 3·1운동에 대한 평가에는 두 개의 기준을 적용하여 논의할 필요가 있다.

첫째의 '장기적 목적'과 관련하여 보면, 3·1운동은 성공한 운동이며 특히 당시 이 운동의 초기 조직자 누구의 예상보다도 훨씬 성공한 독립운동이었다. 당시 3·1운동의 초기 조직자들은 그 누구도 만세시위운동을 전개한다고 해서 곧바로 독립이 된다고는 생각하지 않았다. 33인 대표 몇 분의 견해 중 1919년 3월 10일의 권동진 조서를 보자.

문(일제 검찰): 피고는 금후에도 독립운동을 할 것인가?

답(권동진) : 그렇다. 독립이 될 때까지는 어떻게 하든지 할 것이다. 지금 독립이 안된다 하더라도 우리는 지금의 뜻을 가지고 씨를 심어 놓으면 기필코 열매가 열리게 되리라고 생각한다.[44]

여기서 권동진은 3·1운동을 장기적 목적으로 언젠가 기필코 독립이라고 하는 열매를 쟁취하기 위한 '씨' 뿌리는 사업으로 생각하고 있는 것이다.

오세창도 3·1운동을 일으킨다고 해서 독립이 당장은 되지 않는다고 예상되지만 역사에 남도록 조선인도 민족자결의 의사가 있음을 전세계에 발표하기 위하여 독립선언을 한 것이라고 말하고 있다.[45]

손병희도 만세시위를 한다고 당장 독립이 되는 것은 아니지만 이번 기회에 겨레의 가슴에 독립정신을 일깨우기 위하여 만세를 불러야 하겠다고 말하였다.

3·1운동의 초기 조직자들은 일본이 제1차 세계대전의 승전국의 하나가 되어 있던 당시의 조건하에서는 3·1운동을 일으킨다고 해서 조선의 독립이 즉시 실현되지는 않을 것임을 예상하고 있었으며, 그럼에도 불구하고 독립운동의 단계적 전개 측면에서 볼 때 독립의 의사표시를 전세계에 분명히 표현할 필요를 절감하고 후일의 궁극적 독립 쟁취를 위한 전단계 운동으로서 3·1운동을 일으키게 되었다는 사실이다.

다른 자료들에서도 3·1운동의 초기 조직자들이 독립선언을 하고 만세시위운동을 일으킨다고 해서 즉시 독립이 실현되리라고는 기대하지 않았음을 거듭 확인할 수 있다. 3·1운동으로 즉각 독립이 실현되지는 않을 것이라고 예상하면서 3·1운동을 '점화'한 초기 조직자의 어떠한 예상보다도 거대

---

44 「1919년 3월 10일 경무총감부에서의 권동진 조서」, 『비사(秘史)』 p.182
45 「1919년 4월 9일 경성지방법원에서의 오세창 조서」, 『비사』 pp.514~515참조

하게 폭발하였다. 당시 독립운동의 어떤 지도자들도 3·1운동이 대운동이 되리라고는 상상하지 못하였으며, 33인의 그 누구도 3·1운동이 그처럼 거대한 민중운동으로 발전하리라고는 상상하지 못하였다.

그럼에도 3·1운동이 2백여만 명이 참가한 대독립운동으로 발전한 것은 기대 이상의 큰 성공이었다. 그 이유는 33인이나 독립운동 지도자들에게 있었던 것이 아니라 민중에게 있었으며, 민중의 '자발적' 참가에 있었다. 그러므로 3·1운동의 성공 측면을 알기 위해서는 '민중의 자발적 참가'의 원인을 분석할 필요가 있으며, 이것은 앞으로 중요한 연구과제가 될 것이라고 본다.

편의상 독립운동의 전과정을 하나의 장기전이라고 보고 3·1운동을 그 '한 단계' 또는 '한 작전'이라고 가정하면 3·1운동은 성공한 작전이었다. 3·1 운동은 7,509명의 사망자와 15,961명의 부상자, 46,948명이 피체포되는 희생을 내었으나, 그 희생에 비하여 얻은 성과는 다음의 그 민족사적 의의와 세계사적 의의에서 볼 수 있는 바와 같이 훨씬 크고 성공적이었다.

3·1운동은 첫째의 장기적 독립 쟁취 목적에 비추어서 성공한 운동이었다고 할 수 있다. 둘째 기준으로서 3·1운동을 당시의 즉각적 독립 쟁취 여부를 기준으로 그 결과를 고찰할 때에는 3·1운동은 실패한 운동임에 틀림이 없다. 3·1운동에 전민족이 봉기했으나, 즉각적으로 독립을 쟁취하지는 못하였다. 3·1운동에 참여한 민중 속에는 즉각적 독립의 쟁취를 목적으로 참여한 민중들도 상당히 있었을 것임에도 불구하고 3·1운동은 즉각의 독립을 가져오지 못하였다. 3·1운동이 왜 바로 독립을 쟁취하지 못했는가의 문제는 냉철한 과학적 분석과 비판이 요청되는 앞으로의 연구과제가 될 것이다.

무엇보다도 주목할 것은 당시 제1차 세계대전 종전 직후 일본이 승전국의 일원이었던 조건 속에서 독립운동세력의 역량이 일본제국주의의 침략역량보다 현저히 열세(劣勢)이었다는 사실을 들 수 있다. 냉철하게 세계사적 관점에서 볼 때 제1차 세계대전 종전 직후의 일본제국주의의 역량과 이에 연합한 승전 제국주의 국가들의 역량은 한국 민족이 단독으로 이를 바로 물리치고 즉각적으로 독립을 쟁취하기에는 벅찬 것이었다.

그러나 3·1운동의 실패를 모두 이 요인에만 돌려서는 안될 것이다. 3·1운동 실패의 내재적인 미시적 요인들도 정밀하게 분석되어 고찰되어야 할 것이다. 특히 민족대표 33인을 비롯한 독립운동 지도자들의 지도 역량 부족과 지도부 없이 전개된 3·1운동의 비조직화 측면과 분산적인 측면은 냉철하게 비판되고 검토되어야 할 것이다.

첫째, 3·1운동은 자발적인 독립운동이었다. 그 동안에는 1910년의 한일합방에서 1919년 초까지를 암흑의 시대로 보았다. 그 까닭은 이 기간에 우리 민족의 항일독립운동이 국내에서는 좌절되어 중단 상태에 있었고, 다만 국외에서 그 명맥을 이어온 것으로 믿었기 때문이다. 물론 한일합방 이전부터 일제의 침략을 물리치기 위하여 전국적으로 여러 차례에 걸쳐 일어났던 의병전투가 1913년을 전후로 거의 종식되었던 것도 사실이다. 그러나 이것은 헌병경찰 제도에 근거한 일제의 혹독하고 철저한 무단통치 때문이었다.

1910년 이후에도 국내에는 일제가 가장 두려워하는 항일비밀결사가 많았으며, 일제 관헌에게 발각된 것만도 독립의군부·광복단·선명단·조선국권회복단·자립단·조선국민회·민단조합·자진회(自進會)·청림교(靑林敎) 등을 비롯하여 여러 조직이 있었다.[46] 이 기간에는 일제 무단통치의 공포 속에서 조직적인 무력항쟁으로 발전되기가 어려웠으나, 전통적으로 일본을 침략자로 멸시해 오던 우리 민족의 마음 속에는 뿌리 깊은 항일 독립사상이 잉태되고 있었던 것이다.

---

[46] 최영복(崔永福), 「삼일운동에 이르는 민족독립운동의 원류」, 「삼일운동 50주년 기념논집」, p.36 참조.

암흑의 시대라고 불리던 이 10년간은 우리 민족의 힘의 축적 기간이었다. 이 기간의 비밀결사의 폭력 행위나 애국계몽운동, 국외의 독립군 양성 등은 모두 우리 민족의 항일 독립사상을 바탕으로 하고 있었으며, 이 독립사상은 점차 격화되어 폭발 직전의 상황에 있었다. 그리하여 3·1운동의 중앙지도부 인사들은 제1차 세계대전의 종식과 민족자결주의의 제창 등 세계의 신사조와 고종황제의 사망에 따르는 항일 민족감정의 격화라는 절호의 기회를 능동적으로 포착해서 자발적으로 거족적인 독립만세운동을 일으켰던 것이다.[47]

둘째, 3·1운동은 비폭력운동이었다. 독립만세운동이 점차 격렬한 양상을 띠게 되자 일제의 무력 탄압은 야만적 행위로 일관되었으며, 이에 격분한 시위군중은 농기구·몽둥이·돌맹이로 일본 관헌에 대항하였다. 그 결과 일제 측에 타살 8명(헌병 6, 경찰 2), 부상 158명(헌병 91, 경찰 61, 군인 4, 관리 2) 관서 파괴 278곳(경찰관서 87, 헌병대 72, 군면 77, 우편소 15, 기타 27)의 피해를 주었다.[48]

이 같은 통계를 토대로 3·1운동은 폭력 반, 비폭력 반의 운동이었다는 주장이 나오게 되었다. 그러나 3·1운동의 대부분은 평화적이고 질서정연한 비폭력운동으로 전개되었다. 독립선언서의 공약 3장에서도 분명히 밝히고 있듯이, 민족대표들은 마지막으로 우리 민족에게 절대 폭력행위를 하지 말라고 당부하고 있었다.[49]

---

47 전게서, 「삼일운동의 전개」, pp.11~12참조.

48 전게서, 「삼일운동과 민중」, p.359.

49 『조선독립신문 제1호』(1919. 3.1)에는 다음과 같은 「대표제씨(代表諸氏)의 신탁(信託)」을 게재하고 있다. 조선민족대표 제씨(諸氏)는 최후의 일언(一言)으로 동지에게 고(告) 하야 일(日), 오제(吾儕)는 조선을 위(爲)하야 생명을 희생으로 공(貢)하노니 오(吾) 신성형제(神聖兄弟)는 오제의 소지를 관철하야 동년동월 가지던지 아(我) 이천만 민족이 최후의 일인이 잔여(殘餘) 하더라도 결단코 난폭적 행동이라던지 파괴적 행동을 홀행(홀行)할지이다. 일인(一人)이라도 난폭적, 파괴적 행동이 유(有)하면 시(是)는 영천고(永川古) 不可救한조선을 작(作)할지니 천만주의(千萬注意)하고 천만보중(千萬保重)할지어다(전게서, 『한국독립운동사 자료 5』, p.1 참조)

캐나다의 신문기자 매켄지는 3·1운동을 조사·연구한 그의 저술에서 "3·1운동은 시위였지만 폭동은 아니었다. 첫날 이래(경찰이 군중을 격분시키기 전까지는) 폭행은 조금도 일어나지 않았다. 전국에 흩어져 살고 있던 일본인들 중에 다친 사람은 없었으며, 일본인 상점도 아무런 피해가 없었다. 한국 지도자들은 대중에게 경찰이 습격해 왔을 때 처형은 하지 말라고 지시하였다. 약자가 일어나서 강자를 당황케 하였다."[50] 고 하였다.

이처럼 외국인 신문 특파원들도 평가하듯이 3·1운동은 결코 폭력운동으로 볼 수 없는 것이다. 만일 만세시위 군중이 처음부터 폭력행위를 계획했더라면 서울을 비롯한 대도시의 일본인 거리를 모조리 불태울 수 있었고, 각지에 산재해 있는 일본인이나 관헌의 집을 습격 파괴함으로써 그들을 남김없이 죽일 수도 있었다.

셋째, 3·1운동은 일단 성공한 운동이었다. 국내외 각지에서 비폭력이라는 새로운 항쟁 방법으로 전개된 이 거족적 독립운동이 실패했다는 근거는 민족자결주의 원칙에 따라 한국의 독립을 선언하고 독립만세시위를 벌였지만, 그 즉시 민족의 독립을 쟁취하지 못했다는 점을 들고 있다. 물론 어떤 지방운동의 주동 인사나 세계 사조에 어두운 일부 농민들은 대한독립만세를 외치면 오래지 않아 우리나라가 독립할 것이라고 믿고 있었다.

그러나 3·1운동의 중앙지도부 인사들과 전국 각지의 지식층 인사들은 한결같이 독립만세를 부른다고 해서 즉시 우리의 독립을 쟁취할 수 없다는 사실을 잘 알고 있었다. 그러므로 지도층 인사들은 3·1운동의 목표를 즉각적인 한국의 독립 달성이 아니라, 장기간 계속될 한국 독립운동의 새로운 계기를 마련하기 위한 출발에 두었다. 손병희는 천도교 간부들에게 당부하기를 "우리가 만세를 부른다고 당장 독립되는 건 아니오. 그러나 겨레의 가

---

50 전게서, 「한국의 독립전쟁」, p401.

습에 독립정신을 일깨워 주어야하기 때문에 이번 기회에 꼭 만세를 불러야 하겠오."[51] 라고 하였다.

이같이 3·1운동은 그 즉시에 자주독립을 쟁취하지는 못했지만 조직적이고 장기적인 한국 독립운동의 기틀을 마련해 주었으며, 그 때문에 제2차 세계대전의 종식과 함께 일제의 굴레를 벗어나 조국이 광복되었으므로 일단 성공한 운동이라고 평가해야 할 것이다.

다시 요약하면 3·1운동은 첫째, 근대적 민중의 정치의식 태동, 국민국가 수립을 향해 민중운동으로서의 가능성을 시사한 시민혁명의 범국민 운동이었다. 둘째, 이 운동은 민주정부를 탄생하게 한 국민단합과 총화의 창세기적 민족주의 의식 성장의 민족독립혁명이었다.

셋째, 이 운동은 종교계에 의해 주도되었는데 그것은 동학혁명과 개화혁신운동의 정신을 재현함과 동시에 전통적인 사상의 맥락에 의하여 시민의 힘을 바탕으로 일으키고 참여시킨 항일 자주독립운동의 분수령이 되었다. 이 운동은 전통적으로 성숙해 온 자립자주 이념이 발전해 오다가 국제 정세와 고종의 독살설, 2·8독립선언, 헌병경찰 통치의 극단화로 인한 전계층의 항일 자주의식이 국민국가 설립의 요구로 폭발한 것이다.

넷째, 이 운동은 비록 지도부가 감금되어 있었지만 독립 완수라는 민족전통의 숙원에 의해 농어민을 다수 참가시켰고, 학생·상인·노동자·공업인·교사 등의 계층을 대동 합류시켰으며, 종교인으로는 기독교와 천도교인이 가장 많이 참여하여 시민운동의 성격을 시사하고 있으며 연령은 30세 미만자가 전체 체포자의 절반 이상을 차지하여 청장년층이 중심적으로 참여했다는 것을 알 수 있다.

다섯째, 이 운동으로 인해 무정부 상태에서 민간정부인 정통 정부를 탄

---

51 전게서, 『의암 손병희선생 전기』, p.343.

생시켜 민족운동의 방향을 잡을 수 있었으며,[52] 그것은 민족 실력의 양성·외교자립의 노력·무장세력의 양성을 통한 독립전쟁론을 가능케 하였다.

여섯째, 이 운동은 조직적·구조적으로 항일투쟁을 계속하여 맹휴(盟休)항쟁, 소작인 투쟁, 노동자의 항쟁, 파업, 태업선동 등의 지속적인 항쟁의 전통을 수립하였다.[53]

일곱째, 이 운동은 중국 5·4운동과 4월 6일 인도 무저항배영운동인 제1차 사타그라하운동, 이집트의 반영(反英) 자주운동, 터키의 민족운동 등 아(亞)·중동지역에서의 민족운동을 촉진시킨 교훈을 던져주었다.

여덟째, 이 운동은 국내외에서 새로운 형태의 민족운동을 촉진시켰기 때문에 분명히 한국의 민족주의적 성격을 띤 민중구국운동의 가능성을 제시해 준 것이라 할 수 있다.[54] 따라서 3·1운동은 시민혁명의식의 구체적 성공으로 국민국가 수립과[55] 민족통일을 지향한 국민자활운동이었으며, 오늘날 헌법전문에 3·1운동을 시사하고 있는 것은 이러한 당시의 사정을 환기시키고 자각케 하는 것이다.

52 이현희(李炫熙), 『대한민국 임시정부사』, 집문당, 1982, pp. 300~339.

53 이현희, 『한국근대사의 모색』, 신우출판사, 1979, pp. 120~129.

54 이현희, 『3·1운동사론』, 동방도서, 1979, Pp.120~129.

55 이현희, 『3·1독립운동과 임시정부의 법통성』, 동방도서, 1987,pp. 34~59.

제4장

3·1운동의 원동력

1

고종황제의 독살설

고종황제는 1월 21일 오전 1시 45분경, 덕수궁에서 돌연 뇌일혈로 인하여 68세로 운명하고 말았다. 일제가 고종의 죽음을 공식 발표한 것은 23일이었다. 일제는 사망시각을 1월 22일 오전 6시로 조작 발표했다. 이른바 '고종 독살설'이 나돌게 된 한 이유다.

그러나 송우혜는 "독립운동가들은 의도적으로 '일제의 사주에 의한 독살설'을 퍼뜨려서 조선 백성을 격앙시켜 독립운동전선으로 밀고 나갔다."며 다음과 같이 주장했다.

"그래서 독살설이 오늘날까지도 사실로 받아들여져서 각종 전문학술서적에까지 그렇게 기술되고 있다. 그러나 사실을 바로 보아야 할 때다. 당시 일본은 고종을 독살하지 않았다. 고종이 승하한 1919년 1월 21일 당시는 일본으로서는 결코 고종의 죽음을 원하지 않을 때였다. 그 시점에 고종이 죽으면 당장 이은의 결혼식이 불가능해지고 따라서 그들의 계획에 중대한 차질이 생기기 때문이다. 사실 예기치 않게 21일 오전에 고종이 승

하하자 처음에 일본은 고종의 죽음을 감춘 채 이은의 결혼식을 강행하려
고 시도했었다. 바로 죽음을 감추려는 시도가 세간의 의혹을 더욱 불러일
으킨 소지가 되기도 했다."

송우혜는 또 당시 전의(典醫)들이 남긴 기록에 의하면, 고종은 별세 4~5
일 전부터 계속 불면증과 체증을 보이고 있었다고 말했다.

"잠도 제대로 자지 못하고, 음식은 먹는 대로 얹히고...... 또한 덕수궁
궁녀들이 남긴 증언에 의하면 한 자리에 가만히 있지 못했다고 한다. 계속
이 방에서 저 방으로, 저 방에서 대청으로, 대청에서 다시 이 방으로, 그렇
게 집안을 맴돌며 서성거렸다는 것이다. 아마도 코앞에 바짝바짝 밀어닥
치고 있는 아들 이은과 일본 여인의 혼사를 막을 길이 없음에 대한 처절한
고뇌 때문이었을 것이다."

송우혜는 이런 정황 속에서 '독살설'은 아주 빠르고 세차게 번져 갔다고
말했다.

"세상에 새로 등장한 당대에 가장 거창한 화두였던 윌슨의 '민족자결주
의'에 고종의 죽음에 관한 독살설이 결합하자, 그 폭발력과 파괴력은 실로
가공할 만했다. 그래서 당시 일반 조선인들은 물론 일본 황족인 이본궁 방
자의 가족들까지 포함한 수많은 일본인들조차 그 소문을 사실로 믿었고
자신들의 회고록에도 '당시 일본 측의 사주로 조선의 고종황제가 독살되
었다'고 써서 남겼을 정도였다."

'고종독살설'은 파리 강화회의 소식과 맞물리면서 큰 힘을 발휘하게 되었

다. 『매일신보』는 조선총독부의 기관지였지만 파리 강화회의 기사들을 많이 게재함으로써 이 회의에 대한 조선인들의 기대심리를 높게 만들었다.

고종이 승하한 지 7일 만인 1919년 1월 28일자 『매일신보』는 "파리 강화회의를 이끌어가는 강대국 지도자들이 회담한 뒤 세계 각국에 통고하기를, 국가간 영토에 관한 분쟁이 있을 경우, 강제로 점령하는 나라는 도리어 불리해질 것이다. 정상적인 대우를 받고 싶으면 위력을 쓰지 말고 그 요구하는 바를 공명정대하게 강화회의에 제출하라"고 보도하기도 했다.

이와 관련하여 송우혜는 "당연히 그 시대의 조선인들은 파리 강화회의가 지닌 힘과 기능과 역할에 관해서 엄청난 환상을 가지게끔 되었던 것이다"며 다음과 같이 말했다.

"그런 시대적 정황이야말로, 당시 한민족 사상 최대의 평화시위운동이었던 3·1독립만세운동이 고종의 인산(因山) 이틀 전에 불꽃처럼 폭발할 수 있게 한 원동력이 되고 기본 토대가 되었다. 이런 시기에 고종황제의 돌연한 죽음은 두 가지 중요한 요소를 조선 백성들에게 제공했다.

첫째는 독살설에 의해서 침략자 일본에 대한 적개심이 거대한 불기둥처럼 타올라 두려움을 잊게 만든 것이요, 둘째는 인산 때문에 자연스럽게 사람들이 많이 모일 수 있는 계기와 장소를 제공한 것이다.

왕세자 이은이 부친의 인산을 치르려고 서울에 들어와 머문 지 35일째인 1919년 3월 1일, 고종의 인산일을 이틀 앞두고 저 유명한 3·1독립만세운동이 폭발했다. 여기서 우리 민족의 항일독립운동사와 관련해서 한 가지 궁금증이 인다.

만약 그 시기에 그런 상태로 고종이 죽지 않았더라면 3·1독립만세운동과 같이 거대한 규모와 형태와 동력을 지닌 독립운동이 폭발적으로 일어나는 것이 가능하지 않았을 것이다."

2

상인과 학생들의 활약

 3월 1일 정오경 민족대표 중 29인은 태화관에 모여 점심식사를 마치고 오후 2시가 되기를 기다렸다. 오후 2시가 가까워지자 최린은 태화관 주인에게 민족대표 일동이 독립선언식을 거행하고 축배를 들고 있다고 조선총독부에 통보케 하였다. 통보를 받은 일본 경찰 80여 명이 곧 달려와 태화관을 포위하였다. 독립선언식을 마친 민족대표들은 일본 경찰의 인도에 따라 조용히 5대의 자동차에 나누어 타고, 회심의 미소를 지으면서 독립만세 소리가 진동하는 서울 거리를 지나 총독부로 끌려갔다.

 이날 새벽 서울의 거리에는 각종 격문과 독립운동의 정확한 소식을 알리기 위한 『조선독립신문』 제1호가 독립선언서와 함께 민중에게 배포되었다. 한편 탑골공원의 학생을 중심으로 한 4,000~5,000명의 군중은 민족대표들이 나타나지 않자 당황하였다. 이때 한 청년이 팔각정 단상에 올라가 감격에 넘치는 목소리로 독립선언서를 읽어 내려갔다. 이 청년의 재치 있는 행동은 불참한 민족대표의 공백을 메꾸어 주었고, 이어 하늘을 찌르고 땅을

흔드는 대한독립만세 소리가 터져 나왔다.[1]

학생들의 모자는 한꺼번에 하늘로 솟아오르고, 군중은 감격에 북받쳐 서로 얼싸안고 둥실둥실 춤을 추면서 기뻐하였다. 군중은 곧 탑골공원 밖으로 독립만세를 부르며 시위행진을 벌였다. 이 대열에는 학생·신사·상인·농민·도유(道儒)·남녀노소 등 모든 계층이 참여하여 서울 거리를 누볐다.

거리로 뛰쳐나온 서울 시민과 지방에서 국장을 참관하기 위하여 상경한 인사가 뒤섞여 군중은 수십만명으로 늘어났다.[2] 탑골공원에서 시작된 독립만세 시위운동은 날이 저물 때까지 계속되었다. 일대는 종로·광교·남대문·남대문역(지금 서울역)을 돌아 의주통(義州通)으로 꺾어 들어 프랑스공사관 쪽으로 행진하였다.

독립선언서의 작성 문제는 2월 중순경 최남선이 최린·현상윤과 협의하는 자리에서, 자기는 일생을 학자로 마칠 생각이라 독립운동의 표면에 나서지는 못하지만, 선언서는 맡아서 작성하겠다고 제의하여 그에게 낙착되었다. 며칠 후 최남선은 독립선언서 초안을 최린에게 전달하였다.

한용운은 독립운동에 직접 책임을 질 수 없는 최남선이 선언서를 짓는 것은 옳지 않다고 주장하면서 자기가 짓겠다고 나섰으나, 그때는 이미 선언서의 손질이 끝난 뒤였다. 선언서의 공약 3장은 한용운이 추가했다는 말도 있으나 확실치는 않다.[3] 이처럼 독립선언서의 기본정신이 서구식 민주주의를 표방하게 됨으로써 전통적 지배 사상을 벗어날 수 있게 되었다. 이같이 3·1운동의 기본 방향이 잡히자 다음에 잇달아 일어나는 국내외 각지

---

1 앞의 책, 「한국독립운동지혈사」에서는 천도교 일원이라 하고, 국사편찬위원회의 「한국독립운동사2」에는 경신학교 졸업생 정재용(鄭在鎔)이라 하였으나, 이 문제는 앞으로 명확히 밝혀져야 할 일이다.

2 앞의 논문, 「삼일운동의 전개」, pp.17~18.

3 전게(前揭) 「의암손병희선생 전기」, p.346.

의 3·1운동은 모두 같은 방향으로 이끌려가게 되었다.

3월 1일부터 3월 중순까지 전국 13도로 발전해 간 독립만세운동의 경향을 보면 대체로 다음과 같다.

①서울에서 의주로 연결되는 서북지방에서 남부와 동북부지방으로, 그리고 교통이 편리한 철도 연변의 대도시에서 중소도시와 읍·면으로 전파되어 갔다. ②지방의 만세시위운동으로 규모가 컸던 날짜는 대부분 장날과 합치한다. 이것은 거사계획의 누설 방지와 군중 동원이 쉬웠기 때문이었다. ③같은 장소에서 같은 날 또는 5일, 10일 간격으로 몇 차례씩 거듭 일어났다. 이것은 일제 식민통치의 억압에서 살아오던 민족 적개심의 끈질긴 발현으로서 우리 민족의 강인성(强靭性)을 나타낸 것이라고 하겠다.[4]

3월 9일부터는 서울의 상인(商人)이 일제히 동맹하여 철시(撤市)하였다. 4월초까지 1개월간 계속된 철시의 동맹공약서는 다음과 같다.[5]

①9일 일체 폐점할 것.
②시위에 가담할 것. 단 폭행은 하지 말 것.
③위약한 상점은 용서 없이 처분할 것.

일본 군·경은 이 동맹을 철회·개점시키기 위하여 온갖 수단을 다하였다. 심지어 총구를 들이대고 개점을 강요하였으니 상인들은 마지못하여 개점할 경우 그들만 돌아서면 다시 상점문을 닫았다. 또한 부청, 경찰서 등에서

---

4 앞의 논문. 「삼일운동의 전개」. pp.19~20.
5 전게서, 「독립운동에 관한 건」, 1919년 3월 9일 제10회보.

상인을 불러다가 개점을 강요하면 운동으로 구속된 자를 석방하면 개점하겠다는 등의 대담한 요구로 일제측을 곤란케 하였다.

3월 하순부터 격렬해진 서울의 시위운동은 일본 군경의 탄압과 무자비한 발포로 4월에 접어들면서부터는 현저히 줄어들기 시작하였다. 그리하여 4월부터는 표면적인 시위운동보다는 비밀결사라는 새로운 양상의 운동이 전개되었다.

3·1운동의 행동대원으로서 운동의 주역을 담당했던 학생들의 활동을 간과해서는 안된다. 이들은 3·1운동의 중앙지도부 인사들이 투옥되어 투쟁의 대열에서 멀어지고 운동이 민중에게로 넘어가자 당시의 유일한 조직 세력이었으며, 실천력 있는 행동으로써 운동을 전개하는 과정에서 한층 더 중요한 역할을 담당했다.

1919년 3월 1일 오후 2시 약속대로 탑골공원에는 젊은 학생들이 몰려들었다. 이들은 민족대표들이 보이지 않아 당황했지만 곧 경신학교 출신인 정재용(1886~1976)이 팔각정에 올라가 독립선언서를 낭독했다('3·1절'노래는 기미년 3월 1일 정오라고 했지만, 이는 거사를 지은 정인보의 착오이거나 상징적 표현이다.).

정재용은 훗날 "탑골공원에서 예정시간이 되어도 민족대표가 나타나지 않자 주머니 속의 독립선언서가 생각나면서 기독교인인 나는 유대민족의 영웅 다윗과 같이 민족의 영웅이 되리라는 충동을 받고 나도 모르게 팔각정에 올라가서 독립선언을 읽었다."고 회고했다. 그는 "독립선언서의 내용은 단순히 우리 민족의 독립만 외친 게 아니다. 그것은 우리 민족의 나아갈 바와 세계사적 보편 가치를 선구자적 시각에서 언명함으로써 오늘날에도 그 가치가 빛난다."며 독립선언서의 가치를 5가지 키워드로 분석했다. 그 내용을 소개하면 다음과 같다.

1) 미래지향적 개혁주의 : 선언서는 낡은 관념과 폐단을 개혁하고 서구적 근대사상인 민권을 도입하려는 계몽주의 정신을 강조했다. 시시각각 급변하는 세계 문명사의 흐름에 뒤처지지 않기 위해 선진 정치, 경제, 문화, 교육제도를 적극 받아들이고 이를 바탕으로 밝은 미래를 개척하겠다는 것이다.

2) 열린 민족주의 : 선언서는 민족의 자존만 중시하는 데 머물지 않고 민족의 존엄과 명예가 손상돼 민족이 세계 문화에 이바지할 기회를 놓쳤다고 안타까워했다. 편협한 자민족 중심주의에 빠지지 않고 열린 민족주의로 승화한 것이다.

3) 글로벌 평화주의 : 선언서는 조선의 독립이 인류 평등의 크고 바른 도리와 전 인류의 공동 생존권과 직결된다고 강조했다. 약소민족의 희생을 담보로 한 팽창주의에서 벗어나 국민이 주인된 공화국들간의 평등한 체제를 바탕으로, 국제 규범을 준수하는 세계체제의 탄생을 예견한 것이다.

4) 적대주의 지양 : 선언서는 "스스로를 채찍질하고 격려하기에 바쁜 우리는 남을 원망할 겨를이 없다. 오늘 우리에게 주어진 임무는 오직 자기 건설이 있을 뿐이요, 그것은 결코 남을 파괴하는 데 있는 것이 아니다"는 점을 강조했다.

5) 천부인권 보편가치 목표 : 기미독립선언서 곳곳엔 천부인권인 자유, 평등, 정의, 합리주의, 인도주의에 대한 신념이 잘 나타나 있다. 선언서는 일제로부터 민족의 독립을 쟁취하기 위한 정신일 뿐만 아니라 개인의 자연권 회복을 선언한 선진적 사상이었다.

3

과격해진 만세시위

관서지방의 3·1운동도 처음에는 독립선언서의 공약 3장에서 밝힌 바와 같이 비폭력 원칙으로 전개되었다. 그러나 일제는 처음부터 야만적인 탄압 수단을 통하여 우리 민족에 대한 거침없는 살상을 감행하였다. 경찰·헌병 은 물론 정규 보병부대까지 동원하여 평화적인 만세운동을 전개하던 시위 군중에게 무차별 사격을 가하고 많은 사람을 검거하였다.

일제의 이같은 만행은 3월 1일 선천읍에서 시작되었다. 이날 오후 2시경, 경찰이 군청과 경찰서 앞으로 만세를 부르며 평화적인 시위행진을 전개하 던 군중에게 발포하여 강신혁(姜信赫)이 현장에서 순국하자, 시위행렬이 격 렬해지면서 1개 중대의 일본군과 충돌하여 12명이 부상하고 60여 명이 피 검되었으며, 4일에도 6명의 사상자가 발생하였다.[6]

안주(安州)읍에서는 3월 3일 헌병의 발포로 수십명이 쓰러졌으며, 이에 격

---

6 전게서, 『독립운동사 제2권』, pp.442~448 ; 김진봉(金鎭鳳), 상게서, 『삼일운동』, pp.162~163.

분한 군수 김의선(金義善)은 헌병대장을 찾아가 엄중히 항의하기도 하였다.[7]

일제는 이처럼 크고 작은 만세운동을 가리지 않고 계속해서 잔인한 무력 탄압을 자행하니 우리 민중의 만세시위 행렬도 점차 과격해 질 수 밖에 없었다. 따라서 관서지방의 운동은 일제의 무력 탄압과 우리 민중의 폭력 대응으로 다른 지방보다 희생자가 많이 발생한 것을 다음 표에서 알 수 있다.[8]

그리고 3·1운동 중 관서지방에서 가장 격렬한 양상을 나타낸 지역은 안

❖ 삼일운동 관련 사상자 도별 통계(道別 統計)

구분	3.1~3.31		4.1~4.10		4.11~~4.20		합계	
	사망	부상	사망	부상	사망	부상	사망	부상
경기	23	71	21	86	36	20	81	177
충북	7	7	17	24	1	2	25	33
충남	17	20	37	39			54	59
전북			13	6		1	13	7
전남					3			3
경북	14	13	1				15	13
경남	24	43	11	52	4	2	39	97
강원	8	13	34	12			42	25
황해	10	55	11	15			21	70
평남	52	136					52	136
평북	17	67	23	112			40	179
함남	10	50					10	50
함북	4	26	2				6	26
합계	186	501	170	346	41	28	397	875

---

7 상게서, 『삼일운동』, pp.163~169.

8 박성수(朴成壽), 「3·1운동에 있어서의 폭력과 비폭력」, 『한국근대사론 II』 p.129에서 재인용.

주읍, 중화군 상원, 강서군 강서읍·사천·함종, 용강군 용정, 성천읍, 양덕읍, 맹산읍, 영변읍, 의주군 광평·수구진·옥강진, 용천군 남시·영산, 철산읍, 삭주읍, 구성군 구성읍·신시, 정주읍 등 이었다. 위 지역에서는 한차례의 만세운동으로 사상자가 50~60명에 이르는 경우도 있었다.

"충청남북도 방면은 경기도 다음으로 창궐이 극하고, 소요지도 30수개소에 이르고, 일반적으로 소요의 성질이 흉포성을 띤 것이 많았다.....이를 요컨대 봉기 중 가장 창궐을 극한 지역은 경성(京城)을 제외한 경기도로서, 그 다음은 충청남북도라 할 것이다. 이리하여 점점 폭도의 성질을 띠기에 이르러 흉포를 마음대로 하는 자가 점차 많아져 가고 있다"[9]고 하였다.

충청도 지방의 운동이 격렬해지고 폭력화한 까닭은 대체로 만세를 부르다가 사상자가 발생하는 경우, 전날의 만세운동 때 일제의 탄압이 야만적이었던 경우, 주동인사가 검거되어 경찰관서나 헌병대에 갇힌 경우를 들 수 있다. 부모형제나 동료가 비폭력 만세운동을 벌이다가 일제의 야만적인 총탄 세례를 받고 길 위에 쓰러졌을 때, 순박한 민중이 격분하여 몽둥이나 돌을 가지고 대항했다고 하여, 이것을 곧 폭력시위라고 할 수는 없다.

이러한 양상의 돌변은 처음부터 계획적으로 진행된 것이 아니라 우발적으로 일어났기 때문이다.[10] 충남 천안군 입장면 천선(天宜)의 시위 때, 직산금광의 광부와 농민들이 일제의 탄압이 없었는데도 경찰관서나 헌병대를 습격하여 파괴한 것은 일제 통치에 대한 지역민의 반감이 남달리 강했던 위에 인근에서 일제 관헌의 야만적 행위가 전해졌기 때문이었다.[11]

한편 이 지방의 3·1운동은 끈질기게 이어져 갔다. 같은 장소에서 5회의

9 상게서, pp. 372~373 참조.

10 국가보훈처, 『독립운동사 제10권』, p.329.

11 김정명(金正明), 『조선독립운동Ⅱ』 1967, p.406 ; 전게서, 『독립운동사자료집 제6집』, p.797 참조.

운동이 일어난 곳은 예산군 예산이고, 4회 일어난 곳은 괴산군 괴산·음성군 감곡·청주군 강내·논산군 강경·아산군 온양이며, 3회 일어난 곳은 음성군 맹동·옥천군 청산·영동군 학산·대전군 대전·유성·공주군 공주·당진군 면천·아산군 영인이었다.

이처럼 만세운동이 연속하여 또는 장날을 이용하기 위하여 5일, 10일 간격으로 몇 차례씩 거듭 일어난 것은 일제의 억압 속에 살아오던 민중의 적개심의 발현이고, 일제의 어떠한 탄압에도 쉽게 굴복할 수 없다는 강철 같은 의지의 표현이었다. 그리고 3월 3일의 예산군 예산의 만세운동[12]으로 시작하여 4월 30일 서천군 종천(鍾川)의 운동[13]으로 끝나, 그 기간이 어느 지방 못지않게 길게 이어진 것은 이 지방민의 기질 때문이라 하겠으며, 관서지방의 운동과는 좋은 대조를 보이고 있다.[14]

---

12 전게서, 「삼일운동」 p103.

13 전게서, 「조선독립운동」 제2, p.536.

14 전게서, 「관서지방의 삼일운동」 pp.617~622 참조.

제5장

민족운동의 탄압

민족교육 탄압

유교와 불교가 시대적 추세와 일제의 탄압·회유로 위축되고 있을 때 동학의 전통을 이은 천도교와 개항 이후 널리 전파된 기독교 교세는 날로 팽창되어 갔다. 이들 종교는 교세 확장에 따라 교육·종교적 집회나 결사를 통하여 독립운동의 기반을 마련해 가고 있었다. 독립운동의 기반은 유교적 기반이 약한 서북방면의 황해도·평안도에서 더욱 활발하였다. 일제는 배일독립운동이 은밀히 전개되자 이를 뿌리 뽑기 위하여 사건을 날조하는 등 탄압 방법이 악랄하기 그지없었다.[1]

황해도 신천(信川)지방에서 독립운동자금을 모집하던 안명근(安明根)이 체포되었다.[2] 또 김홍량(金鴻亮)·김구 등이 안악에서 양산학교를 설립하여 면학회(勉學會)와 기독교 집회를 통한 독립사상 고취, 간도로의 망명활동을

---

1 『최명식약전(崔明植略傳)』, pp. 25~32. 참조
2 김구(金九), 『백범일지』, 교문사, 1973, pp. 88~109.

획책하자 일제는 사건을 날조하여 유력한 인사 17명을 처형하고 40여 명은 제주도 유배에 처하였다.[3]

일제는 평안도의 기독교 세력과 이동녕, 안창호 중심의 신민회(1907)에 의한 민족운동 세력을 뿌리 뽑기 위하여 1910년 12월 '테라우치 총독 암살 음모' 사건을 날조하여 신민회의 윤치호 등 간부와 기독교의 민족지도자 등 600여 명을 일시에 체포하여 그 중 105명을 기소하니 이 사건을 '105인 사건'이라 한다.[4]

1908년에 '사립학교령'과 '교과용도서검정규정'을 제정 공포하여 일본인들이 말하는 불온한 정치사상을 고취하는 위험성 있는 사립학교 및 그 교과용 도서 검열을 하는 한편, 민간조직인 교육회나 학회를 공안질서 유지에 방해되는 것이라 하여 학회령을 제정하고 허가제를 실시함으로써 민간교육운동을 봉쇄하였다. 따라서 민족의식의 성장과 항일운동을 근본적으로 봉쇄하였다.[5]

우리의 민족교육을 일제는 집약된 식민지교육, 우민화 책동으로 몰고 갔다. 1911년 조선교육령을 공포, 우리 민족성을 말살해 온 일제는 동화정책으로 황민화를 위한 교육정책을 강행한 것이다. 그리고 교육의 본질도 일본 제국신민으로서의 자격과 품성을 갖추게 하는데 있었다.

이에 애국계몽운동가들은 민족적 자각과 근대적 의식의 고취를 위해서는 신학문의 교육을 통해서만 한국인을 키울 수 있다고 믿었다. 민족교육의 열의에 몰린 일제는 3,000여 개의 사립학교에 탄압을 가했다. 민족교육의 장인 서당을 전적으로 봉쇄하는 '서당규칙'을 1918년 공포하여 이의 통

---

3 이현희, 「한국의 독립사상과 문화운동」, ≪역사교육≫ 22, 1977.
4 선우 훈, 「민족의 수난」 태극서관, 1948, pp. 75~95참조.
5 ≪조선통독부통계연보≫, 교문사, 1973, pp. 88~109.

제에 나섰다.[6] 이는 일본어를 할 수 있는 순종형의 노예적 인간을 키우기 위한 침략자적 교육을 문명교육으로 내세워 사실을 왜곡 날조한 것이다. 성균관도 경학원이라 낮추고 문묘향사만 시켰고, 불교계도 탄압하여 친일 순종 승려를 장려하는 대신 사찰령(寺刹令)을 내려 주지임명권을 장악했다.

---

6 상동(上同)

2

33인의 검거

3·1만세 시위로 일본 군경에게 체포된 자는 일본측 집계로도 약 27,000명에 달하였고, 이 중에서 태형이 약 4,500명, 벌금·집행유예·무죄 등이 900여 명, 3개월 이상의 징역이 모두 22,275명에 달하였다. 이때 각 지방의 시위를 주동한 운동자들은 징역 15년, 10년 등 중형을 받은 이들이 많았다. 그러나 중앙지도부의 48인에 대해서는 손병희(孫秉熙)·권동진(權東鎭)·오세창(吳世昌)·최인(崔麟)·이종일(李鍾一)·이승훈(李昇薰)·함태영(咸台永)·한용운(韓龍雲) 등 8명이 각각 징역 3년을 선고한 것을 최고로 하여, 증거 불충분으로 무죄가 선고된 경우(이 경우도 미결 구류로 사실상 약 1년 반을 복역하였지만)도 12인이나 되는 등 비교적 가벼운 처벌로 끝났던 것은 주목할 만하다.

48인이라 하는 것은, 독립선언서 서명자 33인 중 31인(김병조(金秉祚)는 상해로 탈출, 양한묵(梁漢黙)은 예심 중에 옥사) 이외에, 중앙학교의 송진우(宋鎭禹)·현상윤(玄相允)을 비롯하여 이들과 긴밀한 연락을 가지고 모의에 참가하였던 최남선(崔南善)·정노식(鄭魯湜)·김도태(金道泰), 천도교의 박인호(朴寅浩

)·노인호(盧寅浩)·노헌용(盧憲容)과 기독교의 함태영(咸台永)·김세환(金世患) 등 제2선에 머무르기로 되어 있었던 인사들, 또 천도교측의 임규(林圭)와 기독교의 안세환(安世桓)·김지환(金智煥) 등 관계 문건의 해외 전달을 맡았던 인사들, 또 학생단의 강기덕(康基悳)·김원벽(金元璧) 등 학생 동원을 맡았던 인사들, 그리고 황해도 수안(遂安)에서 군중을 이끌고 헌병대를 습격한 천도교인 이경섭(李景燮)·한병익(韓秉益) 2인, 이렇게 해서 48인이 경찰의 신문과 경성(京城)지방법원 예심판사의 예심을 거쳐 한 사건으로 묶여진 것이다(이때는 양한묵이 생존하여 49인이라 했다.).

경성지방법원이 예심 판결을 내린 것은 3월 1일로부터 5개월이 지난 그해 8월 1일이었는데, 이 결정에 의하면 이 사건은 내란죄에 해당하므로 지방법원 아닌 고등법원(지금의 대법원에 해당)에서 다루어져야 한다는 것이었다. 총독부 고등법원은 예심을 다시 시작, 또 1년을 끌었다. 그리하여 다음해 1920년 3월 22일에야 내린 결정에 의하면 이 사건은 내란죄가 성립되지 않고 보안법·출판법 등에 해당된다는 것이었고, 따라서 고등법원에서 다룰 성질의 것이 아니라하여 다시 경성지방법원을 관할 재판소로 지정하였다.

내란죄라면 대개가 극형을 면치 못할 것이었는데, 총독부의 최고 재판소는 도리어 경형(輕刑)을 주기 위하여 지방법원에 맡기기로 한 것이다. 이러한 결정은 그들이 법의 정신을 존중해서보다도 3·1운동을 중대시하는 데서 오는 국내외의 파급 영향을 생각한 고등정책으로 보이거니와 아무튼 이러한 경과를 거쳐 48인 사건을 다시 맡게 된 경성지방법원의 공판은 3·1운동이 일어나고 1년 반이 가까운 1920년 7월 12일부터 열리게 되었다. 그러나 공판 벽두부터 관할 법원의 문제가 다시 제기되어, 사건은 결국 경성복심법원(지금 고등법원에 해당)에서 맡기로 되어 1920년 9월 30일에 최종 판결을 내린 것이다.

이들 중앙지도부를 구성했던 인사들은 검거되어 재판이 끝나기까지 온갖 악형을 받았다. 송진우는 더욱 모진 고문을 받았다. 옷을 갈기갈기 찢긴 채 컴컴한 지하실에 던져졌는가 하면, 사나운 개들이 달려들어 온몸을 할퀴게 하였다. 그는 피투성이가 된 채 다시 취조실로 끌려가 일경의 야유와 비웃음 속에서 심문을 받아야 했다. 그 중에서 가장 많이 적용되는 것이 태형이었다.

일제가 행한 갖가지 고문, 즉 불에 달군 쇠꼬챙이로 온몸을 지지거나, 집게로 생손톱을 뽑거나, 콧구멍에 뜨거운 물이나 고춧가루물을 넣거나, 혹은 참대바늘로 손가락 사이를 찌르거나, 몽둥이로 두들겨 패거나 해서 많은 사람이 죽거나 불구자가 되었다. 태형이란 비인도적 형벌은 일본의 식민지인 한국에만 남아있던 전근대적인 행형제(行刑制)였다. 이 형벌은 1910년 총독부령으로 경찰서장과 헌병분대장에게 주어진 권한이었으며, 3·1운동 전에도 한국인에 대한 태형이 성행해서, 매년 평균 1만 7천명에게 과해졌다고 한다.

식민통치의 피해

만세운동이 격화하면서 시위 군중에 대한 일본 군경의 탄압은 야만 그
자체였다. 맨주먹뿐인 군중에게 무차별 총검 공격과 사격을 가해 왔음은
물론 주동자 색출시의 불법적인 살인, 방화와 체포, 구금된 자에게 고문, 학
살 등이 공공연히 감행되었다.

1910년부터 1918년까지 계속된 일제의 토지조사사업으로 인한 토지의
약탈을 비롯하여 충청도 지방에서는 민간인이 소규모로 경영해 오던 광산
과 온천까지 강탈당하였다. 즉 1900년 8월에는 일본 공사 임권조(林權助)에
의해 직산금광이 일본인 손으로 넘어 갔고, 1904년에는 역대 왕실의 휴양
지로서 행궁(行宮)까지 지어 관리해 오던 온양온천에 수십명의 일본인이 나
타나 궁내부(宮內府)의 허가를 빙자하여 온천시설을 모두 철거하고, 인근의
민가를 빼앗아 토지의 경작을 금한 뒤 온천장의 신축을 기도하였다. 이에
대한제국의 외부는 온천의 운영권이 민간에게 있는 만큼 궁내부의 허가를
받았다는 것은 있을 수 없는 일이라고 엄중히 항의하였으나, 일제의 비호

를 받은 일본인들은 이를 묵살하고 끝내 강점하였다.[7]

사정이 이러하니 일본인에게 피해를 본 민중의 일제에 대한 반감이 컸을 것은 명약관화한 일이다. 일제의 식민통치에 대한 호서지방민의 반감을 헌병대장의 보고를 통해 살펴보면 다음과 같다.

즉 3·1운동 발생 전의 민심의 동향에 관한 보고서에 보면 "조선인의 각종 대우, 제반 행정상의 시설 등등 시정에 대하여 불평불만을 품은 자가 결코 적지 않다"고 하였다. 여기에 그 상황을 구체적으로 지적해 보면,[8]

첫째, 조선인 관리는 대우가 열등하다는 점을 들고 있다. 이것은 전국 어느 지방에나 있는 불평 중의 하나로 주로 일본인과 한국인 관리간의 봉급 및 여타 대우에 대한 불만이라 하겠다.

둘째, 조선을 식민지화하여 조선인을 멸시·냉우(冷遇)하는 점을 들고 있다. 이것은 일본인 특히 일본의 하층민에 이르기까지 오만불손하고 모욕적인 태도를 취할 뿐만 아니라, 제반 법령에 있어서도 차별이 심해서 우리 민족은 누구나 강한 반감을 품게 되었다는 것이다.

셋째, 국비(國費)로 시행해야 할 공사의 부역을 조선인에게 과하는 점을 들었다. 특히 노력동원이 너무 잦아서 민중의 불평을 더욱 사게 되었다.

넷째, 조선인의 권리를 무시한 각종 공사를 들었다. 이것은 일제측이 임의대로 토지를 빼앗아 도로를 신설하고, 사후에 그 토지를 강제로 기부케 하는 등 조선인의 권리를 완전히 무시하는데서 일어나는 불만을 지적한 것이다. 그리고 육지면의 재배, 뽕나무 등의 묘목 구입, 미작개량(米作改良)을 농민의 의사에 반해서 강제로 시행하는 데서 오는 불만이 대단히 컸다는 것이다.

---

7 아산군 편, 『아산군지』, p.372.
8 전게서, 『독립운동사자료집』 제6집, pp.760~766.

다섯째, 민족의 관습을 무시하고 새로운 법령을 제정 시행하는 점을 들고 있다. 특히 우리 민족은 옛부터 조상숭배사상이 뿌리 깊어서 명당자리를 골라 묘소를 정함으로써 자손의 번영을 바라는 관습을 무시하고, 공동묘지제(共同墓地濟)를 제정 발표하여 부모의 시신을 지세가 극악한 곳에 모셔야 하는데서 오는 불만이다.

여섯째, 민정(民情)을 살피지 않고 일률적으로 산업장려를 실시하는 일을 들고 있다. 이를테면 토지가 없는 사람에게 뽕나무 묘목을 강제로 분배하고 대금을 받아 가지만 실제로는 땔감으로 쓰게 되었다. 그리고 가마니 짤 것을 강요하며 집집마다 한달에 몇 장씩 할당하여 심하게 독촉하기 때문에 민중의 불만이 컸다.

일곱째, 일제의 행정관리는 오만하고 친절함이 없으며 민중에게 강압수단으로 임하는 점을 들고 있다.

여덟째, 세금의 종류가 너무 많고 납세액이 과중한 점을 들고 있다. 이처럼 불평불만이 팽배하여 호서지방에서는 독립만세운동으로 진전된 사례를 몇 곳에서 찾을 수 있다. 먼저 충북에서는 이해 3월 30일 영동(永同)과 무주(茂朱) 사이의 도로공사 부역에 나온 민중의 독립만세 시위와 4월 3일 영동군 학산면(鶴山面)사무소 구내에 가식해 놓은 뽕나무 묘목 2만 8천여 그루를 불태우고 독립만세운동을 전개하였다.[9] 그리고 충남에서는 3월 28일 일제에게 강점된 천안군 직산금광 광부들의 폭력 시위와[10] 4월 1일 식수작업에 동원되었던 공주군 정안면(正安面) 주민들은 삽과 괭이를 들고 독립만세운동을 벌였다.[11] 이 같은 경우는 일제의 식민통치로 인한 피해에서 오는 반발로 시작된 지방 3·1운동의 본보기라 하겠으며, 아울러 호서지방에서의

---

9 상게서, p.93.

10 상게서, p.117.

11 전게서, 「독립운동사자료집」 제5집, pp.1145~1153.

일제에 대한 반감이 얼마나 깊고 큰 것이었던가를 짐작케 하는 것이다.

우리 민중의 인명피해 상황을 도별로 살펴보자.

❖ **도별 피해 상황**

구분	일본군 출동지역	발포지역	사망	부상	체포
경기	31	56	94(72)	약 300(243)	약 4,000
강원	16	14	27(23)	약 50(47)	약 150
충북	12	14	45(28)	약 150(50)	약 200
충남	19	27	24(39)	약 130(125)	약 200
전북	3	2	8(10)	약 10(17)	약 370
전남	6	3		4(4)	약 500
경북	20	9	17(25)	약 70(72)	약 700
경남	28	36	72(51)	약 250(139)	약 700
황해	13	29	35(36)	약 150(82)	약 1,000
평남	36	15	64(124)	약 300(168)	약 1,000
평북	35	28	48(107)	약 300(351)	약 400
함남	8	12	20(27)	약 120(98)	약 500
함북	14	5	8(12)	약 30(41)	약 460
합계	241	250	461(554)	약 1,900(1,437)	약 10,000

비고(備考) ①『조선총독부 학무국 소밀(騷密) 제4453호』(대정大正 8년 6월 20일), 「독립청원운동에
관한 건」에서 발췌 작성한 것이다.
② ( )는 비교참조(比較參照)를 위한 일본측 통계이다. 『현대사자료(25)』, p.475.

위의 표에서 보면 만세운동 진압을 위한 일본군 출동지역은 241개소였
으며, 그 가운데서 30개소 이상인 도는 평남북과 경기도이고 반면에 전남
은 5개소, 전북은 3개소 뿐이었다. 한편 일본 군·경의 발포지역은 모두 250
개소였는데 도별로는 경기 56, 경남 36, 황해 29, 평북 29, 충남 27의 순이었
다. 그리고 총 사망자 461인은 경기 94, 경남 71, 평남 64, 평북 48, 충북 45의
순이고 전남은 한 사람의 희생도 없었다.

부상자는 모두 약 1,900명인데 경기와 평남북이 약 300명씩으로 제일 많았다. 또 피검자 1만여 명은 경기 약 4,000명, 황해와 평남이 각각 약 1,000명의 순이었다. 그런데 위의 숫자는 일제측의 만세운동 상황에 대한 각종 보고서에 근거를 둔 것이기 때문에 운동 발생 당시의 피해 상황일 뿐인 것 같다. 주동자의 색출에 혈안이 되어 실제의 피해는 훨씬 더 많았음이 틀림없다. 또한 위 표의 사망자 수는 운동 당시의 것이므로 그 뒤에도 중상자 중에서 상당수가 사망하였고 사후에 피검 처형된 자도 많이 있었으므로 이 보다는 훨씬 많았을 것이다.

부상자 수도 당시 각 병원에서 치료받고 있던 중상자를 중심으로 한 것이고 그 밖에도 일부의 중상자와 대부분의 경상자는 후일에 있을 일본 군·경의 보복이 두려워 가정에 숨어서 치료했다는 점, 사후 검거로 인한 피검자 수가 수만명에 달했을 것이라는 점을 간과할 수 없다. 여기에서 가옥이라 함은 주로 교회당, 포교소 등 종교상의 집회처와 운동자의 가옥을 말한다. 물론 수원군은 전국의 시·군 중에서 피해를 가장 많이 받은 곳으로 알려져 있지만, 일본 군·경과 맹렬한 항쟁을 전개하였던 평남북·황해도 같은 곳에서도 이와 버금할 만한 곳이 있었을 것으로 믿어진다.

수원군내의 사망자는 모두 46인이었는데 그 가운데서 향남면(鄕南面) 제암리(堤岩里)가 23인으로 절반을 차지하였다. 한편 부상자는 모두 17인이었다. 그러나 이와 같이 부상자 수가 사망자 수보다 오히려 적었던 것은 피검자 중의 부상자가 제외된 까닭도 있었지만 그보다는 제암리 대학살사건을 비롯하여 일본 군·경의 학살이 몇 곳에서 자행되었기 때문인 것 같다.

4

폭력과 비폭력

3·1운동은 민족대표들이 모의단계에서부터 비폭력을 원칙으로 하였고, 독립선언서의 공약 3장에서도 그 점을 분명히 밝히고 있다. 비폭력운동이라고 하면 간디의 투쟁방법을 연상하기 쉬우나, 조선의 경우는 간디에게서 직접으로 영향을 받은 흔적은 없다. 간디가 인도에서 무저항 불복종운동을 벌인 것은 3·1운동 이후이며 손병희(孫秉熙)나 이승훈(李承薰)의 전기(傳記)에 의하더라도 이들은 모두 처음부터 독자적으로 비폭력의 방법을 구상하고 있었다.

칼 등, 쇠로 된 무기가 없던 당시의 조선민중이 택할 수 있는 유일한 운동방법은 비폭력일 수밖에 없었으며, 또 10년 전인 합방 전후까지도 성행했던 의병(義兵)의 무장항쟁의 성과에 한계가 있었음을 체험했기 때문이라고도 할 수 있다. 더러는 3·1운동이 비무장항쟁을 원칙으로 삼았다는 점에서 무장항쟁보다 못한 양 평가하려는 논자도 없지 않으나, 3·1운동이나 같은 해에 일어난 중국의 5·4운동이나 인도의 사탸야그라하운동이나 모두 과거의 경험을 토대로 현실적으로 가장 적절한 방법을 택했다.

원칙은 그러했지만, 사태는 반드시 그 원칙대로만 움직이지는 않았다. 조선민중의 시위가 아무리 평화적인 시위라 하더라도 일본 군경이 그대로 둘 까닭이 없었다. 3월 1일에도 선천(宣川)에서 군중에 대한 발포로 12명 이상의 사상자가 발생하는 등 살륙에 의한 탄압은 첫날부터 시작되었다. 3월 7일에는 일본의 중앙정부가 군사적 탄압 방침을 훈령하면서 평화적 시위 군중은 물론이요, 시위에 직접 관련이 없는 민중에게까지 대량 학살을 서슴지 않는 참극이 도처에서 벌어졌다.

일본 군경의 이러한 무차별 총격 등 무력행사는 당연히 민중의 격분을 불러일으킬 수밖에 없었다. 민중은 곤봉이나 낫 같은 것을 들고 일본 관서로 몰려가게 되면서 비폭력시위가 자연발생적인 폭력시위로 끝나는 일이 허다하였다. 전국 시위 1,200여 회 가운데 780여 회가 폭력시위였다고 한다. 민중의 피해는 막대하였다. 자료에 따라 차이가 있지만 일본측의 집계로는 사망이 350～630명, 부상이 800～1,900명이다.

여기에는 일본측이 운동을 과소평가하려는 고의도 있었으려니와 그 밖에도 운동 당시에 중상이었다가 뒤에 사망했거나, 일본측의 보복이 두려워 숨어서 치료를 했거나 하는 여러 경우를 생각한다면 박은식이 사망 7,509명, 부상 15,961명이라고 한 것이 결코 과장된 숫자가 아님을 짐작케 한다. 한편, 민중의 습격에 의한 일본 관헌의 피해는 사망 8명〈헌병6, 경찰2〉, 부상 158명〈군경 이외의 관리 2포함〉, 관서 습격 파괴 278회〈경찰관서 87, 헌병대 72, 군·면 77, 우편소 15, 기타27〉 이었다.

3·1운동 당시 독립운동 지도자들이 비폭력 방법을 선택한 것은 객관적 조건과 주체적 조건의 어디에 비추어 보아도 불가피하면서 현명한 선택이었다고 볼 수 있다. 특히 지적해 두고 싶은 것은 3·1운동의 만세시위 방법이 한국의 독특한 비폭력투쟁 방법이었다는 사실이다. 비폭력투쟁 방법이

인도에 도입되었을 때 그들은 연좌시위(連坐示威)방법을 발전시켰다. 이것은 각 나라의 전통과 관련된 것이다.

❖ 3·1운동 참가자 수와 피해 상황

구분	집회 수	참가자	사망자	부상자	체포	훼손 교당	훼손 학교	훼손 민가
경기도	297	665,900	1,472	3,124	4,680	15		
황해도	115	92,670	238	414	4,218	1		
평안도	315	514,670	2,042	3,665	11,610	26	2	684
함경도	101	59,850	135	667	6,215	2		
강원도	57	99,510	144	645	1,360			15
충청도	156	120,850	590	1,116	5,233			
전라도	222	294,800	384	767	2,900			7
경상도	228	154,498	2,470	5,295	10,085	3		16
만주지역*	51	48,700	34	157	5			
합계	1,542	2,023,098	7,509	15,961	46,948	47	2	715

* 회인, 용정, 봉천, 기타 만주지역 포함
자료: 박은식, 「한국 독립운동지혈사」, 『박은식전서(朴殷植全書)』 상권, pp. 534~555에서 작성.
박은식의 통계에는 도별 통계와 총계가 일치하지 않으나 군별 통계에 공란이 많으므로 총계를 그대로 두었다.

상기 표는 1919년 5월말까지의 통계이다. 그 이후에도 3·1운동 발발 1주년이 될 때까지 독립만세 시위가 부분적으로 계속되었으니 실제의 참가자수는 이보다 훨씬 많았음은 말할 필요도 없다. 당시로서는 비폭력 방법 외에는 선택의 여지가 없었다.

한국근대민족운동사에서 폭력 방법은 매우 익숙한 민족운동의 방법이었다. 또한 3·1운동의 지도자들은 폭력방법을 잘 아는 사람들이었다. 예컨데 민족대표이며 천도교 대표인 손병희는 갑오농민혁명운동(소위 동학란)에서 북접군(北接軍) 사령관이었으며, 기독교 대표인 이승훈(李昇薰)은 독립전쟁

전략을 채택하는 데 참가한 신민회 평안북도 총감이었다.

그러나 폭력 방법을 채택하려면 민중에게 무기가 있어야 하며 또한 그 무력이 일본군의 무력에 대등할 때에라야 폭력 방법을 채택할 수 있다.

그러나 자기 민족과 민중에게 무기가 없을 때에는 사정이 전혀 판이하다. 민중의 손에 무기가 없는데 일제의 정규군 화력에 죽창이나 괭이나 낫을 들고 항쟁하라고 지도하였다면 과연 민중들이 그만큼 봉기했을까?

당시 독립운동의 객관적 조건과 주체적 조건을 고려해 볼 때, 3·1운동의 지도자들이 처음부터 폭력 방법을 채택하여 지도하지 않았다고 비판하며 3·1운동 실패의 원인을 비폭력 방법에 돌리는 것이 얼마나 당시의 실정을 모르는 비현실적 관념론인가를 알 수 있게 된다.

당시의 사회적 조건을 고려할 때, 만일 3·1운동의 지도자들이 민중에게 폭력 방법을 요청했더라면 3·1운동은 민중들 자신에 의해 자발적으로 파급되어 1,700만명의 국민 중에서 202여 만명이 참가한 대운동으로 발전하지 못하고 탑골공원과 기타 요소에 일본군 몇 개 중대나 몇 개 대대만 투입해도 진압되는 정예분자의 소폭동으로 끝나고 말았을 것이라는 점은 불을 보듯이 명백한 것이다. 민중은 자기에게 무기가 없거나 무기의 격차가 너무 큰 것을 알 때에는 폭력운동을 따라오지 않는 것이다.

5

일본 관헌의 피해

　3·1만세시위운동의 양상을 보면 대체로 다음과 같다. ①모인 군중이 독립선언식을 거행하고 시위행진을 하는 것 ②평화적인 시위 중 일본 군경의 야만적 살상행위에 폭력으로 대항하는 것 ③일본 군경에게 살상된 동료에 대한 보복 또는 피검된 사람을 탈환할 목적으로 일제의 관서를 습격 파괴하는 것 ④산에 올라가 봉화 시위하는 것 ⑤동맹휴학과 동맹파업 ⑥상인의 철시(撤市) 등이었다.[12]

　전술한 바 있듯이 만세운동의 본래 목표는 어디까지나 비폭력적이고 공명정대한 자주독립 의사의 표현에 있었다. 그러나 일본 군경은 민중의 자유로운 표현마저 무력으로 제지하였고 나아가서는 무차별 살상을 자행함으로써 선량한 한민족으로 하여금 항쟁의 횃불을 들게 하였다. 다시 말하면 강압된 식민정책에서 벗어나려는 평화적인 의사표현마저 일제의 무력

---

12 전게서, 「한국독립운동사2」「각도운동일람」

탄압에 의해서 저지당하게 된 것이 항쟁의 직접 동기가 되었다. 그러므로 우리 민중의 폭력대항 책임은 전적으로 일본 군경의 야만적 행위에 있다.

이때 민중의 항쟁은 독립단체와는 달라서 즉흥적이고 일시적인 것에 불과하였다. 그들은 시위운동 중에 일본 군경의 창검 또는 총포 앞에 참혹하게 쓰러지는 동료가 생기면 이에 대항해서 민중의 세를 업고 투석전을 벌이거나 몽둥이를 휘둘렀다. 또 일본 군경의 만행에 대한 보복수단으로 일제의 관서를 습격할 때에도 그들이 가지고 있는 것은 고작 농기구·몽둥이·돌멩이 정도였지만 민중의 항일정신은 높이 사야할 것 같다. 그것은 포악한 무력탄압에도 우리 민족의 항일독립정신은 꺾이지 않는다는 강인함을 보여주는 것이다.

일제는 만세운동이 격렬하여지면서 산간벽지에 주재하던 그들 관헌의 신변이 위태로워지자 4월 2일 각도 헌병대장·경무부장에게 전령을 내려 일본인 거주자가 없는 벽지의 관헌은 적절한 시기에 철수하도록 하였다. 따라서 4월 15일까지 부근 관서로 철수한 곳은 헌병주재소 6개소, 경찰주재소 7개소였다.[13] 이것은 곧 민중의 항쟁이 격렬하였다는 단면을 엿볼 수 있게 하는 것이다.

다음에 우리 민중이 일제의 인명·재산상에 어떤 위해를 주었는가를 살펴보겠다. 일본 관헌 중 타살된 자가 8명인데 이 가운데 헌병이 6명, 경찰이 2명이었다. 또 부상자는 모두 158명이었는데, 헌병 91명, 경찰 61명, 군대 4명, 기타 관리 2명이었다. 이와 같은 일본 관헌의 사상은 민중의 투쟁 상대가 주로 헌병과 경찰이었음을 말해 준다. 그런데 일본 관헌이 피살된 지역은 평남과 경기뿐이었으며 부상자 수는 황해 30, 경기 22, 충북 20, 경남과 평북이 각 18, 경북 13명의 순이었고, 전남북에서는 사상자가 한사람도 없

---

13 「조선총독부경무국 대정 8년 4월 17일 소밀(騷密) 제343호」, 「독립운동에 관한 건」, 제50보.

었다.

한편 습격 파괴된 일제의 관서를 보면 경찰관서 87개소, 헌병대 72개소, 군청 또는 면사무소 77개소, 우편소 15개소, 기타 27개소였다. 따라서 경찰 관서가 가장 많이 피해를 본 것이다.

여기서 기타라고 한 것은 주로 금융조합과 일인 가옥을 지칭하는 것이다. 이것을 도별로 보면 경기 80, 경남 38, 황해 27, 충북 26, 평북 21의 순으로 총 278개소였다.[14] 이 같은 결과는 각 지방의 항쟁의 정도를 나타내 주는 것이다.

---

14 『조선총독부 대정 8년 5월 12일 소요사건사고임시보 제18보』 「소요의 영향」 비교 참조.

제6장

3·1운동과 인물들

1

민족대표 33인과 민중

민족대표 33인이 비록 비무장투쟁이라 할지라도 끝까지 남아 민중운동을 직접 지도해 주기를 바라는 논의도 없지 않았다. 그러나 모의과정에서도 독립선언으로 하는가, 독립청원으로 하는가를 비롯하여 방법상의 여러 이견(異見)이 있었고, 거사 수일 전에야 가까스로 정리되었다. 민족대표들도 거사 전야에야 한자리에 모여 이때에 초대면을 한 사람도 있었다. 거사시간까지 비밀이 유지된 것만도 기적에 가까우리 만큼 일본 경찰의 감시가 혹심했다. 이러한 조건에서 그들에게 독립선언 이후에도 직접 지도를 바라는 것은 당시의 현실을 고려하지 않은 지나친 기대라고 할 수밖에 없다. 민족대표 33인은 선언 후 바로 형무소로 갈 수밖에 없는 여건이었다.

한편 이날 중앙의 독립선언식에는 민족대표 33인 중 29인만이 참석하였다. 불참자 4인 중 정주의 김병조(金秉祚)는 선언서 날인에 쓸 인장을 이승훈에게 맡긴 뒤 상해(上海)로 떠나 3·1운동에는 직접 참가하지 못했으나 뒤에 그곳 임시정부에서 요직을 맡아서 활동하게 된다. 의주의 유여대(劉如大

)는 그곳에서 선언서 낭독 등 당일 거사를 주관한 뒤에 곧 상경, 평양의 길선주(吉善宙)는 연락 불충분으로 사경회(查經會) 인도차 황해도 장연(長淵)에 갔다가 소식을 듣고 곧 상경, 원산의 정춘수(鄭春洙)도 연락 불충분으로 자신이 민족대표로 선정된 것을 뒤늦게 알고 곧 상경, 이리하여 선언식이 끝난 뒤에 상경한 3인은 각각 경무총감부로 찾아들어, 한걸음 앞서 구금된 동지 대표들과 보조를 같이 하게 되었다. 이리하여 33인은 1인의 예외도 없이 민족대표로서의 떳떳한 행동을 취하였다.

임종국은 3·1운동 당시 민족대표 33인 가운데 나중에 친일 인사로 변절한 사람은 최린, 정춘수, 박희도 등 3명이며 독립선언서를 쓴 최남선을 포함해도 4명이라며 "나머지 30명이 절개를 온전히 지켰다는 것이 우리에게 얼마나 다행한 일이었는지 모른다."고 말했다. 그러나 다른 시각도 있다. "이승하는 3·1운동 당시 민족대표 33인 중에는 총독부 촉탁으로 변절했음에도 건국훈장 대통령장을 받고 국립묘지 애국지사 묘역에 누워있다. 그가 초대 광복회장으로서 독립 유공자 심사를 했다는 것도 역사의 아이러니다."고 말했다. 사학자들은 독립 유공자 중 최소한 20명 정도는 친일의 흔적이 있다고 주장한다.

신복룡은 세상사를 속속들이 알고 나면 우리는 늘 마음이 씁쓸해진다는 노엄 촘스키(Avram Noam Chomsky)의 말을 인용하면서 다음과 같이 말했다.

"3·1운동 지도부의 전략과 당일의 처사를 볼 때 우리는 꼭 같은 심정을 느낀다. 왜 그럴까? 그 이유는 간단하다. 3·1운동을 영웅사관으로 보았기 때문이다. 따라서 3·1운동을 민중운동의 시각에서 볼 때 그 참된 위대함과 진면목을 이해할 수 있다. 3·1운동의 주역에는 이름 없는 사람이 더 많다. 역사의 조타수(操舵手)는 당대의 지식인들이지만, 역사의 추진세력은 그 시대의 민중일 수밖에 없다."

33인의 감옥 생활은 길어야 3년이었던 데 반해 지방시위를 주도한 농민 지도자의 감옥 생활은 15년이나 되었다는 지적도 있다. 김성보는 "33인 개개인을 존경하는 것은 자유이지만 이들이 마치 '민족대표'로서 3·1운동을 지도한 것처럼 인식한다면 이것은 오히려 3·1운동에서 표출된 전민족의 숭고한 민족해방의 의지와 정신을 손상해 버릴 수 있다."며 "그들이 보여준 모습은 그들을 '민족대표'라 부르기에는 너무나 나약하였다."고 주장했다.

민족대표 33인이 약속장소에 나타나지 않은 이유와 관련, 보신주의라는 비판이 있다. 이에 대해 신복룡은 '유혈을 막기 위해서였다'는 당사자들의 주장을 믿어주어야 한다며 다음과 같이 말했다.

"당시 그들로서는 유혈을 막아야 한다는 것은 진심에서 우러나온 소신이었기 때문이다. 그들은 혁명가적 기질의 선동가도 아니며 투사적인 극렬분자도 아니다. 그들은 어디까지나 종교적 온정주의자들이며 경건한 수도사들이었다. 그들은 비폭력을 평생의 신조로 삼은 최시형(1827~1898)의 문도(門徒)들이었으며, '검을 사용하는 자는 검으로 망하리라'고 말한 그리스도의 제자들이며, 살생을 금기로 삼는 불제자들이었다. 따라서 그들이 유혈을 막기 위해서 다소 오해를 받을 만한 일은 했다손 치더라도 그들의 진심만큼은 오해해서는 안 되는 것이다."

33인은 초기 조직 단계에서 일제의 삼엄한 경계를 뚫고 3·1운동을 기획하고 일정한 범위까지 조직화하고 자금을 공급하였으며 독립선언서를 작성 배포하고 독립선언의 회합을 여는데 성공했다. 한마디로 말하면 33인은 3·1운동을 점화(點火)하는 기폭제의 역할을 수행한 것이라고 말할 수 있다.

다시 말해서 3·1운동과 33인의 중요한 역할은 초기 조직 단계에서 완전히 끝나고, 1919년 3월 1일 오후 2시 탑골공원에서 독립선언서 낭독으로 시작된 '민중운동 단계'의 3·1운동은 지도부 없이 민중들이 자발적으로 참가하여 3·1운동을 전국적으로 발전시킨 것이다. 맨손으로 철강에 대결하고 붉은 피로써 포화에 대항하여 우리의 독립과 자유를 위하여 백발의 노인이나 어린아이나 약한 여자나 적의 칼날에 목숨을 잃을지라도 두려워 않고 앞으로 쓰러지면 뒤에서 계속하여 최후의 한 사람까지 싸울 것을 맹세하니 이는 예전에 없었던 혁명인 것이다.

일제강점기 민족의 지도자들이 일제의 강압에 시달리다 못해 1940년 무렵에는 독립선언서를 기초한 최남선도 친일 색깔이 돌고 민중소설가 이광수도 '가야마 미쓰로(香山光郎)'로 창씨개명을 하였다.

한국 여성으로는 최초의 박사학위를 미국 컬럼비아대학에서 받은 김활란 이화여대 초대 총장까지도 황국신민을 위해 정신대(일본군 강제위안부)나 학도병으로 나가자고 순회강연을 하였으니 민족의 혼이 총칼 앞에 줄줄이 짓밟히고 있었다.

해방 후 한반도에 상륙한 미군정의 친일파 비호와 이승만과 친일파 세력의 공작으로 친일파와 반민족행위자를 처벌하지 못했다. 이런 역사적 과오 때문에 사회 각 분야에 친일파가 깊이 뿌리를 내렸다. 항일독립군을 토벌하던 만주군 장교 출신인 다카키 마사오(박정희)가 18년간 장기집권한 나라이니 무슨 할 말이 또 있으랴. 친일파들은 일제의 식민지 지배를 정당화하는 주장을 음으로 양으로 퍼뜨렸다. 2014년 총리 후보에 올랐다가 "식민지배는 하나님의 뜻"이라는 친일 발언이 문제가 돼 낙마한 문창극 사건도 대표적인 사례다. 이 역시 처벌할 법이 없는 '반민족행위'로 해석할 수 있는 상황이라 하겠다.

2

유관순

3·1운동은 전국 방방곡곡에서 동시다발적으로 벌어진 운동이었다. 야마베 겐타로(山邊健太郞, 1905~1977)는 조선 13도 232군 2섬 중 피검자가 전혀 없는 곳은 충남의 당진군, 전북의 무주군, 전남의 진도, 강원의 삼척군, 함남의 문천군 정도이며, 즉 5군 1섬을 제외하고는 전국적으로 일어났다고 기록했다.

1919년 3월 31일 충남 천안 병천면 매봉교회에선 서울의 독립만세운동 소식을 안고 고향으로 내려온 이화여고보 2학년 학생 유관순(1902~1920)은 십자가 아래 무릎을 꿇고 거사 성공을 두손 모아 기도했다. 그리고 그날 밤 매봉산에 올라가 횃불을 당겨 봉화를 올렸다. 이를 시발로 여기저기 산에서 횃불이 타 올랐다. 다음날인 4월 1일 유관순과 인근 각 지역대표들이 주도한 아우내장터 만세대회에는 3,000여 명이 참가했다. 이 가운데 19명이 일제의 시퍼런 총칼에 운명을 달리했는데 여기엔 유관순의 부친 유중권

(1863~1919)과 어머니도 포함됐다. 곧바로 일경에 체포된 유관순은 모진 고문과 협박에도 굴하지 않고 검사에게 의자를 던졌고, 누가 시켰느냐는 심문에는 하나님이 시켜서 했다고 당당히 맞섰다. 처음 징역 3년에서 7년형을 선고받고 1920년 서울 서대문감옥에서 세상을 떠난 유관순은 다음과 같은 마지막 유언을 남겼다.

"내 손톱이 빠져 나가고, 내 귀와 코가 잘리고, 내 손과 다리가 부러져도 그 고통은 이길 수 있사오나 나라를 잃어버린 그 고통만은 견딜 수가 없습니다. 나라에 바칠 목숨이 오직 하나밖에 없는 것만이 이 소녀의 유일한 슬픔입니다."

유관순은 체포당하자 감옥 안에서 조금도 굴복하지 않고 독립만세를 외치며 완강히 투쟁하였다. 그녀는 최종 재판에도 넘기지 않은 일본제국주의의 불법행위에 의해 군도에 잔혹하게 살해되어 순국하였다.

해방 후 천안에는 유관순의 기념비가 건립되었고, 그녀가 살던 불탄 집자리에는 교회가 들어섰다. 1960년에는 모교인 이화여자중고등학교 교장 신봉조가 유관순의 활약을 역사적 교훈으로 후세에 전하고자 작가 박화성(1904~1988)에게 부탁하여 『타오르는 별』로 소설화 하였으며, 1974년 3월 이화여고 교정에 유관순기념관을 세웠다. 2004년, 유관순과 천안시 병천면에서 소꿉친구로 어린 시절을 보냈고 이화학당도 같이 다닌 남동순(당시 101세) 할머니는 유관순이 갇힌 독방 바로 옆에 한동안 수감되기도 했다며 다음과 같이 회고했다.

"3·1운동 때 관순이와 난 종로와 장충단, 남산, 남대문을 돌아다니며 '대한독립만세'를 불렀어. 그리고 관순이는 고향 병천으로, 나는 그 옆 동네인 목천으로 가서 만세운동을 했지.... 고문이 어찌나 심한지 허리가 부러지고 무릎이 부서졌는데 내 목숨은 어찌나 질기던지. 관순이는 1년 반 만에 숨졌는데..."

천안군 아우내장터에서 잡혀온 16세 소녀 유관순은 민족의 기개를 대변하였다. 그녀는 재판정에서 "나는 당당한 대한의 국민이다. 대한 사람인 내가 너희들의 재판을 받을 필요도 없고, 너희가 나를 벌할 권리도 없다."고 외치며 일제에 항거하였다. 이 같은 일로 유관순은 법정모욕죄까지 가중되어 여성 최고의 징역 7년형을 선고받았으나, 의연히 옥중투쟁을 계속하다가 일제의 악형과 만행으로 순국하였다.

3

3·1운동과 이승만

일제의 가혹한 식민지배로 고통 받던 한국인들은 윌슨 대통령이 유럽의 소수민족을 위해 제창한 민족자결주의를 열렬하게 환영했다. 고종의 장례식을 이틀 앞둔 1919년 3월 1일, 33인의 민족대표가 독립선언문을 읽은 후 조선 민중의 저항이 시작되었다. 3월 14일 상해에 있던 현순이 국내에서 대중적인 저항이 일어나고 있다는 사실을 미국의 한인사회에 알린 최초의 전보에서 샌프란시스코의 도산 안창호에게 이승만의 소재를 물은 것은 상징적인 일이다[1]

그 배경은 이승만의 스승이었던 이상재를 비롯한 이승만 지지자들 중 핵심 인물들이 3·1운동의 계획 단계에서 관여하고 있었고, 이승만을 행정부 수반으로 하는 임시정부를 세우려 한 것이다. 이 임시정부는 한성정부로,

---

1 The Hei Sop Chin Archival Collection of UCLA Special Collection, Folder 2 of Box 2. 1919년 3월 1일 한국에서 일어난 대중적 저항운동은 3·1운동이라고 불리운다.

이후 상해의 망명 대한민국 임시정부가 되었다.

국내에서 이승만의 명성이 높았던 이유는 독립협회 활동 경력과 수감생활, 프린스턴대학에서 박사학위를 받았다는 점, 윌슨 대통령과의 교분, 재미 한인사회에서의 명성, 한국인 지도자들 중에서 비교적 나이가 많다는 점, 카리스마, 그리고 자금을 모으는 능력 등 이었다.[2]

국내의 이승만 지지자들에는 세 그룹이 있었다. 첫번째는 양반 출신이자 개혁 성향의 행동가들로, 그들은 이승만과 긴밀한 협력관계를 유지하고 있었다. 대체로 이들은 독립협회에 참여하고 조선총독부에 의해 수감되었으며 옥중에서 기독교로 개종하여 서울 YMCA의 회원으로 활발하게 활동하였다. 두번째는 그가 1910년에서 1912년까지 서울 YMCA에서 가르칠 당시의 학생들로서, 이후 하와이에서 미국식 교육을 받은 이들이었다. 세번째 그룹은 미국 유학생 출신들이었다.

국내의 이승만 지지자들 중에서 신흥우는 거의 매년 기독교와 교육에 관련된 국제회의에 참석하러 가는 도중 호놀룰루에 들러 이승만을 방문하곤 했다. 그는 이승만과 국내의 이승만 지지자들간의 연락사항을 전달했을 뿐만 아니라, 이승만과 박용만을 포함한 한인사회의 동정을 호놀룰루 주재 일본영사관에 전달하기도 했다.[3]

신흥우는 1919년 5월 오하이오의 클리브랜드에서 열린 감리선교회 100주년 기념대회에 참석하러 가면서 이승만을 방문하여 이승만이 한성정부의 집정관 총재로 추대되었다는 문건을 전달했다.[4] 신흥우는 3·1운동 전면

---

2 정병준, 「이승만의 독립노선과 정부수립 운동」, 서울대학교 박사학위논문, 2000, 109쪽.

3 1917년 6월 22일 신흥우가 호놀룰루의 일본영사관에 쓴 영문편지. 오타가 많은 이 편지에서 신흥우는 이박사와 박용만은 그들이 받아들일만한 기회가 주어진다면 한국으로 돌아가려 할 것이라고 했다. 그는 또한 두 지도자는 그 지지자들이 묘사하는 것처럼 서로 적대적인 관계는 아니라고 하기도 했다.

4 고정휴, 「대한민국임시정부 구미위원부연구」, 고려대학교 박사학위논문, 1991, 78~84쪽; 전택부, 『인간 신흥우』, 기독교서회, 1971, 31쪽.

에 나서지 않았고 대신 기독교와 교육사업, 말하자면 개량적인 문화적 접근을 통해 조선독립을 위한 실력 양성과 자강운동을 강조하던 국내 이승만 지지자의 전형적인 인물이었다.

1919년 8월, 이승만은 자신의 수하에 조직을 두어 외교사업을 벌이고 독립기금의 활로를 모색하기 위해 워싱턴에 구미위원부를 세웠다. 1919년부터 워싱턴 회의가 종결된 1922년까지 구미위원부는 약 15만 달러를 모았지만 상해의 임시정부에는 1만 6천 달러만을 보냈다.[5] 그러는 동안 상해의 한국인들은 이승만이 일년 반 이상 임정에서의 직무를 다하지 않고 임정의 독립운동에 대한 아무런 해결책이나 제안도 제시하지 않은 채 1921년 5월 상해를 떠난 것을 비판적으로 보게 되었다.[6] 당시 미국 이민국은 이승만이 YMCA와 YWCA, 그리고 감리교 회의에 참석하기에 앞서 강연활동 때문에 젊은 여대생 김노디(Nodie Dora Kim)와 여행하고 미국 여성에게 마음껏 돈을 쓰고 있음을 주목하고 그를 조사하였다.[7]

3·1운동 이후 이승만은 개인적인 외교활동을 통해 독립운동에 전념하고 있었다. 그는 1919년 2월에 미국의 보호국이 된 필리핀처럼 조선도 위임통치해 줄 것을 요청하는 청원서를 윌슨 대통령에게 보내는 한편, 1919년 초부터 미국 대중들에게 한국 문제를 널리 알리기 위해 서재필, 정한경 등과 함께 한국통신부(Bureau of Korean Information), 한국친우회, 구미위원부 등을 조직했다.[8]

1921년 세계 5개 열강의 워싱턴 회의가 열리게 되자 국내 지도자 373명

5 Robert 김형찬, 「이승만과 안창호 : 갈등을 겪는 애국인사들」, 유영익 편, 『이승만연구』, 615~616쪽.

6 한시준, 「이승만과 대한민국 임시정부」, 유영익 편, 『이승만연구』, 216쪽.

7 미국 노동부 이민국, 1920년 6월 23일 이승만에 대한 보고서. 1920년 8월 20일 Nodie Dora Kim의 서명이 있는 진술. Pacific Sierra Region Archives, San Bruno, California의 Syngman Rhee Folder.

8 방선주, 『재미한인의 독립운동』, 한림대학교 출판부, 1986, 235~239쪽 ; Korea Review, 재판(再版), 서울 : Ministry of Patriots and Veterans Affairs, 1986, pp.83, 124, 147, 158, 187, 209, 227.

이 서명한 청원서를 보냈고 미국과 하와이의 교민들은 2만 1천 달러 이상을 모금하여 이승만을 전격 지원했다. 그러나 그는 워싱턴 회의에서 한국 문제를 의제로 상정하는데 실패했다.[9] 그가 주창해 온 외교적 독립운동은 실질적인 성과를 얻지 못했던 셈이다.

그가 워싱턴 회의에서 발언 기회도 얻지 못한 채 자금만 써버렸기 때문에, 재미 교민사회에서 이승만의 명성은 하락하기 시작했다. 1922년 2월 워싱턴 회의가 끝나자 구미위원부에는 자금이 거의 남아있지 않았다. 이승만은 1922년 9월 7일에 호놀룰루로 돌아와 자신이 1918년 9월에 개칭했던 한인기독학원(Korean Christian Institute)의 교장으로 복귀할 수밖에 없었다.

이승만의 일대기를 살펴보자.

정치가. 독립운동가. 1~4대 대통령(1948~1960). 호는 우남, 본관은 전주이다. 미국에 망명하여 독립운동을 하다가 8·15해방이 되자 귀국하여 4대에 걸쳐 대통령을 지냈다. 이승만은 황해도 평산에서 이경선의 아들로 태어났는데, 6대 독자였다. 어릴때 이름은 승룡으로 불렸다. 3세 때 서울 염동으로 이사한 이승만은 13세 때 과거를 보았으나 떨어졌다. 이 해에 승룡을 승만이라 고쳤으며, 호를 우남이라 하였다.

1890년, 이승만은 16세의 나이로 박씨와 결혼했다. 20세 때인 1894년에는 배재학당에 들어갔으며, 이듬해에 김규식과 함께 매일신문을 만들었다. 배재학당의 교사인 서재필이 조직한 협성회와 독립협회에도 가입하였다. 1898년, 이승만은 독립협회의 지도자가 되어 만민공동회의를 개최하였으며, 일제 탄압으로 체포되어 종신 징역형을 언도받았다.

특사령으로 감옥살이 7년만에 풀려난 이승만은 1904년에 미국으로 망명

---

9 김원용, 앞의 책, 388쪽.

생활의 길을 떠났다. 이승만은 1910년 프린스턴대학에서 철학박사 학위를 받았다. 이승만은 귀국했으나, 한·일 합방이 이루어지자 하와이로 건너갔다. 하와이에서 ≪한국 태평양≫을 발간하며 독립운동에 앞장섰고, 1919년 3·1운동이 일어난 뒤에 상하이에서 조직된 대한민국 임시정부 대통령 직에서 물러났다.

한성정부가 임명한 이승만은 임시정부로부터 탄핵을 받았을 뿐만 아니라 오래전에 상하이 임시정부와 통합됨으로 없어져 버린 한성정부의 대통령이라고 주장하면서 계속해서 한국 대통령 행세를 했다.

1933년에는 제네바에서 열린 국제연맹 회의에 한국 대표로 참석하여 일제 침략을 규탄했으며, 이 해에 프란체스카 여사와 결혼했다. 8·15해방이 되자 이승만은 1945년 10월 16일에 귀국했고, 1948년에 제헌국회 의장에 선출되었다. 이해 8월에 이승만은 초대 대통령에 당선되었다.

이승만은 대통령 직에 있으면서 '반공'과 '배일' 정책을 썼다. 공산주의와 일본에 강력히 반대했다. 그러면서 자유 우방과는 친선을 도모하면서 2, 3대 대통령을 지냈다. 6·25 이후 이승만 대통령은 반공포로를 석방했고, 1960년에는 제4대 대통령에 당선되었다. 그러나 독재정치와 부정선거를 실시하여 4·19의거가 일어나자 이승만은 대통령직에서 물러나 하와이로 망명했다. 1965년 그는 국립묘지에 묻혔다. 저서로 ≪독립정신≫이 있다.

제암리 학살과 스코필드

경기도 수원 교외에 자리 잡고 있는 화성군 향남면 제암리 제암교회 창설자의 한 사람인 안종후는 서울에서 일어난 3·1운동을 알게 됐다. 이 마을에 기독교가 전파된 것은 1900년 전후 미국 선교사 아펜젤러(Henry Gerhard Appenzeller, 1858~1902)에 의해서였다. 1905년 정식으로 교회당이 세워졌다. 제암리 이장으로 활동하고 있던 안종후는 매일 밤 청년들을 제암교회로 불러서 3·1운동에 대해 자세하게 일러주고 제암리에서도 독립만세를 부르자고 제의했다. 거사는 4월 5일 밤, 장날에 단행되었다.

많은 사람들이 장터로 모여들자 제암교회 청년들은 강연을 하고 곧 독립만세를 부르면서 시가행진을 시작했다. 만세 소리에 놀란 일본 헌병과 경찰들은 곧 총에 착검을 하고 시위 군중에게 위협을 가하였다. 이때 선두에서 지휘를 하고 있던 제암교회 청년 김순하에게 어느 헌병이 착검한 총을 휘둘러 그의 배를 갈라놓았다. 배에서 창자가 흘러나온 김순하는 쓰러지면서까지 '대한독립만세, 조선독립만세'를 연거푸 부르짖었다. 시위 군중은 놀라 모두 마을로 귀가했지만, 밤이 되자 청년들은 제암리 뒷산에 올라가 봉화를 올렸다.

이에 일본 헌병대와 경찰들은 4월 15일 오후 2시 제암리에 살고 있는 교인 및 마을 주민들을 "지난 장날에 있어났던 사건에 대해 사과하고자 하오니 주민 여러분들은 제암교회에 모여주시기 바랍니다."라고 속여 제암교회당에 모이게 했다. 발안주재소 소장 경찰 사사키와 수원에 주둔하고 있는 78연대 소속 헌병 1개 소대를 이끌고 온 아리다 도시오(有田俊夫) 중위가 작전을 개시했다.

이들은 교회당 정문을 비롯, 모든 창문에 못질을 하고선 아리다의 지시에 따라 미리 준비해 놓았던 석유통을 들고 교회당에 뿌린 뒤 성냥으로 불을 지르고, 교회당 옆에 있는 초가집에도 불을 질렀다. 그 결과 교회당 안에서 21명, 교회당 밖에서 2명, 모두 23명이 사망했으며, 33채의 집이 완전히 불탔다. 일본 군경은 다시 인근의 고주리 마을로 달려가 천도교도 6명을 칼로 쳐죽이고 시체에 석유를 뿌려 불태우는 등 모두 29명을 살해하였다.

이 잔학행위 소식을 들은 영국 태생의 캐나다 선교사 프랭크 윌리엄 스코필드 박사는 하던 일을 멈추고 카메라를 메고 제암리로 달려갔다. 스코필드는 21명이 예배당 한복판에서 가슴과 가슴을 맞대고 기도를 하다가 엉켜 죽어있는 걸 발견하고 「수원에서의 잔학 행위에 관한 보고서」를 작성하여 전 세계에 알렸다. 또 그는 서대문형무소를 방문해서 유관순을 만나는 등 전국의 형무소를 돌며 독립운동가들을 위로하고 그들이 당한 잔인한 고문과 수감 상황을 외부에 알렸다.

2001년 2월에 공개된 마티 윌콕스 노블 선교사의 육필 일기와 문건에 따르면 제암리교회 뿐만 아니라 4월 19일을 전후하여 16개 마을과 5개 교회에서 더 큰 만행이 저질러진 기록이 있다. 2001년 3월 1일, 김수진에 따르면 "제암교회는 매일 수도 없이 일본인들과 한국인들이 방문하고 있으며, 일본 방문객도 지난해 4,000여 명에 이르고, 한국인은 4만명을 넘었다."고 한다. 또한 매년 3월 1일 오후 2시가 되면 한국인, 일본인 할 것 없이 많은 사람들이 어울려 제암교회를 찾는다. 올해도 어김없이 제암교회에 모여 1919년 4월 15일 오후 2시 제암교회 교인들과 천도교인들, 지역 주민들이 민족독립을 위해 순국했던 그 자랑스러움을 온 천하에 알리고자 3·1운동 기념대회를 개최했다.

2007년 2월 제암리 집단학살 사건을 일본군 사령부가 조직적으로 은폐했음을 보여주는 당시 사령관의 일기가 발견됐다. 재판 기록에 "범죄자를 처벌하려면 그에게 죄를 범하겠다는 생각이 있어야 하는데, 피고의 행위는 훈시명령을 '오해'한 데서 비롯된 것이다. 따라서 피고는 범의가 없다고 봐야 한다. 또 과실범을 처벌하는 특별한 규정도 없으므로 피고에게 무죄를 언도한다." 이렇게 제암리 사건에 대한 일본 정부 및 군부 차원의 조직적인 책임 은폐 및 축소작업의 일환인 재판 기록이 발견된 것이다.

2006년 3월 1일 교육방송은 '제암리 학살사건'을 전세계에 알리는 등 한국의 독립운동을 돕다 3·1운동 이듬해 추방된 스코필드 박사를 민족대표 33인 외에 또 한 명의 민족대표로 간주해 그의 활동을 소개한 프로그램을 방영하였다. 이는 민족대표 34번째이다.

"이 방송에 우리가 모르던 역사적 사실을 담고 싶었다. 독립기념관을 비롯해 공공기관에서도 비무장, 비폭력 만세운동이 있었던 삼일절과 석호필 박사에 대한 만족할 만한 자료를 찾고 보여주는 일이 쉽지는 않았다."며 특히 석 박사는 유품으로 지갑과 여권만 남길 정도로 남에게 베풀고 검소한 삶을 살아갔다고 전했다. 스코필드는 1958년 한국에 정착해 서울대 수의과대학 등에서 강의를 하고, 어려운 학생들을 위한 장학사업을 펼쳐 외국인으로는 유일하게 국립현충원에 안장됐다.

스코필드(Schofield, Frank W. 石虎弼 1888~1970)

영국의 의학자. 1916년에 세브란스의학전문학교 세균학 교수로 내한하여 제1차 세계대전 후 민족자결 문제가 논의되자 한국의 애국지사들을 격려하고 1919년 3·1운동과 더불어 교수직을 포기하고 이에 협력, 일제의 포악상을 촬영하여 외국 각지에 소개하였다. 2020년에 일제의 강압으로 한국을 떠날 당시 일제 총독에게 청하여 옥중으로 이상재(李商在)·이갑성(李甲成)·오세창(吳世昌) 등 독립지사를 면회한 바 있다.

귀국 후 캐나다 토날드대학에서 교편 생활, 1958년에 대한민국 정부 수립 10주년 경축식전에 초청되어 내한하였고, 그 후 1969년 2월 한국에 영주할 것을 결심하고 다시 내한, 한국에서 사망했다.

5

여운형과 3·1운동

　이정식 교수는 3·1운동이 일어나는데 몽양 여운형이 직접적이고 결정적인 기여를 했다고 주장했다. 그 내용은 제1차 세계대전이 연합국 쪽 승리로 끝난 1918년 11월 28일 당시 상하이에서 기독교 전도사로 교민친목회(그 다음해 초 교민단으로 바뀌고 몽양이 단장이 됨) 총무를 맡고 있던 몽양은 파리 강화회의가 피압박민족 해방을 위한 절호의 기회라고 강조한 주중 미국대사 내정자 찰스 크레인(Charles Crane,1858~1939)의 연설을 들었다.

　그 자리에서 크레인을 직접 만난 몽양은 그해 여름 상하이에 있던 8살 아래의 와세다대 출신 장덕수(1894~1947) 등과 강화회의에 보낼 독립청원서를 작성하고 신한청년단을 결성한 뒤 일제의 탄압을 피해 텐진(天津,천진)으로 망명한 김규식을 강화회의에 보내기로 했다. 실제로 여운형은 장덕수, 김철(1886~1934) 등을 국내에 잠입시켜 공작금을 마련케 하는 등 다방면으로 노력했다. 앞서 지적했듯이, 김규식이 상하이를 출발한 것은 1919년 2월 1일 이었다. 강화회의에 대표를 보내려는 노력은 여러 갈래로 시도됐으나 오직 김규식만 성공했다.

또한 기독교·천도교·불교계 지도자들이 3·1운동을 조직하고 주동하게 만든 직접적인 동기는 일본 유학생들의 2·8독립선언이었는데, 선언 직전 주동자였던 최팔용을 움직인 것은 상하이에서 도쿄로 잠입한 장덕수였다. 장덕수를 일본과 조선에 파견한 것은 몽양이었고, 거사계획을 알리고 김규식의 여비를 모금하는 것이 장덕수의 주요 임무였다.

김규식의 말이 서울과 도쿄에 언제 전달된 것인지는 알 수 없으나, 3·1운동에 대한 최초의 논의는 이미 1919년 1월 20일부터 나오기 시작했다. 최린(1878~1958), 오세창(1864~1953), 권동진(1861~1947) 등 3인이 천도교 교령인 손병희(1861~1922)를 만나 의논한 결과 쾌히 승낙을 하자 곧 종교계가 중심이 돼 이 일을 추진하기로 하였다는 것이다. 그러나 그런 논의가 독자적으로 이루어졌다 하더라도, 김규식의 요청과 2·8독립선언의 추진에 큰 자극을 주었으리라는 건 분명하다고 볼 수 있다. 다시 여운형을 요약해 보자.

여운형(呂運亨) 1885(고종 22)~1947

독립운동가, 호는 몽양(夢陽), 경기도 양평(楊平) 출생, 배재학당(培材學堂)·흥화학교(興化學敎) 중퇴, 우무학당(郵務學堂) 졸업, 1909년 광동학교(光東學校)를 세워 청년들을 교육했고, 이듬해 기독교에 입교한 뒤 평양신학교(平壤神學校)에 입학했다가 중퇴, 1914년 중국에 건너가 남경 금릉대학(金陵大學)에서 영문학을 전공하다가 중단했다.

협화서국(協和書局)에 근무하면서 교민단 단장(僑民團 團長)에 선임되고 1918년 파리에서 만국평화회의(萬國平和會議)가 개최된다는 소식을 듣고 한국의 독립을 청원할 대표를 파견하기 위해 신한청년당(新韓靑年團)을 조직, 총무간사(總務幹事)에 선임되어 김규식을 파견했다.

이듬해 상해 임시정부(臨時政府) 수립에 참여하여 임시의정원(臨時議政

院) 의원이 되었다. 이해 겨울 일본이 조선의 자치 문제에 대해 의견을 타진해 오자 장덕수 등과 함께 일본에 건너가 일본 조야의 각계 인사들에게 한국 독립의 필요성을 역설하고 돌아왔다.

1920년 고려 공산당(高麗共産黨)에 가입, 이듬해 모스크바에서 열린 원동피압박민족대회(遠東 被壓迫民族大會)에 참석하고 돌아와 중국의 손문과 협력하여 중국혁명을 적극 추진하였다. 1929년 영국의 식민정책을 비판했다가 영국 경찰에 피체, 일본 경찰에 인도되어 나가사키(長崎)를 거쳐 본국에 압송, 제령위반죄(制令違反罪)로 3년간 복역했다. 1933년 출옥하여 중앙일보 사장으로 있다가 사직, 1944년 일본의 패전을 예상하고 비밀단체 조선건국연맹을 조직하여 위원장에 취임, 독립운동을 전개했다.

8월 15일 해방이 되자 건국연맹의 기반을 확대하여 조선건국준비위원회를 조직하고 이를 기초로 9월에 조선인민공화국을 선포, 스스로 부주석이 되었으나 우익(右翼)진영의 반대와 미 점령군 당국의 인정을 받지 못해 실패했다.

12월 인민당(人民黨)을 조직, 이듬해 29개의 좌익(左翼)단체를 규합하여 민전(民戰 : 민주주의민족전선)을 결성, 의장단의 한 사람에 선출되었다. 그러나 지나친 좌경(左傾)에 반대하여 이를 탈퇴하고 온건세력을 규합, 정치활동을 하다가 한지근(韓智根)에 의해 암살당했다.

6

손병희 孫秉熙

손병희 선생은 3·1운동 때 민족대표 33인 중에서 가장 대표적인 인물이다. 손선생이 없었다면 과연 3·1운동이 일어났을까. 또 그처럼 거족적인 독립만세운동으로 발전할 수 있었을까를 생각해 보게 된다. 충북 청주 출신으로 향리(鄕吏)의 서자(庶子)로 태어나 설움 속에서 자랐기 때문에 불우한 사람을 도우려는 마음이 굳건하여, 청소년 시절부터 그는 호방한 성격과 남다른 의리로 많은 일화를 남겼다. 눈길에 쓰러진 병자를 구해주는가 하면 한편 옥에 갇힌 힘없는 사람을 풀려나게 하기도 했다.

의암선생은 동학에 입교한지 10여 년만에 탁월한 지도력을 인정받아 제3대 교주로 추대되었다. 일본 망명생활 중에는 친일 배교분자들을 숙청하고 동학을 천도교로 개칭했는데, 그 유래는『동경대전(東經大全)』의 '천도교도(天道敎道)'에서 따온 것이다. 그가 민족종교인 천도교를 이끌고 있었기 때문에 이를 중심으로 항일독립운동을 계획하고 추진할 수 있었던 것은 우리 민족으로서는 다행한 일이었다.

3·1운동이 범종교적인 거족적 독립운동으로 발전할 수 있게 한 핵심적인 인물이 바로 손병희선생이었다. 그는 기독교측과의 교섭이 결렬될 고비에 이르렀을 때 천도교측의 자금을 나누어 줌으로써 종교적 통합을 성사시켰으며, 일경의 악질 조선인 형사가 3·1운동의 낌새를 사전에 탐지하고 찾아왔을 때는 거액의 돈으로 매수함으로써 가까스로 무산의 위기를 넘기게 했다.

손선생은 거사를 하루 앞둔 2월 28일 하오 5시 재동 자택에 모인 민족지도자들에게 "이번 우리의 의거는 신성한 유업을 계승하고 자손만대의 복리를 위한 민족적 위업입니다. 이 성스러운 과업은 제현의 충의에 의지하여 반드시 성취될 것으로 믿습니다."라고 설파했다.

손선생은 3·1운동의 목표를 우리 민족의 즉각적인 독립 달성이 아니라, 장기간 계속될 한국 독립운동의 계기를 마련하기 위한 새로운 출발에 두었다. 다시 말하면 3·1운동은 천도교 조직이 중심이 되어 일으킨 가장 큰 민족독립운동으로 장구한 시일이 걸리더라도 외세의 도움 없이 민족의 힘으로 독립을 이루어야 한다는 정신이었다. 자주독립의 정신이 바로 손병희선생의 사상이었다.

의암선생에게는 1962년에 건국훈장 대한민국장이 추서되었으며, 길이 애국지사로 민족의 추앙을 받을 것이다.

현순

현순은 1899년 21세 때 서양 문물을 배우기 위해 일본에서 4년간 수학하고 기독교로 개종, 1903년 하와이 노동이민자 두 번째 배에 영어 통역관으로 동행했다. 1908년에 현순 목사는 미국 감리교의 한국선교회 조직을 전국적으로 확장하는데 노력했다.

1919년에 7명(이승훈, 함태영, 이갑성, 안세환, 오기선, 박학도, 현순)의 한국 지도자 중의 한사람으로 1919년의 독립선언과 시위를 계획하고 그 조직과 집행에 참여하였으며 불교와 천도교 조직의 참여를 얻어냈다. 한국의 평화적인 3·1운동은 세계적으로 유명한 1947년에 있었던 인도 자치령을 위한 마하트마 간디의 평화적 혁명보다 28년이나 앞서서 행해진 것이다. 독립선언 33인 서명자의 밀사로 한국의 국경을 넘어 상하이 불란서 조계에서 독립선언을 세계 언론과 해외 한국인들에게 최초로 알렸다.

밀사로서 현순 목사는 대한민국 임시정부 조직에 참여, 1919년에 상하이의 의정원 사무총장으로서 시베리아와 한성정부를 연합하여 새로운 통합

정부를 조직하고 입법부와 행정부 위원들을 선출하였다. 독립선언서 원본을 영어로 이광수와 같이 번역했다.

1920~1921년에 현순은 워싱턴의 한국위원회(구미위원회) 회장으로 봉사했고, 모금 운동에 성공하여 처음으로 위원회에서 임시정부로 송금하였다. 1921년에는 임시정부의 특명전권공사로서 미합중국 정부에 한국독립 승인 요구서를 제출했다.

1945년 현순의 한국 귀환에 대한 출원을 미국 정부가 거부했다. 그 이유는 한국 주재 미 군정청의 후원을 거절했기 때문이다. 1948년에 현순은 주한 미군정청 감독하에 이승만이 주도하는 UN의 단독선거와 한국을 남과 북으로 분단하는 선거를 공적으로 반대한 것이다.

1950년에 현순은 한국의 내전과 모든 외국 군대가 개입하는 것에도 공적으로 항의했다. 1966년에는 막내아들 데이빗이 현순 목사의 위업을 계승하여 아버지의 역사적 문서를 20권으로 편찬 발행했다. 1967년에 막내아들은 현순 목사의 자서전을 20권의 책으로 발간했다. 1968년 현순 서거 당시 그의 가족은 공산주의로 분류되어 장례식에 한국인의 참석이 거의 없었다.

8

한용운

독립운동가. 시인. 승려. 본명은 봉완, 용운은 불교 이름(법명)이며 호는 만해이고 본관은 청주이다. 3·1운동 때 33인 중의 한 사람으로 크게 활약했다.

한용운은 충청남도 홍성에서 한응준의 아들로 태어났다. 어릴 때는 유천이라 불렸다. 5세 때 서당에 들어가 한학을 배우기 시작했고, 14세 때 결혼하여 처가에서 공부했다. 1899년 21세 때 동학혁명군을 지휘하였으나 쫓기는 몸이 되어 설악산 오세암으로 들어갔다. 1905년에 한용운은 인생의 깊은 진리를 깨닫고 백담사에서 승려가 되었다.

1908년, 한용운은 일본에서 새 문물을 살피고 돌아왔으며, 1910년에 ≪조선불교 유신론≫을 썼다. 한·일 합방 소식을 들은 한용운은 만주로 가서 독립군을 찾아다니며 독립정신을 북돋았으며, 이듬해에는 한·일 불교동맹조약을 막았다. 한용운은 1913년에 불교 경전을 국한문으로 번역해 내었고, 1918년에 월간 잡지 ≪유심≫을 발간했다. 3·1운동이 일어나자 한용운은 민족대표 33인 중의 한 사람으로 참여하여 감옥에 갇혔다가 3년 징역형을 받고 풀려났다.

1923년, 한용운은 법보회를 조직했으며 대장경을 번역했다. 이듬해인 1924년에는 조선불교청년회 총재가 되었다. 한용운은 1926년에 시집 ≪님의 침묵≫을 펴냈다. 한용운은 1927년 신간회 조직에도 참여하고, 1931년에는 ≪불교≫지를 간행했다. 유씨 부인과 1933년에 재혼한 한용운은 1935년에 소설 ≪흑풍≫을 조선일보에 연재했으며 3권의 장편소설을 쓰기도 하였다. 조국과 민족을 남달리 사랑한 한용운은 해방되기 한 해 전에 세상을 떠났다. 1962년 대한민국 건국공로훈장 중장을 받았다.

3·1운동 때 민족대표 33인 중의 한 사람이 되었다가 감옥에 갇힌 한용운은 부처님께 이렇게 기도했다.

"이 감옥이 내가 조국을 위해 쓰러질 곳입니다. 나무아미타불."

한용운은 함께 감옥에 갇힌 민족대표들에게 세 가지를 제안했다.

첫째, 변호사를 대지 않는다. 둘째, 가족이 들이는 음식을 금하고 감옥에서 주는 콩밥만 먹는다. 세째, 보증금을 내고 풀려나는 보석을 요구하지 않는다.

일본 법관들이 "피고는 앞으로도 계속 독립 운동을 하겠는가?"라고 심문하자 한용운은 이렇게 대답하였다.

"독립이 이루어질 때까지 하겠다. 언제, 어디서나 그치지 않을 것이다. 내 몸이 없어진다면 내 영혼이라도 독립을 외칠 것이다."

감옥 안에서는 콩밥덩이를 먹고 지내야 하며, 똥통이 놓여 퀴퀴한 냄새도 맡아야 했다. 민족대표 모두가 사형이나 무기징역에 처해질 거라는 소문이 돌자, 모두 근심을 하였다. 이것을 본 한용운이 감방 구석에 놓인 똥통을 냅다 집어던지며 고함을 쳤다.

"목숨을 아까워하는 당신들이 소위 민족대표란 말이오?"

술렁거리던 민족대표들은 입을 다물었다.

한용운은 감옥 안에서 ≪독립 이유서≫를 써서 일본 경찰에 제출했는데, 이것은 최남선이 지은 독립선언서보다도 훌륭하다는 평을 받았다. 3년의 징역형을 받고 감옥에서 나온 한용운은 잠 못 이루는 밤이 많았다. 때문에 고요히 명상에 잠기는가 하면, 시를 적었다.

'님은 갔습니다. 아, 사랑하는 나의 님은 갔습니다. 푸른 산 빛을 깨치고 단풍나무 숲을 향해 난 작은 길을 걸어서 차마 떨치고 갔습니다.'

이것은 저 유명한 ≪님의 침묵≫이라는 시의 한 구절이다. 한용운이 머리에 그린 님은 조국이요, 불쌍한 내 민족이요, 그리고 부처님이었다.

9

이완용

　이완용, 그는 대한제국의 내각총리대신으로 몸을 던져서라도 나라를 지켜야 할 사람이었다. 그런데 침략자 일본 통감의 충성스런 종이 되어 그 앞에서 머리를 조아리고 있었다. 5년 전인 1905년 수 많은 사람들이 목숨을 던지며 반대했던 을사조약 체결에 앞장섰고, 1907년 헤이그 밀사사건이 터지자 다시 일제의 사주를 받고 광무(고종)황제를 강박해 황제 자리에서 물러나게 한 바 있었다. 분노한 서울의 민중들이 남대문 밖 약현에 있던 그의 집에 불을 질러 집과 10만원에 이르는 전 재산이 홀랑 타 버렸고, 그의 가족들은 몇 달 동안 이토 통감의 보호를 받으며 남산의 왜성구락부에서 살아야 했다.

　그는 한학을 한 뒤에 영어를 배웠고, 일찍이 1887년 박정양을 따라 미국에도 갔다. 그 후 미국 대리공사도 역임했으며, 구미파로까지 불리웠던 그는 고종황제가 러시아공사관으로 피신하고 러시아의 세력이 커지는 듯하자 친러파로 변신했고, 러·일전쟁에서 일본이 러시아에 승리하자 다시 친일파로 돌아섰다.

1909년 12월 22일에는 지금의 명동성당인 종현 천주교 성당에서 거행된 벨기에 황제 추도식장에서 이재명의사[10]의 칼에 찔려 2개월 간 입원치료를 받았다. 그럼에도 그는 반성하고 민족을 위한 길로 돌아서기는 커녕 본격적으로 나라를 일본에 넘기려고 일본에 유학을 했던 이인직을 비서로 채용해 통감부 외사국장 고마쓰(小松綠)와 국권을 완전히 넘기는 문제를 협의하였다. 비서 이인직은 「혈의누」를 썼던 문학가이다.

조국을 배반한 사람의 말로는 이래저래 비참한 것이다. 1926년 2월 11일 그는 욕된 삶을 마감했다(68세). 그의 장례는 조선총독부에 의해 거창하고 화려하게 치러졌고, 자신이 전라북도 관찰사로 있을 때 유명한 전주의 지관을 시켜 골라 둔, 천하의 명당이라고 하는 전라북도 익산군 낭산면 낭산리 성인봉에 묻혔으나 1979년 그의 증손자 이석형은 소풍 나온 아이들도 이완용 묘라고 침을 뱉으며 짓밟는 증조부 이완용의 묘를 파헤쳐 화장하고 말았다.

이완용은 침략세력에게 실컷 이용을 당하고도 그들로부터 무시되고 버림받는 인간이 되었다. 1934년 일본 침략 세력 흑룡회는 도쿄 메이지 신궁 옆 오모테산도(表三道) 빈터에 '일한합방 기념탑'을 세우면서 일본의 한국 강점에 공을 세운 353명의 부일배 명단을 석실에 봉안하였는데, 이 명단에서 이완용은 제외시켰다. 그들은 이렇게 설명했다.

"당초 이완용은 합방에 적극 동조하지 않다가 일진회에서 적극 움직임을 보이자 일진회에 권력을 빼앗길까봐 합방으로 돌아섰다."

---

10 살인 미수죄로 사형 당함.

이는 진실로 자신의 이익을 위해 나라를 팔아먹은 행위로서 이는 동양 도덕의 근본을 해하고 신하된 도리가 아닌 것이다.

매국노의 말로가 어떻게 되는가 하는 것은 후세를 위해서도 꼭 기억되어야 할 일이다. 반면 그에게는 이런 면도 있다. 3·1운동의 민족대표로 참여해 달라고 찾아간 손병희를 맞아, 그는 "내가 매국노라는 말을 들은 지 이미 오래 된 일이요. 이제 새삼스럽게 그 같은 운동에는 가담할 수가 없소. 이번 운동이 성공해서 독립이 되면, 나는 먼 동네 사람을 기다릴 필요도 없이 이웃 사람들에게 맞아 죽을 것입니다. 그러나 이번 운동이 성공해서 내가 맞아 죽게 된다면 그것은 차라리 다행한 일일 것입니다."라고 하였다. 이처럼 일제의 앞잡이, 친일파의 거두 이완용은 3·1운동의 비밀을 사전에 알고 있었지만 끝내 누설하지 않음으로써 조국과 민족을 끝까지 배반하지 않은 면도 있다. 다시 이완용의 생애를 요약해 보자.

이완용 李完用 1858(철종 9)~1926

구한말의 매국노. 자는 경덕(敬德). 호는 일당(一堂). 본관은 우봉(牛峰). 판중추부사(判中樞府事) 호준(鎬俊)의 아들. 1882년(고종 19) 문과에 급제, 대교수찬(待敎修撰)을 지내고, 뒤에 주차미국참사관(駐箚美國參事官)으로 도미(渡美)했다. 귀국하여 한때 승지(承旨)·이의(吏議)를 지내더니 다시 주미 대리공사로 2년을 지내고 돌아왔다. 그 뒤 외무협판(外務協辦)·학부대신 등을 지내고 1896년 아관파천(俄館播遷) 때 친로내각(親露內閣)의 외부대신이 되었다.

1901년(광무 5) 궁내부 특진관(宮內府特進官), 1905년(광무9) 학부대신이 되어, 이해 11월에 입국한 일본 특파대사 이토(伊藤傳文)가 보호조약 체결을 제의하자 참정대신 한규설(韓圭卨)의 반대에도 불구하고, 어전회의(御前會議)를 열어 이토의 무력적 협박을 배경으로 외부 박재순(朴齋純)·내부 이지용(李

址鎔)·군부 이근택(李根澤)·농상공부 권중현(權重顯) 등 대신들과 함께 왕을 위협, 조약을 체결함으로써 을사오적신(乙巳五賊臣)의 괴수가 되었다. 그 뒤 의정대신서리(議政大臣署理)에 외부대신 서리를 겸직. 1907년(융희 1) 의정부참정(議政府參政)이 되어 의정부를 내각으로 고치고, 통감(通鑑) 이토의 추천으로 내각 총리대신에 궁내부대신 서리를 겸임했다. 이해 6월 헤이그밀사사건이 일어나자 일본으로부터 급파된 외무대신 하야시 및 통감 이토오, 일진회장(一進會長) 송병준(宋秉畯) 등과 함께 고종에게 책임을 추궁하면서 양위(讓位)를 강요, 마침내 7월에 왕위를 순종에게 물리게 했다. 이로 인해 전국 각처에서 항일의거가 일어나고 서울의 민중은 이완용의 집을 불질러 전소시켰다.

1909년(융희 3) 12월 이재명(李在明) 의사(義士)로부터 자격(刺擊)을 받았으나 목숨을 건지고, 1910년(융희 4) 8월 22일 온 겨레의 지탄을 무릅쓰고 정부 전권위원의 자격으로 데라우치(寺內政毅) 통감과 한일합방조약(韓日合邦條約)을 체결, 나라와 겨레를 완전히 외적 일본에게 넘겨주었다. 그 공으로 이완용은 일본 정부로부터 백작(伯爵)을 받고 조선총독부 중추원 고문에 취임, 1919년 3·1운동 때에도 동포를 공갈하는 경고문을 3회나 발표, 이듬해엔 후작(侯爵)을 받는 등 끝까지 매국매족, 일신(一身) 영달의 죄업(罪業)을 다하다가 죽었다.

제7장
전국에 울려퍼진 대한독립만세

1

3·1운동의 영향

3·1운동은 결코 헛되지 않았다. 국내외적으로 한국 민족과 다른 민족에게 막대한 영향을 끼쳤다. 먼저 국내적으로 보면

①독립 쟁취의 의식을 확고하게 보장해 주었다. 세계사에서 그 유례를 찾을 수 없는 일제의 가혹한 탄압으로 국내의 비밀결사 단체들이 해체되고 있을 때에 폭발한 3·1운동은 한국 민족을 위험 속에서 구출해 주었다. 이 운동에 의하여 민족 내부의 자주독립 역량이 강화되고, 이후의 독립운동에 원동력을 제공해 줌으로써 궁극적 목표인 민족의 독립을 쟁취하기 위한 대비약을 가져 오게 하였다.[1]

그 첫번째 결실이 3월 23일의 한성임시정부 조직이었다. 이 임시정부를

---

1 신용하(愼鏞廈), 「3·1운동과 그 민족사적 의의」, 『한국현대사의 제문제(諸問題)Ⅰ』(한국사학회 편, 1987), pp.104~105.

조직한 국민대표회는 이날짜로 세계 각국에 다음과 같은 한국 민족의 독립 쟁취 의지를 분명히 밝혔다.

"4천 3백년간 계승된 조선 민족의 역사적 권리에 기(基)하여 신세계의 대세에 순응하며, 자손만대의 생존과 발전의 자유를 위하여 조선의 독립 국임과 조선 민중의 자유민임을 이미 세계 만방에 선언하였다(중략). 우리 민족은 일찍이 일본의 우리 민족에 대한 통치권을 승인하는 민족적 의사 표시가 없었을 뿐더러, 이에 정식으로 이를 부인하는 의사를 전 민족이 일치로 표시한지라. 이제 다시 우리 민족은 세계 만방에 대하여 조선의 독립 국이요, 조선 민족의 자유민임을 선언하고, 아울러 전 민족의 의사에 바탕하여 임시정부가 성립되었음을 자에 포고한다."

②중국 상해에 대한민국 임시정부를 수립하게 되었다. 즉 3·1운동에 의하여 같은 해 4월 국내외 인사들은 상해에 모여 임시헌장을 제정하고, 정부의 조직, 대통령의 선거, 내각의 임명 등을 행하였다.

그러나 이보다 앞서 수립된 국내의 한성임시정부와 노령임시정부의 통합이 긴급한 과제가 아닐 수 없었다. 그리하여 상해의 임시정부는 이해 8월 국내의 국민대회에 기초를 둔 한성임시정부의 법통을 계승키로 하여 3개처의 임시정부를 통합하는데 성공하였다.

당시의 내각은 대통령 이승만(李承晩), 국무총리 이동휘(李東輝), 내무총장 이동영(李東寧), 재무총장 이시영(李始榮), 군무총장 노백린(盧伯麟), 법무총장 신규식(申圭植), 학무총장 김규식(金奎植), 외무총장 박용만(朴容萬), 교통총장 문창범(文昌範), 참모총장 유동열(柳東說), 노동국 총판 안창호(安昌浩), 비서장 김립(金立) 등이었다.

이렇게 하여 통합·일원화를 실현한 상해의 대한민국 임시정부는 입헌공화정체(立憲共和政體)로 수립됨으로써 한국사에 획기적인 전기를 마련하였다.

대한민국 임시정부는 연통제(聯通制)를 실시하여 국내 각 도에는 독변(督辨), 각 군에는 군감(郡監), 각 면에는 사감(司監)을 두고 연락 책임을 맡겨서 국내외의 연락을 원활하게 하였으며, 한국 민족의 독립운동을 조직적으로 지휘해 나갔다. 특히 제2차 세계대전에는 한국광복군은 연합국의 일원으로 참여하였다. 임시정부는 숱한 파란곡절을 겪으면서도 국내에 대해서는 한국 민족의 정신적 지주가 되었고, 국외에 대해서는 한국을 대표해 세계사에서 가장 오래 존속한 망명정부였다.[2]

③일제의 한국 통치 방법을 바꾸게 하였다. 일제가 종래의 무단통치를 바꾸어 소위 문화통치를 들고 나온 시기는 이해 8월 19일이었다. 이날 일본의 왕은 조칙을 발표하고, 수상은 특별성명서를 발표하여, 앞으로는 한국인을 일본인과 동등하게 대우한다고 하였다.

그러나 이것은 다만 목표일뿐이고, 두 민족의 문명과 생활 정도의 차이 때문에 한꺼번에 그렇게 할 수는 없다는 기만적인 내용이었다. 일제는 이 문화통치의 실시를 위해서, 조선총독의 형식적 자격부터 고쳐 무관 대신 문관으로 임명하였다. 그러나 이것은 현역 무관을 예비역으로 편입시켜 급히 만들어낸 문관이었으니, 다만 군복만 갈아입은데 지나지 않은 것이었다.

초대 문관 총독으로 임명되어 온 사이토 마코토는 소위 문화통치를 시도하였다. 헌병경찰제도를 없애고 보통경찰제도로 바꾸었다. 전근대적인 태형제도도 없앴다.

언론 탄압을 완화하여 한국어 신문인 『동아일보』·『조선일보』 등 두 가지 일간 신문의 발행을 허가하였다. 또 사전 검열제 밑에서 출판의 제한도

―

2 전게서, 『한국독립운동지혈사』 pp.564~565 ; 전게서, 『한국독립운동사감』 pp.118~123참조.

다소 완화하였다. 하급 관리의 한국인 수도 약간 늘렸다. 이밖에도 식민통치의 완화를 가장한 여러 가지 시책이 시행되었으나, 그것은 외형적인 것에 불과하였다. 한편 일제가 눈에 띄지 않게 변경 추진한 시책 중에서 중요한 몇 가지를 밝혀 보면 다음과 같다.

한국에 주둔하는 일본군의 병력과 경찰 인원을 증가시켰다. 사이토 마코토 총독은 주한 일본군 병력의 두 배 증강을 일본 정부에 공식적으로 요청하였고, 종래의 헌병 병력은 한국 무장독립군이 활동을 시작한 만국경(滿國境)지방의 경비에 투입되었다. 보통경찰은 종래의 헌병경찰 수보다 훨씬 더 많아져서 그 경비와 무기도 크게 늘렸다. 이것은 일제가 무력 탄압을 바탕으로 하는 무단통치를 바꾸어 문화통치를 시행한다는 그들의 선전이 새빨간 거짓이라는 사실을 보여주는 것이다.[3]

사이토 마코토 총독은 '지방 경찰서장에게 보내는 특별 지시사항'과 10월 30일 '소요 방지에 관한 지시사항과 경고'를 내리면서 독립만세운동과 같은 사태가 발생하면 진압 수단으로 총격을 가해도 좋다고 하였다.

④국외의 무장독립운동을 강화하게 되었다. 만주지역에는 1910년 한일병탄을 전후해서 의병을 주도하는 독립투사들이 모여 활동 터전을 마련해왔는데 3·1운동을 계기로 국내에서 다수의 청소년들이 건너와서 지역 단위의 독립단체가 속출하였다. 이들 무장독립운동 단체들은 통합하여 큰 세력을 이루게 되었는데 중요한 단체만을 보면 다음과 같다.

북간도 지방에는 국민회와 북로군정서(北路軍政署)가 있었다. 국민회는 1920년 가을에 설립되었으며, 최진동(崔振東)을 사령관, 안무(安武)를 부관, 홍범도(洪範圖)를 연대장으로 하는 독립군을 형성하였다.

---

3 전게서, 『삼일운동』 pp.179~184참조.

북로군정서는 이해 12월에 상해 임시정부의 산하단체로 개편되었으며, 독변(督辨)에 서일(徐一), 군사령관에 김좌진(金佐鎭)이 선임되었다.

서간도 지방에는 서로군정서(西路軍政署)와 광복군사령부가 있었다. 서로군정서는 1919년 11월 상해 임시정부 산하단체로 개편되어 독판 이상용(李相龍), 부독판 여준(呂準), 정무청장 이척(李拓), 참모부장 김동삼(金東三), 사령관 이청천(李靑天)으로 정비되었으며, 교육기관으로 신흥무관학교를 설치하였다. 광복사령부는 대한독립단과 대한청년연합회가 1920년 2월 합동하여 형성된 것이다.

이러한 무장 독립군의 끊임없는 활동 중에서 대표적인 것이 1920년의 봉오동전투(鳳梧洞戰鬪)와 청산리전투(靑山里戰鬪)이다. 국민회 소속 독립군은 1919년 8월경부터 몇 차례에 걸쳐 국내 진공작전을 펴, 온성(穩城)·회령(會寧)·무산(茂山)·혜산진(惠山鎭)·강계(江界)·만포진(滿浦鎭)·자성(慈城) 등지를 점령한 바 있었고, 1920년 7월에는 온성 건너편인 훈춘현 봉오동으로 진격해 온 일본인 대대병력을 포위 공격해서 대전과를 올렸다. 그리고 북로군정서 소속 독립군은 이해 10월 화룡현(和龍縣) 삼도구(三道溝) 청산리에서 일본군 1개 여단과 4일간의 격전을 벌여 900여 명을 사살하는 커다란 승리를 거두었다.[4]

⑤애국지사들의 의거(義擧)와 만세시위운동이 일어났다. 3·1운동으로 격앙된 독립정신은 애국지사들로 하여금 국외에서 국내로 잠입, 무력항쟁을 벌여 일제의 간담을 서늘하게 하였고, 때에 따라 독립만세 시위운동을 전개하게 되었다. 그 중 국내에서 일어난 큰 사건을 보면 다음과 같다.

강우규(姜宇奎) 의사의 사이토 마코토 총독 투탄 의거가 일어났다. 강우

---

4 김상기(金庠基), 「삼일운동 이후 해외의 민족운동」, 「삼일운동 50주년 기념논집」, pp. 707~709 참조.

규는 평남 덕천의 기독교인으로 경술국치(庚戌國恥) 후 만주지역으로 이주하였는데, 3·1운동 후에 새 총독이 부임한다는 소식을 듣고, 시베리아에서 폭탄을 구입하여 서울에서 대기하고 있었다. 1919년 9월 2일 오후 5시경, 사이토 마코토 총독 일행이 서울 남대문역에 내려 마차에 옮겨 탔을 때, 강우규는 폭탄을 마차에 던지고 숨어버렸다. 이 폭탄은 마차 옆에서 폭발하여 신문기자 2명을 즉사케 하고 30여 명을 부상케 하였을 뿐 총독의 생명을 뺏지는 못하였다.

그러나 3·1운동이 일어난 후 6개월만에 일제의 수뇌들을 또 다시 경악케 한 쾌거임에는 틀림없었다. 의열단(義烈團)의 눈부신 활동도 전개되었다.

의열단은 1919년 11월, 만주지역에서 김원봉(金元鳳) 등 13인이 조직한 비밀 항일의열단체로서, 일제 관리를 암살하고 그 관청을 파괴함을 사명으로 삼았다. 그리하여 의열단은 1919년 9월의 부산경찰서 투탄사건, 1920년 12월의 밀양경찰서 투탄사건, 1921년 9월의 총독부 투탄사건, 1923년 1월 종로경찰서 투탄사건, 1926년 12월의 동양척식회사(東洋拓植會社) 투탄과 총격사건을 일으키는 등 무장항일투쟁을 계속하였다.

한편 1926년 6월 10일 융희황제의 인산일(因山日)을 기하여 독립만세운동이 일어났다. 그후 광주학생운동도 일어났다. 3·1운동 10년 후인 1929년 10월 30일, 광주와 나주 사이의 통학열차에서 일본 학생이 한국 여학생을 희롱하여 발단된 이 운동은 광주의 모든 학교가 참여하였으며 시가를 누비고 다니면서 독립만세를 불렀다. 이 운동은 전국으로 확대되어 다음해 초까지 계속되었다.[5]

---

5 유홍열(柳洪烈), 「삼일운동 이후 국내의 민족운동」, 「삼일운동 50주년 기념논집」, pp.680~684, pp.
693~696 참조.

⑥문화·사회·경제적 민족운동을 전개하게 되었다. 3·1운동으로 일제의 대한정책이 소위 문화통치로 바뀌어, 신문·잡지의 간행과 결사의 자유가 허용된 것은 그나마 다행스러운 일이었다.

다음 국외적으로는 3·1운동의 상황이 한국에 와 있던 외국인 선교사를 통하여 세계 각국에 알려졌다. 중국·미국·영국·프랑스·러시아 등의 신문에 보도되기 시작하면서 그들은 한국 민족에 대한 관심과 동정을 갖게 되었다. 이제까지 일제의 허위선전에 속아 한국 민족을 하찮게 보아 오던 세계인의 이목을 놀라게 하였다. 다시 말하면 동방에 은둔하고 있던 한국이라는 나라가 처음으로 세계에 널리 알려지게 된 것이다.

2

3·1운동의 규모

전국 상황에서 일시·장소·운동형태 등이 확실한 것만 정리하였다.

전술한 바 있듯이 만세운동의 양태는 대로상의 시위운동뿐만 아니라 심산벽지(深山僻地)의 산상(山上) 봉화운동 등 여러 가지가 있었다. 또 같은 날 같은 장소에서의 연속된 운동, 일본 관헌(官憲)의 눈에 뜨이지 않은 조그마한 운동도 있었다. 따라서 운동 상황을 정확하게 파악한다는 것은 불가능한 일이다. 여기서는 다만 명확한 기록에 의거하여 통계를 잡아 봄으로써 실제의 운동 상황을 추리하여 보는 수밖에 없다.

표에서 보면 3·1운동에 참가한 부·군 수는 212였다.[6] 이는 만세운동이 전국적·거족적 운동이었음을 보여주는 것이다. 자료에 따라 다르지만 전국의 운동 횟수는 모두 1,542회였다.

---

6 월지유칠(越智唯七) 편저 『조선전도부군면이동명일람(朝鮮全道府郡面里洞名一覽』 참조. 당시의 행정구역으로 보면 전국의 부·군 수는 232개였다. 따라서 20개 군은 3·1운동에 가담치 못한 결과가 된다.

❖ 도별 운동 상황(1919년 3월~4월)

구분	부·군 수(府郡數)	집회인원	시위 횟수	단순 시위	시위 충돌
경기	22	약 470,000	288	180	108
강원	20	약 25,000	74	53	21
충북	9	약 28,000	56	28	28
충남	13	약 50,000	75	35	40
전북	14	약 10,000	39	32	7
전남	18	수만	44	40	4
경북	20	약 26,000	62	36	26
경남	21	약 100,000	121	82	39
황해	17	약 70,000	137	84	53
평남	15	약 60,000	85	59	26
평북	18	약 150,000	114	66	48
함남	15	약 25,000	75	57	18
함북	10	약 20,000	44	36	8
합계	212	약 1,100,000	1,214	788	426

비고(備考) ① 국사편찬위원회 편 『한국독립운동사2』, 「각도운동일람」을 기본으로 재작성하였다.
② 이 표의 행정구역 및 지명은 편의상 당시의 것에 따랐다.
③ 시위 횟수는 동일(同日) 동일(同一)지역에서 2회 이상 발생한 것은 1회로 하였으며
일시, 발생지, 운동형태 등이 불분명한 것은 제외하였다.

이를 도별로 보면 서울을 포함한 경기가 288, 황해 137, 경남 121, 평북 114, 평남 85의 순이었다. 다시 부·군별로 보면 서울 64를 비롯하여 의주 37, 시흥 23, 고양 22, 수원 20, 해주와 북청이 각 16의 순이었다.[7] 한편 총 시위운동 1,214회 가운데 평화적으로 끝난 것이 788회, 일본 군경의 만행에 항쟁한 것이 426회였다. 그런데 일제에 항쟁한 시기는 주로 운동이 재연되 던 3월말부터였다.

—

7 전게서, 『한국독립운동사2』, 「각도운동일람(各道運動一覽)」.

전국에서 만세운동에 참가한 연인원은 약 110만명이었다. 그 중 경기가 약 47만, 평북 약 15만, 경남 약 10만, 황해 약 7만의 순이며 전북 1만명이 가장 적은 것이었다. 이것을 다시 부·군별로 보면 서울의 수십만명을 최고로 하여, 의주 약 3만, 강화 2만 4천, 선천 2만, 삭주 약 2만, 정주 수만명이 규모가 큰 것들이었다. 또 단 1회의 운동에서 5,000명 이상이 참가한 지역은 3월 1일 서울의 수십만을 비롯하여, 3월 18일 강화읍 2만, 3월 5일 서울 1만, 3월 23일 합천군 삼가 1만, 3월 8일 선천읍 8,000, 4월 6일 삭주군 대관 8,000, 3월 4일 선천읍 6,000, 3월 7일 순천읍 5,000, 3월 15일 명천군 화대 5,000 등이었다.[8]

여기에 한 가지 부언해 둘 것은 전술한 바와 같이 위의 통계 숫자는 명확한 것만을 종합한 것이기 때문에 실상은 이보다 훨씬 더 많아서 여기서 우리가 추리할 수 있는 것은 앞의 표에 나타난 수는 최하의 것이며, 실제는 적어도 2,000회 이상, 그리고 연 참가인원은 205만명은 되지 않았을까 생각된다.

3·1운동의 보다 구체적인 파악을 위하여 운동기간 즉 운동의 시발과 최전성기, 그리고 그 종식을 도별로 비교 분석하여 보자.

3·1운동은 3월 1일에 시작하여 4월 29일까지 만 60일간의 운동기간 중에서 4월 20일과 26일의 2일만 운동이 중단되었을 뿐 나머지 58일간은 끊임없이 계속되었다. 운동 발발일인 3월 1일부터 4월 11일까지의 42일간은 매일 10회 이상의 운동이 일어났으며 4월 12일부터 18일까지의 1주일간은 그 횟수가 5회 이상 10회 미만으로 쇠퇴하다가 4월 19일부터 최종일인 29일까지의 11일간은 매회 2회 이하로서 겨우 명맥만 유지하였다.

일별 40회 이상의 운동 상황을 보면 4월 1일의 67회를 정점으로 4월 3일

---

8 상동(上同).

54회, 3월 27일 54회, 4월 2일 50회, 3월 31일 48회, 4월 4일 42회, 4월 8일 40회였다. 따라서 3·1운동의 절정기는 3월 말에서 4월 초순까지였음을 알 수 있다.

이를 다시 도별로 분석하여 보면 경기는 3월 1일부터 4월 23일까지 운동이 계속되었는데 절정기는 3월 26, 27일이었으며, 4월 12일부터는 겨우 명맥만 유지되었다. 강원은 3월 2일에 시작하여 4월 21일에 종료되었다. 본격적인 운동 전개는 3월 27일부터였고 최성기는 4월 5일 전후였다. 충북은 전국에서 제일 늦은 3월 19일에 시작하여 4월 19일에 끝났는데 4월초가 가장 격렬하였다. 충남은 3월 3일부터 4월 12일까지 하였으며 대부분이 3월 27일 이후에 일어났다.

전남북은 꼭 같이 3월 3일부터 4월 18일까지 운동을 벌였으나 특기할 것은 별로 없다. 경북은 3월 8일부터 4월 28일까지였으나 4월 12일 이후는 실질적으로 끝난 것과 다름 없었고 3월 20일 경이 최성기였다. 경남은 3월 3일부터 4월 29일까지 계속되어 전국에서 기간이 제일 길었으나 실질적인 운동기간은 3월 11일부터 4월 11일까지의 약 1개월간이었고 4월초가 절정기였다. 황해는 3월 1일에 시작하여 4월 22일에 끝났는데 타 도에 비하여 꾸준한 것이 특징이었다. 평남은 3월 1일부터 4월 16일까지 계속되었으며 3월초와 말경의 2단계에 걸쳐서 집중적으로 일어났다.

평북 또한 3월 1일부터 4월 11일까지 하였으나 대부분의 운동은 3월 초순과 4월 초순의 두 차례에 걸쳐 있었다. 함남은 3월 1일부터 4월 8일까지였으나 실상은 3월 1일부터 22일까지만 꾸준히 계속되었다. 함북은 3월 10일부터 4월 19일까지 전개되었으나 대부분의 운동은 3월 중순에 있었다.

위와 같은 사실들을 종합하여 보면 각 지방의 특징을 알 수 있을 것 같다. 즉 중남부 지방 9개 도는 계속적이면서도 꾸준히 이어가는 끈질김이 있고 평남북은 일시에 일어났다가 일단 후퇴하는 듯하다가 다시 쏟아져 일어나는 폭발적인 면을 볼 수 있다. 함남북은 그 기간이 중남부 지방처럼 길지는 않으나 한번 들고 일어나면 끝까지 밀고 나가는 강인함을 엿볼 수 있다.

3·1운동은 3, 4월 만 2개월에 걸쳐 전국을 휩쓴 시위운동이었다. 사망자 수 7,509명, 부상자 1만 5,961명, 체포 5만 2,770명, 불탄 건물은 교회 47개소, 학교 2개소, 민가 715채나 되었다. 이런 수치는 파악 가능한 것만으로 실제로는 그 이상으로 추정된다.

3·1운동에 대한 좌익의 평가는 부정적이다. 남로당의 박헌영(1900~1955)은 1947년에 낸『3·1운동의 의의와 그 교훈』에서 "3·1운동은 마침내 실패로 돌아가고 말았다." 했고 신용하는 실패였다는 평가에 반론을 제기했다. "3·1운동은 그 이전의 국권회복운동이나 그 이후의 독립운동과는 달리 그것을 기획하고 조직한 지도자들의 목적보다는 훨씬 크게 성공한 운동이었다."는 것이다. 역사적 의미로는 그랬을망정 3·1운동의 결과가 많은 사람들에게 엄청난 절망감과 좌절을 준 것도 분명했다.

3

또다른 독립선언서들

　일제는 3·1운동이 일어나기 전까지 혹독한 헌병경찰통치를 실시하여 총 칼로 독립운동자들을 잡아 가두었다. 이른바 무단통치라는 것인데 이 때문에 우리 강토는 1백리마다 감옥이 하나씩 설치되는 감옥의 나라로 변했다. 그러나 그런 극심한 탄압과 암흑 속에서도 과감하게 온 민족이 하나로 뭉쳐 식민통치의 종식과 자유와 독립을 외쳤다.

　민족의 역량이란 민족의 물질적 역량이 아니라 정신적 역량을 말하는 것이다. 인구가 우리보다 더 많은 나라는 많았지만 그들에게는 정신적 역량이 부족했다. 영국의 통치하에 있던 인도는 우리보다 훨씬 더 큰 나라였으나 3·1운동 같은 큰 운동을 일으킬 힘이 없었고 일으키지도 못하였다. 그래서 인도 시인 타고르는 우리나라를 '동방의 빛'이라 부러워했던 것이다.

　민족의 역량이 독립운동으로 표출된 것은 3·1운동이 처음은 아니었다.

　①최초의 독립선언서는 3·1운동이 일어나기 12년전인 1907년 9월에 발

표되었다. 이 선언문을 쓴 이는 13도 창의대장이었던 이인영이었고 그 선언서 이름은 '해외동포에게 보내는 선언문(Manifesto to All Koreans in All Parts of the World)'이었다.

> "동포여! 우리는 단결하여 목숨을 바쳐 독립을 회복하여야 합니다. 우리는 야만적인 일본인들의 극악한 죄악과 만행을 전세계에 폭로하여야 합니다."

이 선언문이 발표된 뒤 전국에서 모여든 1만명의 의병들은 1908년 3월 수도 서울을 탈환하기 위해 진격하였다.

②또 다른 독립선언서는 1910년 8월 나라가 망했을 때 소련 연해주 블라디보스토크에서 발표되었다. 이 선언서는 성명회 대표 유인석의 이름으로 발표되었으나 또 하나의 13도 창의군이 발표한 선언문으로서 이 선언서에 서명한 인사는 무려 8천 6백 24명에 이르렀다. 이렇게 많은 인사가 서명한 선언서는 다른 나라에서는 찾아볼 수 없는 것이었다.

> "저 아름다운 3천리 강토는 시조 단군이 우리에게 전한 것이며, 우리 2천만 동포는 단군의 자손이다. 우리가 아끼고 사랑하는 고국은 잊으려 해도 잊을 수 없고 버리려 하여도 버릴 수 없는 땅이다. 차라리 머리를 끊어 죽을지언정 5천년 역사의 조국은 버릴 수가 없다. 우리는 또 목숨을 버릴지언정 남의 노예는 될 수 없다. 아! 아! 오늘과 같은 처지에 이르러서도 우리는 참고 가만히 있어야만 하는 것인가. 오늘의 일이야말로 최후의 역사가 아닌가. 우리 동포는 모두 무장하여 피를 흘릴 때가 왔다."

이 성명서는 1910년 8월 21일 일제가 우리나라의 국권을 무력으로 강탈한 직후에 발표되었고 국권강탈은 무효라고 선언하였다.

그 뒤 1914년 세번째 독립선언서가 발표되었다. 의병대장을 지낸 임병찬이 독립의군부를 조직하여 국권 강탈의 무효와 국권 회복을 내외에 선언한 것이다. 네 번째 발표된 독립선언은 1917년의 대동단결선언이었다. 이 선언은 중국과 소련에 있던 해외독립운동가들이 단합하여 발표한 것인데 우리 민족이 모두 하나로 뭉쳐 독립운동을 일으키자는 내용이었다.

이렇게 1907년부터 3·1운동이 일어나기 전까지 네번이나 독립선언서가 발표되었다. 1919년에 이르러서는 서울에서 발표된 3·1독립선언서 이외에도 동경유학생들의 2·8독립선언서가 발표되었으며 간도독립군이 연합하여 발표한 또 하나의 '대한 독립선언서(일명 무오독립선언서)'가 있다.

이 독립선언서에서는 "정의는 무적의 칼이므로 하늘에 거슬리는 악마와 나라를 도적질한 적을 한 칼로 무찔러 버리자. 육탄 혈전으로 독립을 완성하자."고 절규하였다.

4

봉화만세운동

충청지방의 3·1운동 중 특이한 양상을 보인 것이 봉화만세운동이다. 낮에는 장터에 모여 독립선언식을 거행하거나 주동인사의 연설을 듣고 군청 면사무소 경찰주재소 헌병분대 앞으로 몰려가 독립만세를 외치고, 밤에는 가까운 산마루에 올라가 만세를 부르는 것이었다.

3월 7일 부여군 홍산(鴻山)에서 시작된 이 운동은 15일 진천읍, 20일 음성군 삼성·맹동, 단양군 대강에서 소규모이나 산발적으로 일어나더니[9] 청주군 서부지역과 연기군 동부지역에서 대규모로 전개되었다. 이 지방에서 봉화만세운동이 본격화 한 것은 3월 23일 청주군 강서·강내 면민들의 연합운동이 일어나면서부터였다.

이들은 이날 밤 9시부터 수십개의 산마루에서 봉화를 올리고 독립만세를 부른 뒤 조치원 방면으로 내려왔는데, 그곳 주민들이 호응하여 18개소

---

9 전게서, 「삼일운동일차보고」, 「삼일운동비사」 참조.

의 산마루에서 봉화만세를 불렀고, 또 청주군 관내의 인근지역인 옥산·강외·남이면 주민도 곧 이에 호응하였다.[10]

이에 당황한 일제는 청주와 조치원에서 헌병·경찰 및 수비대를 총동원하여 여러 사람을 검거하였으며, 새벽 1시경에야 해산하였다. 그럼에도 불구하고 이 봉화만세운동은 다음 날부터 충청도 전역과 경기도는 물론 강원·경상도에까지 파급되었다.[11]

봉화만세운동을 창안, 대규모의 연합운동으로 이끌어 간 대표적인 인사는 청주군 강내면에 사는 조동식(趙東植)이었다. 그가 이 운동을 주도한 이유를 재판기록에서 보면, "옛날 어른들이 나라에 변란이 있을 때면 봉화로써 서로 연락한다는 길예(吉例)에 따라 산마루에서 봉화를 올리고 대한독립만세를 고창하면 민중의 기세가 한층 더 오를 것으로 믿어서 이 방법을 택하게 되었다."고 한다.[12]

그의 예상은 적중하여 봉화만세운동은 민중의 기세를 크게 끌어올렸을 뿐만 아니라 요원의 불길처럼 번져 나갔다. 3월 24, 27일에는 청주군 일원의 수십개 소, 연기군 동면의 10여개소에서 봉화만세운동이 일어난 것을 비롯하여, 30일 아산군 일원의 50개소, 4월 1일 청주군 8개 면의 수십개소와 아산군 5개 면의 수십개소, 2일 아산군 4개 면의 수십개소, 3일 당진군 순성면(順城面)의 10개소, 4일 홍성군 4개 면의 24개 소에서 봉화만세운동이 일어났는데, 이것들이 그 대표적인 운동이었다. 그리고 이 운동은 연기군 8일, 청주군 6일, 아산군 5일, 청양군 4일을 비롯하여 모두 18개 군에서 50일간 계속 되었다.[13]

---

10 전게서, 『독립운동사 제3권』, pp.81~82, pp.112~115 참조.
11 전게서, 『독립운동사자료집 제5집』, pp.1102~1103.
12 상동.
13 상동.

이 봉화만세운동은 3월 23일부터 4월 7일까지가 절정기였으며, 청주군 관내의 경우를 일제측 기록인 『조선소요사건상황』에 보면, "밤에 산에 올라가 봉화를 올리고 오직 만세만을 부르는 운동자가 있었다. 이 운동자는 성격이 온화하여, 목이 쉬도록 만세를 고창 절규하다가 피로해지면 스스로 해산한다. 그 인원도 노인·어린이 등이 뒤섞여 있어 동네 집집마다 1인 또는 2인 정도가 의무적으로 나가는 듯 하다. 그래서 시험삼아 그 집에 가서 물어보면 부인들은 '산에 만세 부르러 갔오.'라고 대답하는 것이었다.

이런 봉화운동인들은 경비 기관의 출동 소리를 들으면 즉각 도망치는 자들로서 그 심리는 평범하여 아무런 의의도 없는 것으로 본다."고 하였다.

그러면서도 일제측은 내심 당황하여 군경을 출동시켜 탄압했는데, 3월 31일 아산군에서는 수비대가 출동하여 해산하였고, 4월 1일 청주군에서는 일본 헌병대의 발포로 1명이 순국하고 13명이 부상하였으며, 4일 홍성군·예산군·당진군에서 대규모의 연합 봉화운동이 일어났을 때에는 홍성과 예산의 헌병·수비대가 출동 발포함으로써 10명이 순국하였다고 한다.

봉화만세운동이라는 3·1운동의 특이한 방법이 이 지방에서 시작되어 여러 지역으로 확산되고 대규모로 전개될 수 있었던 것은 아마도 그 운동방법이 충청도 사람의 기질에 합당했기 때문인 것 같다. 그렇다고 이 운동을 온건하고 소극적인 것이었다는 점만 내세워 평가절하할 수 만은 없다.

5

독립사상의 고조

　3·1운동 직전의 사회상황을 보면 전국 방방곡곡에 이르기까지 독립사상
이 고조되어 있었다. 각계각층의 인사들은 국권 회복을 위한 독립 쟁취 의
욕이 충만하여 있었다. 그런데 일제는 세계에서 그 유래를 찾을 수 없는 포
악한 식민통치를 강행하는 한편, 헌병과 경찰력을 동원하여 민족의식을 가
진 인사에게 무력탄압을 자행하니 독립운동은 불씨만 댕기면 폭발할 수 있
는 상황이 되었다.[14]

　독립운동이 소규모의 간헐적·산발적 운동으로 끝나지 않고 어떻게 하면
대규모의 민중화·일원화 방향으로 이끌 수 있느냐에 달려 있었다. 때마침
기회가 마련되었으니, 그 하나는 세계 정세에 새 바람을 일으킨 민족자결
주의이고, 다른 하나는 우리 민족의 항일의식을 고조시킨 고종황제의 독시
설(毒弑說)이었다. 이런 상황 속에서 3·1운동의 중앙지도부가 형성되고, 그

14　신용하, 「三一운동 발발의 경위」, 『한국근대사론』 2, 1979, p.43.

들의 노력으로 거족적인 민중운동으로 발전할 수 있었다.[15]

충청지방의 3·1운동은 서울의 영향으로 점화되었지만, 한편으로는 이 지방 나름대로의 독립사상이 고조되어 있었고, 또 민중운동으로 발전할 수 있는 소지도 내재하고 있었다. 민족자결주의의 영향이 이 지방의 많은 인사에게까지 미치지 못한 것은 사실이지만 일부 지식층은 어느 정도의 관심과 이해가 있었다고 믿어진다.

괴산의 3·1운동을 계획하고 주도한 홍명희(洪命憙)는 "민족자결이 조선에 적용될 것은 못된다. 또 독립은 도저히 불가능하다. 그러나 오랜 압제정치 아래 굴복하기는 어렵다. 그러므로 우선 참정권·대우평등·언론출판의 자유를 요구한다."[16]고 하였다. 그는 민족자결에 대한 확신이 서지 않으면서도 세계 정세의 조류에 따라 한국의 독립문제를 세계 평화의 일환으로서 호소하려고 하였던 것이다.

그리고 『조선소요사건상황』에서는 호서지방의 민정에 관하여 "미국 대통령이 제창한 민족자결이란 말이 신문지상에 선전되고, 특히 이에 대한 정객·학자들의 비평·논설 등이 널리 사람들의 입에 오르내리게 되자, 평소에 온건했던 지식계급에 이르기까지 이에 귀를 기울이는 상황으로 기울어졌다. 이에 민심이 차츰 긴장하게 되는 듯 했다.[17]

학생들은 민족자결주의에 대한 신문을 오려내거나 서신을 부모에게 보내어, 이 주의가 조선민족에게도 적용되어야 한다고 교시한 자가 있어, 도내 민심의 일부에게 새로운 암영을 던지기에 이르렀다."[18] 고 하고 있듯이 일부 계층에서는 민족자결주의에 기대를 걸고 있었다.

---

15 김진봉, 『三一운동』(민족운동총서 제2집), 1980, pp.49~61참조.

16 전게서, 『독립운동사자료집』 제6집, p.496.

17 상게서, p.473.

18 상게서, p.477.

한편 고종황제의 붕어는 유교적 전통이 어느 곳보다 강한 호서지방의 지식층과 농민에게 큰 충격을 주었다. 헤이그밀사사건 때문에 일제의 위압으로 물러나 덕수궁(德壽宮)에서 유폐나 다름없는 나날을 보내던 전 황제가 갑자기 이해 1월 22일 새벽에 급서하였다. 조선총독부에서는 그 원인을 뇌일혈이라고 하였지만 독살설이 파다하여 우리 민족의 배일감정은 절정에 이르게 되었다.[19]

이 소식은 우리 민족으로 하여금 나라 잃은 통분을 다시 되씹게 하여 배일감정은 더욱 확대되어 갔다. 일제는 그들의 왕이 죽었을 때는 물론이고, 심지어 이등박문(伊藤博文)이 우국지사 안중근(安重根)에게 저격 피살되었을 때도 추도식을 열고 모든 관청은 3일간 휴업하였다.

그러나 고종황제의 붕어에는 복상(服喪)에 따른 조의(弔意)를 표할 아무런 절차도 없는데 대한 민족적 불만이 팽배하였다.[20] 호서지방민은 고종황제의 비보가 전해지자 관례에 따라 망곡례(望哭禮)를 행하거나 국장(國葬)에 참여하기 위하여 상경하는 인사가 줄을 이었으며, 집집마다 상장(喪章)이 나붙지 않은 곳이 없는 상황에 이르렀다.[21]

이 지방에서는 고종황제의 국장에 참여하기 위하여 상경했다가 귀향한 인사와 서울 학생들이 돌아오면서 3·1운동의 발발을 알게 되어 차츰 독립만세운동의 분위기가 조성되어 갔다.

하지만 그 여건을 받아들이는데 있어서는 각 계층의 생각이 달랐다. 지식층 인사들은 만세운동을 일으킨다 하더라도 우리나라의 독립을 기대할 수 없으나 민족의 독립의지를 보여 줌으로써 일제의 각성을 촉구하려 하였으며, 일반 민중은 독립을 쟁취할 수 있거나 아니면 우리의 처지가 달라질

---

19 전게서, 『三一운동』, pp.59~61 참조.
20 전게서, 『독립운동사자료집』제6집, p.474 ; 朴殷植, 『한국독립운동지혈사』하편, 1920, pp.7~9.
21 상게서, p.477.

것으로 믿고 있었다. 그 밖의 일부 사람들은 만세운동에 참여하지 않았을 때의 자신의 처지를 고려하여 이 운동에 참가한 경우도 있었다.[22]

그러나 이처럼 독립만세운동에 참여한 사람들은 계층간의 생각이나 방식이 달랐지만 일제의 식민통치 압박에서 벗어나 우리 민족의 독립을 쟁취하겠다는 결심은 모두가 한결 같았다.

3·1운동은 우리에게 독립의 가능성을 제시했고 용기를 주었지만, 그것만으로는 독립이 쟁취될 수 없다는 새로운 반성이 일어나게 되었다. 이에 부응하여 문화와 경제 방면에서 민족 역량의 배양을 촉진하는 노력이 전개되어야 한다는 움직임이 나타났다.

교육부문에서는 식민지교육에 맞서 근대교육을 발전시켜 갔는데, 국민의 자각이 높아짐에 따라 취학자가 날로 늘어났으며, 사립학교, 강습소, 야학, 서당 등이 세워지거나 보강되었다. 특히, 조선교육회의 설립과 민립대학 설립 운동으로 구국적인 민족주의교육의 기풍이 일어났다. 언론기관의 다양한 활동은 근대적 저널리즘을 일으켜 대중사회에 근대의식을 심어 주었고, 근대정치의식을 키워 주었다.

3·1운동에 크게 기여한 천도교에서는 제2의 3·1운동을 계획하였고, 신문, 잡지, 단행본 등으로 신문화운동을 일으켰다. 대종교도 이 시기에 정신문화운동을 일으켰으며, 그리스도교나 불교도 근대의식 고취에 앞장섰다. 주체적으로 혁신된 원불교가 개간사업과 저축운동을 전개한 것도 민족의 역량을 배양하기 위한 방법이었다.

경제 부문에서도 민족의 실력을 육성할 수 있는 경제적 기반은 민족기업의 육성과 민족자본의 형성에서 가능할 수 있다고 판단하여, 김성수 등은

---

22 상게서, pp.495~498.

경성방직회사를 설립하여 국산품의 애용을 강조하였으며, 민족자본 육성에 앞장섰다.

각급 학생들의 자작회운동에 이어 조만식 등에 의한 조선물산장려회가 조직되었고, 물산장려운동은 전국으로 확산되어 1940년대까지 계속되었다. 그들은 자급자족, 국산품 장려, 소비 절약, 금주, 금연 등의 실천 요강을 내걸고 민족경제 수호를 위해 나섰다.

청년회, 소년단, 기생조합에서도 지지, 호응하여 민족운동으로 성장하였으나, 일제 식민지 경제정책에 휘말려 민족경제의 발전은 더디기만 하였다.

6

3·1 민중혁명운동

3·1운동의 사건 경위와 정신은 시간의 '풍화작용'으로 퇴색해 가고 망각의 지대로 사라져가고 있는 듯하다. 이제 3·1절은 대부분의 사람들에게는 직장을 하루 쉬는 공휴일 이상을 의미하지 않게 되었고, 관가에서는 판에 박힌 간소한 기념식을 갖는 정도뿐이게 되었다. 오늘날 사학계의 한 모퉁이에서 한국의 현대사와 3·1운동에 대한 새로운 연구 결과들이 발표되고 있음에도 불구하고 3·1운동에 대한 이해는 여전히 무비판적인, 도식화된, 심지어는 왜곡된 채로 전수되고 있을 뿐이다.

가령 3·1운동은 33명의 민족지도자들이 탑골공원에서 독립선언문을 선포하자 전국적으로 민중들이 호응하여 독립만세를 불렀던 사건 정도로 이해하고 있는 것이 보통이다. 또 3·1운동은 기미년 3월 1일에 조선민들이 비조직적으로 일제히 독립만세운동을 일으켰으나 일본 군경에 의해 분쇄되어 실패로 끝난 무모한 사건이라고 이해하는 이들도 적지 않다. 가령 서대숙 같은 이는 다음과 같이 말하고 있다.

"이 3·1운동은 아마 한국 민족의 가장 큰 대중운동이었을 것이다. 그러나 그것은 단지 부상자 수에 있어서만 대단한 것이었다. 왜냐하면 그것은 재난의 크기에 비해 실질적인 그 어떤 것도 성취하지 못했기 때문이다."

실용주의적 관점에서 독립을 가져오지 못했으니 실패라고 보는 입장이다. 그러나 3·1 운동을 일으켰던 장본인들이 그날 당장 독립을 성취하려고 목적했다면, 위와 같이 볼 수 있겠지만 그 누가 그런 목적으로 독립만세를 불렀겠는가? 3·1운동은 오히려 계속적인 운동으로 기미년 3월 1일에 시작한 것뿐이다.

이날 한국 민중은 자주독립을 쟁취하기 위한 혁명의 깃발을 올린 날로 이해해야 한다는 말이다. 송건호 역시 이와 비슷한 견해를 피력하고 있다.

"3월 1일은 겨우 이 운동이 시작된 날이고, 그 후 민중의 항일투쟁은 날과 달이 지남에 따라 도와 양상이 더욱 치열해져 1919년의 년말을 거쳐 투쟁은 계속되었으며 1920년 이후에도 국내외에서 계속되었다."

선우학원은 말하기를 3·1운동은 "문자 그대로 일본이 한국을 점령하고 있던 기간의 끝까지 계속된 운동이었다."고 주장하였는데 이 점은 필자들도 전적으로 동의하고 있다.

한국민중운동사에 있어서 출애굽의 사건에 비할 수 있는 이 3·1운동에 대한 몰지각 내지는 왜곡된 이해는 한국민의 역사의식이 희박한 증거가 아닌가하는 의문을 갖게까지 한다. 아주 오래 전에 일어난 일도 아니건만 3·1운동에 대한 역사적 의미를 정립하지 못했다면 이는 부끄러운 일이고 불행한 일이다. 이런 문제의 정리도 3·1운동 백주년기념사업회의 몫이라고 본다.

3·1운동의 본질과 성격이 무엇이냐에 대한 권위 있고 통일된 해석이 있는가? 역사 전문가들의 3·1운동에 대한 이해를 보면 천차만별이다. 민족운동(이기백), 민족정신환기운동 또는 통일적 민족정신환기운동(김성균), 통일적 민족해방운동(이병혁), 최초의 공화국 지향의 전체 민족적 항일독립운동(강만길), 근대민족국가의 운동(이상은), 혁명운동(이병도), 씨알의 비폭력반항운동(함석헌), 민중의 독립투쟁(송건호), 민중 주체적 민족운동(기독교교회협의회) 등이다.

이러한 다양한 견해는 3·1운동이 갖는 다각적인 역사적 의의를 반영하는 것으로 볼 수 있지만, 민족민중사적 사건으로서의 3·1운동에 대한 올바른 이해에 혼란을 노정하는 것이라고 보지 않을 수 없다. 해방이 되고 70년이 넘는 시간이 흘렀음에도 여전히 한국이 민족 분단과 사회적 혼란을 극복하지 못한 근원적인 이유도 3·1운동에 대한 역사적 교훈을 깨닫지 못한 때문이 아닐까?

바로 여기에 우리는 3·1운동에 대한 철저하고도 비판적인 연구의 필요성을 볼 수 있다. 그러면 3·1운동의 근원적인 성격은 무엇인가? 이 질문에 답하기 위해서는 다음의 세가지 질문에 대한 해명이 있어야 한다. 첫째, 3·1운동의 주체가 누구였느냐? 둘째, 3·1운동은 민족운동이었는가? 민중운동이었는가? 셋째, 3·1운동은 반항운동이었는가?

첫째, 3·1운동의 주체는 앞에서 다룬바 있다.

둘째, 3·1운동이 민족운동이냐, 민중운동이냐는 문제를 밝혀야 한다. 위에서 규명한 바와 같이 3·1운동의 주동세력이 민중이었다는 점에서 이 운동이 민중운동이라고 보는 것은 당연한 것이다. 흔히 민족주의라고 할 때 왕조나 통치 계급의 이익 유지와 번영의 이념으로 이해되어 왔고, 그 민족주의 안에 민중의 자리는 존재하지 않았던 것을 부인할 수 없다. 민중과 민족 관계에 대하여 안병무는 심장을 찌르는 진실을 잘 말해주고 있다.

"정말 실재하는 것은 민중이고 민족이란 대화 관계에서 형성되는 상대
적 개념인데 언제나 내세운 것은 민족이었고 민족을 형성한 민중은 계속
민족을 위한다는 이름 밑에 수탈 상태에 방치되어 왔다. 민중이 민족을 형
성하고 그것을 지킬 대권을 정부에 맡겼는데 바로 이 민족이 개념화되어
민중을 혹사 착취하는데 이용되는 일이 오늘날까지 계속됐다는 말이다."

　　3·1운동은 결코 그러한 의미의 민족주의운동이 아니었다. 그 운동의 정
신과 선언문 속에 흐르고 있는 정신은 민족주의가 아니라 민중주의였다.
나라가 망하고 한국 조정은 일본제국주의의 앞잡이로 둔갑한 역사적 상황
에서 민족이란 결국 민중이었다고 이만열도 말하였다.

　　3·1운동을 민족주의운동으로 보기보다 민중운동으로 특징지워야 할 더
큰 근거는 그 선언문의 내용과 정신이 민족주의적 요소보다 민중적 요소가
지배적이었기 때문이다. 3·1독립선언서에 보면 인류평등의 대의, 전인류
공존공생권, 세계평화, 인류행복, 정의, 인도생존존영, 우리의 고유한 자유
권 등의 표현이 나오는데 이것은 민족주의적 특성이나 가치보다 민중적 가
치라고 할 수 있다.

　　또 3·1독립선언의 모체라고 할 수 있는 2·8선언에 보더라도 민중적 요소
를 많이 담고 있다. 이 선언문은 "일본의 군국주의가 비인도적인 정책을 채
용하여 조선인에게 참정권, 집회결사의 자유, 언론출판의 자유 등을 불허하
며 심지어는 종교의 자유, 기업의 자유까지도 적지 아니 구속하고 조선민
족의 의사권까지도 침해하며... 우리들은 결코 이 같은 무단전제, 부정, 불
평등한 정치하에서 생존과 발전을 향유하기 불가능할 것이라...우리 민족
은 생존의 권리를 위하여 독립을 주장하노라."고 밝히고 있다. 이것들은 인
간의 생존권과 인권, 행복, 자유의 권리를 요구하는 민중의 절규로서, 이러
한 가치와 목적들은 과거의 민족주의의 테두리에서는 상상할 수 없는 것들

이다.

셋째, 3·1운동은 반항운동인가? 혁명운동인가?

한국 국사학계의 태두적 존재인 이병도는 3·1운동을 혁명운동으로 규정하였다. 그에 의하면 3·1운동은 손문의 1911년의 신해혁명의 영향을 받은 하나의 혁명운동이라는 것이다. 3·1운동이 미국 윌슨 대통령의 민족자결주의에 영향을 받았는지, 손문의 신해혁명의 영향을 받았는지를 여기서 규명하려는 것은 아니다. 다만 3·1운동이 단순히 어떤 특정한 부정이나 불의한 권력에 대항하여 투쟁하는 시민의 반항운동이냐, 아니면 대의와 새 사회에 대한 청사진을 내건 혁명운동이었느냐는 문제에 관심을 두고자 한다.

3·1운동은 민족주의적, 권위주의적 정치와 반역사적인 제국주의에 대항하여 민주주의 정치의 이행을 요구하는 혁명운동이었다. 이 사실은 앞에 인용한 2·8선언문에 잘 명시되어 있다.

우리는 정의와 자유를 기초로 한 민주주의 선진국의 모범을 따라서 신 국가를 건설한 후에는 건국 이래 문화와 정의와 평화를 애호하는 우리는 세계의 평화와 인류의 문화에 공헌함이 있을 줄 믿노라.

이것은 바로 혁명선언문이라고 하지 않을 수 없을 것이다. 이 인용에서 볼 수 있는 대로 3·1독립운동은 봉건군주제로 복귀하자는 것도 아니며, 일본의 군국제국주의의 한국 통치를 문화화나 인도적으로 개선하라는 단순한 요구에 그친 것이 아니고 종전까지의 모든 정치이념과 제도를 근본적으로 부정하고 새로운 민중적 민주주의로의 이행을 요구하는 것으로서 혁명적 운동임을 분명히 알 수 있다. 이 3·1운동이 단순히 반항운동이 아니고 새 정치질서의 이상을 내건 혁명운동이었다는 분명한 이해가 필요하다.

제8장

종교계의 활동

1

천도교의 절대적 공헌

　천도교측의 국민국가 성립을 위한 민중독립운동 계획은 1910년 9월 30일부터 이미 천도교인 사이에 진행되고 있었다. 그것은 천도교의 구국적 신앙에 입각하여 대중봉기운동을 동학운동의 재현과 계승으로 그 이후 1919년 3월 1일까지 근 10년간을 준비기간으로 삼았다. 천도교의 이종일은 국권피탈 이후 자결자가 50여 명에 이르자 자결보다는 살아서 투쟁하다가 죽는 것이 더욱 효과적이라고 대중시위운동을 주장하였다.

　이렇게 하여 거족적인 3·1운동이 본격적으로 추진되었는데, 처음에는 종교단체와 학생측이 각각 계획을 세웠다. 그것은 일제가 무단정치를 실시한 이후 국내 사회단체 대부분이 해체되었지만 종교단체와 교육기관은 약간의 자유 활동이 가능하였기 때문이었다. 따라서 뜻있는 애국지사들은 종교에 의지하거나 교육에 힘쓰면서, 국권 회복의 기회를 기다리고 있었다. 이들 단체 중에서 천도교(天道敎)·기독교(基督敎)·학생의 조직이 개별적으로 독립운동 추진 계획을 세웠지만 이들은 훗날 다른 단체의 활동을 알게 되자 이를 통합한 단일 추진 계획을 세웠다.

천도교는 동학의 후신으로, 최제우(崔濟愚)·최시형(崔時亨)에 이어 제3대 교주가 된 손병희(孫秉熙)가 일본 도쿄에 망명해 있을 때 개칭한 것이다. 손병희는 정치적 지도력이 있는 사람으로서 강력한 조직과 자금이 있었기 때문에 천도교측의 추진 계획은 그를 중심으로 하지 않을 수 없었다. 손병희는 도쿄 망명 중에 세계 정세를 살피는 동시에 유학생을 다수 양성하였다.

최린(崔麟)은 그 중의 한 사람이며, 오세창(吳世昌)·권동진(權東鎮)은 도쿄에서 동학에 가입시킨 사람이었다.

그리고 이듬해 정월에 귀국하여 교세 확장에 힘쓰면서 서울 경운동(慶雲洞)에 천도교 본교당을 짓고, 교도들의 훈련을 위하여 동대문 밖에 상춘원(常春圓)과 우이동에 봉황각을 지었으며 보성전문학교·보성고등보통학교·동덕여학교 등 여러 교육기관을 직접 경영하였다.

그리고 이들 3인이 천도교 지도자 손병희를 방문함으로써 천도교측의 주도체가 형성되어, 비로소 구체적인 추진 계획을 세우게 되었다. 이들은 먼저 독립운동의 3대 원칙으로 첫째, 독립운동을 대중화할 것, 둘째, 독립운동을 일원화 할 것, 세째, 독립운동은 비폭력으로 할 것을 결정하였다.

그리고 독립운동의 실천 방법은 2월초에 최린이 송진우(宋鎮禹)·현상윤(玄相允)·최남선(崔南善)과 함께 논의하여 ①독립선언서를 발표하여 국민의 여론을 환기하고 ②일본 정부와 귀·중 양원 및 조선 총독에게 국권반환요구서를 보내고 ③미국 대통령과 파리 강화회의에 독립청원서를 제출하여, 국제 여론에 의하여 일본에 압력을 가함으로써 독립을 성취하기로 합의하였다.

그리고 손병희·권동진·오세창·최린 등 4인은 처음 거사 계획을 협의할 때 이번 독립운동은 거족적인 운동이 되어야 하므로 천도교 단독으로 거사하는 것보다도 기독교·불교·유림 등 각 종교단체를 망라하는 동시에 구한국(舊韓國)시대의 이름 있는 인사들을 민족대표로 내세워야 한다는데 합의하였다.

그리하여 우선 구한국시대의 저명인사 박영효(朴泳孝)·한규설(韓圭卨)·윤용구(尹用求)·김윤식(金允植)·윤치호(尹致昊) 등의 의견을 들어 보기로 하였다. 박영효는 갑신정변의 주동 인물로서 개화운동의 선구자요, 한규설은 을사조약 체결 때 참정대신으로서 조약을 끝까지 반대한 사람이었다.

윤용구는 국치 이후 일제의 작위를 거절한 고결한 인물이요, 김윤식은 유림의 거두로서 한말에 오랫동안 정계에 있었기 때문에 그 이름이 국내외에 널리 알려졌고 한일병탄 후 105인 사건으로 옥고를 치렀으며 또 미국에도 많이 알려진 사람이었다.

이들 중에서 다만 박영효와 김윤식은 일제의 작위를 받은 것이 흠이었지만, 손병희는 독립운동에 작위를 받은 친일파를 가담시키는 것이 더욱 의의가 있다고 하며 이완용(李完用)도 참여시키기 위하여 교섭에 나서기까지 하였다. 이들에 대한 교섭은 1월 중순부터 2월 상순까지 진행되었는데 응하는 사람이 없었다. 이에 실질적으로 천도교측의 독립운동을 추진한 사람들은 크게 실망하고 한때는 이 운동을 포기하려고까지 하였다.

그러나 또 하나의 좋은 기회가 생기게 되었으니, 그것은 곧 고종황제의 붕어였다. 우리 민족의 배일 감정이 절정에 달한 때에 독립운동을 일으키는 것이 가장 효과적이라고 생각한 최린은 다시 송진우·현상윤·최남선 등과 만나 적극적인 태도를 보이는 각 종교단체와 교섭하는 문제를 토의하였다. 이때 최남선이 기독교측에서도 이러한 움직임이 있는 듯하니 평북 정주(定州)에 있는 이승훈(李昇薰)과 연락하는 것이 좋겠다고 하여 이승훈을 서울로 오게 하였다.

이승훈은 연락을 받고 2월 11일 서울에 왔는데, 최남선은 일경의 눈을 피하기 위하여 송진우와 신익희(申翼熙)로 하여금 그와 만나서, 기독교측도 천도교측의 독립운동에 합류할 것을 요청하였더니 즉석에서 찬성하였다. 그리고 이승훈은 이튿날 밤에 정주로 내려가 기독교측 동지를 규합하기 시작하였다.

한편 불교측과의 교섭은 최린이 담당하였는데, 그는 1월 하순경 친분이 있는 승려 한용운(韓龍雲)에게 독립운동에 관하여 협의하였더니 한용운이 자기도 이미 뜻하고 있었다고 말하며 쾌히 승낙함으로써 불교측과의 연합도 이루어지게 되었다. 그 후 한용운은 승려 백용성(白龍城:海印寺 住持)과 협의하여 뜻을 같이하였다. 한용운은 또 유림측의 참가를 교섭했으나 실패하여 유림측의 합류는 포기하고 말았다. 또한 천도교측 주동은 66회이었지만 경기·전남·경북에서는 단 한 건도 보이지 않는다.

그러므로 천도교측은 북부 6개 도에서 크게 활동한 반면, 남부 7개 도에서는 그 활동이 전혀 없거나, 간혹 있다 하더라도 보잘것 없었다. 천도교(東學)가 창시되고 크게 번창했던 삼남(三南)지방에서 그 활동이 오히려 미약했던 까닭은 동학농민군이 봉기한 후 계속되는 탄압으로 교세가 궤멸 또는 북상(北上)한데 있는 것 같다.

2

개신교의 동참과 천주교의 불참

한말에 도입된 기독교는 초기에는 교육·문화사업을 통하여 선교의 문을 넓혀 갔는데 1890년대 말에 가서 그 사회적 역할들이 나타났다. 이때의 기독교인들은 이미 반봉건 개혁운동에 앞장서서 관료들의 부정과 가렴주구 행위에 격렬하게 저항하였다.

그리하여 지방 수령으로 발령받은 자 중에는 예수교인이 많은 고을에는 부임하기를 꺼려하는 자도 있었다. 기독교인들은 이렇게 사회적 불의에 항거하는 한편, 당시 우리 민족이 처한 국제적 위치를 깊이 인식하고 자강독립운동을 범국민적으로 전개하기 위하여 독립협회에 참여하여 중추적 역할을 담당하였다.

독립협회는 1898년을 기점으로 정부와 보수적인 인물들에 의하여 극심한 탄압을 받게 되었고 이로 인해 교회도 주시를 받게 되었다. 1901년 한국에 있던 선교사들로 조직된 장로교 공의회에서 교회와 국가의 상호 불간섭을 주요 골자로 하는 취지문을 전국 교회에 배포한 것은 성장기에 있는 교회를 정치세력으로부터 보호하기 위해서였다. 이 일을 계기로 기독교인들의 정치에의 관심은 위축되었고, 교회에서는 앞의 취지문에 따라 교회의 비정치화를 강력히 추진하였다.

그러다가 1905년 을사조약 체결 이후 일본의 한국 침략이 노골화되자, 기독교인들은 항일 민족운동을 본격화하여 교회와 교회학교의 예배나 행사를 통하여 민족적 각성을 촉구하고 애국심을 고취하였다. 민족적 의분을 참지 못한 기독인들은 테러를 감행하기도 하였다. 이완용을 살해하려한 이재명, 일본의 한국 침략을 방조하였을 뿐만 아니라 미국 정부에 일본의 입장을 변호하기 위해 미국에 상륙한 스티븐스를 살해한 장인환, 이밖에도 몇몇 사람들이 있다. 소위 안악사건과 105인 사건이 그것이다.

한편 총독부는 1915년 사립학교령을 개정하여 향후 10년 후에는 기독교계 학교의 교과과정에서 성경과목을 제외시키고 예배의식을 금지하도록 하였다. 이는 일제가 기독교계 학교의 설교와 성경 수업을 통하여 전달되는 자유·독립의식과 그로 인하여 형성될 국권회복사상의 형성을 두려워했기 때문이다. 종교계 학교를 비롯한 사립학교의 교육은 민족교육 성격을 띠었기 때문에 총독부의 사립학교 탄압은 가중될 수밖에 없었다.

1918년 제1차 세계대전이 끝나고 미국 대통령 윌슨에 의해 민족자결론이 제창되는 등 세계사는 중대한 전환기에 접어들었다. 이 무렵 기독교 지도자들은 세계사적 전환기에 따른 적극적인 항일 독립운동을 국내외에서 계획하게 되었다. 미주지역에서는 이승만·정한경·서재필·안창호 등이 공동전선을 계획하였다. 중국지역에서는 김규식·여운형·선우혁·서병호 등의 기독교 지도자들이 1919년 2월 김규식을 파리에, 장덕수를 일본에, 여운형을 노령에, 선우혁을 국내에 파견하여 국내외에서 동시적으로 독립운동을 전개하도록 주선하였다.

기독교를 중심으로 한 독립운동 계획은 처음에 두 갈래로 시작되었는데 하나는 이승훈을 중심으로 한 평안도지방 장로교 계통의 움직임이었고, 다른 하나는 서울의 감리교 계통을 중심으로 한 함태영, 박희도의 움직임이었다. 2월 중순경에 이승훈·함태영 등이 추진하는 천도교측과의 연합운동이 알려지자 이 전국적인 운동에 가담하기로 계획을 확대 변경시켰다.

세브란스병원의 제약주임을 겸하고 있던 이갑성을 중심으로 학생단의 독립운동 추진계획도 있었다. 이들은 1919년 1월 하순 동경으로부터 파견된 송계백을 맞아 그곳에서 진행되었던 유학생들의 거사계획을 듣고, 동지의 규합, 각 도 대표 2인 선정, 기독교 지도자들의 의견 타진, 독립선언서 발표 등의 구체적인 방안을 강구하였다.

이갑성은 이상재·윤치호·함태영·손정도 등 기독교계 지도자들을 찾아 의견을 타진하고 협조를 구했다. 세브란스의 경우도 참여한 학생들이 천도교측과의 연합에 참여를 결정함으로써 독자적인 독립운동을 일으키지는 못하였다.

기독교 지도자 중에는 문제가 있는 사람도 있었다.

첫째, 거국적인 항일운동을 앞두고 천도교측과의 제휴에 소극적인 자세를 취한 기독교 지도자들의 소승적 태도이다. 어떤 지도자는 천도교와의 제휴가 교리상 불가하다고 하였고, 어떤 사람은 천도교측의 위험성을 들어 반대하여 천도교와의 제휴를 단념할 수밖에 없었다고 한다. 민족적 대사를 두고 편협한 분리주의를 내세우는 것은 예나 지금이나 한국 기독교가 민족 앞에 갖고 있는 떳떳하지 못한 일면임에 틀림없다고 본다.

둘째, 이 운동에 소요될 자금의 염출이 어려워 5천원 상당의 금액을 천도교측에서 대여 혹은 보조받았다는 점이다. 선언서에 서명한 기독교 지도자들 중의 일부가 거사 후 가족의 생계를 걱정하므로 이 돈의 일부가 그곳에 사용되었다.

더구나 기독교계 지도자 중에 길선주·김병조·정춘수·유여대 등 4명이 당일 선언서 낭독에 불참한 것도 마찬가지로 생각된다. 이러한 몇 가지 문제점에도 불구하고 천도교측이 인식한 대로, 기독교측이 참여하지 않으면 거족적 독립운동이 되기 어렵다고 했던 것은 기독교가 한말 일제하에서 축적한 민족주의적 역량을 바탕으로 이 운동에 주도적으로 참여하였음을 보여주는 것이라 생각된다.

3·1운동과 기독교의 관계를 논할 때 우리는 민족대표 33인 중 16인이 기독교계였다는 것과, 독립선언서 가운데 기독교적 정신이 내포되어 있다는 정도에 그치기가 쉽다. 그러나 당시 우리 신앙의 선배들은 이보다 훨씬 광범위하게 참여하여 이 운동을 주도하였다. 3·1운동을 보통 비폭력운동이라 하지만 민중화 단계에서는 폭력투쟁적인 성격이 매우 강하였다.

민중화 단계의 3·1운동에서 기독교의 역할과 관련하여 보면, 대체로 교회나 기독교 학교가 있는 곳에서는 그 기관이 중심이 되어 만세운동을 주도하였고, 그곳에 천도교당이 있으면 그들과 제휴하기도 하였으며, 교회가 없었던 지역에서는 유생·농민들이 주도한 것으로 이해된다. 이 때문에 3·1운동에 따른 일본제국주의자들의 보복도 기독교측에 가장 가혹하였다. 특히 화성군 제암리의 경우는 너무 비참하였다. 한국에 전파된 기독교는 근세 한국의 역사 전개과정 때문에 다른 아시아 아프리카에 전래된 기독교와 달리 한국의 민족주의와 쉽게 결합될 수 있었다.

한국은 비기독교 국가인 일본에 의해 침략을 받았으므로 정의와 자유, 독립과 평등을 훈련받은 기독교인들이 기독교를 통하여 민족주의에 눈떴다는 것은 자연스럽다고 하겠다. 이러한 사실로 해서 우리 신앙의 선배들은 기독교적인 신앙의 터전 위에서 조국의 독립을 유지하고 회복하려는 항일 민족주의 운동을 전개할 수 있었다.

3·1운동 후 이 운동에서 발견한 새로운 가능성으로 한성정부와 상해 임시정부가 세워졌는데 이 정부들이 민주공화정을 표방하였다는 점이 주목

된다. 그것은 소수의 지배자가 역사의 주인공으로 자처하던 군주국에 민중이 역사의 주체가 되어야 한다는 민주공화정의 정체를 채택하였기 때문이다. 따라서 3·1운동 이후에는 한국에서 민중 출신 민족지도자의 출현이 가능해졌다. 3·1운동 이후에 기독교인들은 상해 임시정부 및 국내외의 항일 독립 민족운동에 적극적으로 참여했다. 한편 3·1운동의 결과, 이에 좌절한 기독교인들 중에는 현실과 타협하는 사람도 있었다.

그리고 3·1운동에서 천주교의 활동이 전혀 보이지 않는 까닭은 정치와 종교를 엄격히 분리하고 있었기 때문인 것 같으나 이는 매우 안타까운 일로 역사에 너무나도 부끄러운 일이라고 할 수 밖에 없다.

3

불교계의 합류

천도교·기독교·학생측의 개별적인 독립운동 추진 계획이 통합되고, 불교측이 이에 가담함으로써 독립선언서에 서명할 민족대표의 인선이 본격화되었다.

천도교측에서는 2월 25～27일의 3일에 걸쳐 재경 인사나 또는 지방 간부로서 당시 서울에 있던 인사 중에서 이종일(李鍾一)·권병덕(權秉悳)·양한묵(梁漢默)·김완규(金完圭)·홍기조(洪基兆)·홍병기(洪秉箕)·나용환(羅龍煥)·박준승(朴準承)·나인협(羅仁協)·임예환(林禮煥)·이종훈(李鍾勳) 등 11명에게 손병희 이하 수뇌들이 거사 계획을 알리고 서명케 함으로써 결국 손병희·권동진·오세창·최린 등 4명과 함께 모두 15명이 서명하였는데 이 일은 주로 권동진과 오세창이 담당하였다.

한편 기독교에서는 2월 26일 정오경, 한강(漢江) 인도교에서 이승훈·함태영·안세환·박희도·오화영·최성모(崔聖模)·이필주(李弼柱) 등이 모여 독립선언서에 서명할 인사를 선정하고 27일 서명을 끝마쳤다. 기독교측 대표로는 이승훈·양전백·이명룡·유여대·김병조·길선주·신홍식·박희도·오화영·정춘수·이갑성과 새로 최성모·이필주·김창준(金昌俊)·박동완(朴東完)·신석구(申錫九) 등이 가담해서 16명이 서명하니, 이에 불교측의 한용운·백용성을 합해서 민족대표로 서명한 사람은 모두 33인으로 결정되었다. 한편 3·1운동을 전후한 국내 사회상을 볼 것 같으면 간도 이민의 격증, 천지 이변, 독감의 유행, 쌀값의 폭락, 그리고 잇따른 수재 등으로 민심은 극도로 혼란 상태에 빠진 것을 알 수 있다.

당시의 중앙지도체제를 형성한 3개 단체 중에서 천도교와 학생은 전체적인 참여라고 할 수 있으나 기독교와 불교는 그렇지 못했다. 기독교측은 장로교·감리교파가 적극 참여하고 있었지만 천주교·성공회·구세군 등의 교파는 초연한 태도로 방관하거나 매우 소극적이었다. 또 불교측은 민족대표 2인을 비롯하여 중앙학교 학생과 일부 지방의 승려가 참여하고 있었지만, 30본산의 최고 간부들은 전혀 관계하지 않았으므로 그 대표라고 할 수 없다.

4

유교와 충청지방

　유교계는 3·1운동보다 7년 먼저 대한독립의 군부를 조직하여 대규모의 독립운동을 획책하다가 발각되어 많은 핵심 인물들을 잃었다. 1919년 기독교계와 불교계의 주동으로 3·1운동이 일어나자 유교계는 대대적인 장서운동을 일으켜 이에 호응하였다. 이른바 파리장서운동(巴里長書運動)인데 1백 37명의 유림대표가 전문 2천 6백 74자에 달하는 장문의 한국독립청원서를 파리 강화회의에 보낸 것이다.

　이 장서는 김창숙이 짚신으로 엮어서 상해 임시정부로 가져갔다. 임정에서는 다시 이것을 영문으로 번역하여 한문 원본과 같이 3천부나 인쇄하여 파리 강화회의는 물론 중국, 그리고 국내 각지에 배포하였다. 이 사건으로 곽종석을 비롯한 많은 유림들이 투옥되었다.

　유림들이 3·1운동 발기에 참여하지 못하고 따로 장서운동을 일으킨 데에는 여러 가지 이유가 있었으나 큰 이유로는 두 가지를 들 수 있다.

　첫째, 독립선언서에 왕조의 복고에 대한 언급이 전혀 없었기 때문에 이에 서명하는 것은 한국 유림의 전통에 어긋나는 일이라는 것이다.

둘째는 신학문을 배우며 머리를 깎고 양복을 입은 자들과 자리를 같이 한다는 것은 수치라고 생각하고 있었기 때문이다. 명분이야 어찌 되었건 그동안 은둔과 보신을 제일로 삼아온 영남 유림의 영수 곽종석이 왕년의 의병장이요, 호서 유림의 영수 김복한과 손을 잡고 일어난 것은 놀라운 변신이었다.

호남의 전우가 이때도 이 운동에 참여하기를 완강히 거절한 사실에 비추어 보더라도 곽종석의 태도 변화는 획기적인 사건이었다고 할 수 있다. 또 곽종석의 행동은 3·1운동에서 영남인이 한 일이 없다는 수치를 덜어준 쾌거이기도 했다. 뿐만 아니라 그들에게서 유교적 무저항주의와 비타협주의의 표본을 발견하기도 하는 것이다.

민족대표로서 3·1독립선언서에 서명을 한 33인은 기독교 대표 16명, 천도교 대표 15명, 불교 대표 2명이다. 나중에 전국의 유림 137명을 규합해 파리 평화회의에 한국의 독립을 호소하는 편지를 보낸 '파리장서(巴里長書)사건', 즉 '제1차 유림단사건'을 주도한 심산 김창숙(1879~1962)은 '독립선언서'를 보고는 다음과 같이 한탄했다.

"우리나라는 유교의 나라였다.... 지금 광복운동을 3교(천도교·기독교·불교)의 대표가 주동을 하고 소위 유교는 한 사람도 참여하지 않았으니 세상에서 유교를 꾸짖어 '오활(迂闊)한 선비, 썩은 선비와는 더불어 일할 수 없다' 할 것이다."

이와 관련, 이덕일은 "조선 전 시기에 걸쳐서 유교는 지배적 사상이었으나 유학자였던 양반 사대부들은 국망(國亡)에 무심했다. 일제가 대한제국을 점령한 직후인 1910년 10월 '합방 공로작(功勞爵)'을 수여한 76명의 한국인들은 모두 양반 유학자였다. 김창숙이 없었다면 한국의 유교는 역사 앞에 고개를 들 수 없었을 것이라고 말해도 과언이 아니다."고 했다.

한국에서 유교적(儒敎的) 전통을 가장 많이 유지하고 있는 곳이 충청지방이었다. 충청지방은 지리적으로 경기도에 접해 있어서 옛부터 양반관료가 많이 정착해 살았기 때문에 '양반의 고장', '청풍명월(淸風明月)의 고장'으로 불리웠으며, 다른 지방보다도 유교적 전통이 강한 곳이었다.[1]

그러나 강한 유교적 전통 위에 형성된 기질은 국가와 민족이 위기에 처했을 때에는 민감한 반응을 나타내어 서양과 일본의 세력이 밀려오기 시작한 대한제국 시대에 이르러서는 위정척사운동(衛正斥邪運動)의 중심지가 되었다.[2] 이 같은 충청지방민의 기질은 일제의 침략을 물리치기 위한 구국·항일운동으로 나타나는데, 그것은 동학농민봉기·의병항쟁 같은 적극적인 방법과 납세 거부·은사금(恩賜金) 거절·자결순국·일제의 시정(施政)에 대한 반발과 같은 소극적인 방법으로 나타났다.

1910년 8월 29일 한일병탄조약이 발표된 직후, 조선총독부의 선전기관지 『매일신보(每日申報)』는 "충청·전라 양도 일대는 예부터 정변이 있을 경우 번번이 분란하던 지방인데, 금일 시국 해결에 관해서는 타 지방과 같이 조용하다. 양반·유생들도 일반적으로 순종하여 완루무뢰(頑陋無賴)한 언동을 하는 사람이 없었다."고 보도하였다.[3]

이 같은 판단은 당시 우리 민족의 적극적인 반발 없이 전국이 평온함을 보고 안도의 한숨을 쉰 것이라 하겠지만, 반면에 대대적으로 동학농민군의 봉기가 있었던 충청·전라 도민의 동태에 각별히 신경을 쓰고 있었다는 증거이기도 하다.

---

1 국가보훈처, 『독립운동사 2』, 1971, p.53.
2 충청북도, 『인물지(人物誌)』, 1987, pp
3 국사편찬위원회편, 『한국독립운동사2』, 1966, p.55.

일제의 침략 마수가 본격적으로 뻗쳐오자, 충청지방에서는 의병항쟁이 활발히 전개되었다. 먼저 을미사변을 계기로 충북 보은의 문석봉(文錫鳳)이 맨 먼저 의병을 일으켰으며, 단발령 발표 직후, 제천의 유인석(柳麟錫)을 중심으로 한 의병군의 항쟁은 전국에서 최대 규모의 것이었다.

그리고 을사조약이 체결된 후에는 제천의 원용팔(元容八), 보은의 노병대(盧炳大), 충남 정산(定山, 현 청양군 정산면)의 민종식(閔宗植), 홍주(洪州, 현 홍성)의 이세영(李世泳), 안병찬(安炳瓚) 등이 의병을 일으켰다.

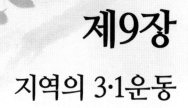

제9장

지역의 3·1운동

1

전국으로 퍼진 독립만세운동

3·1운동은 ①민족대표 33인에 의해서 독립선언서가 발표되기까지의 거사 준비시간 ②3월 1일부터 4월 말까지의 거족적 봉기로 격렬한 운동이 전개되는 시기 ③5월 이후 일본 군경의 잔인무도한 보복 행위로 표면적이던 만세운동이 조직적인 지하운동으로 변모하는 한편 상해의 임시정부 수립과 더불어 그 활동이 개시되는 시기로 나누어 볼 수 있다.

3·1운동이 전국으로 발전하여간 만세운동의 경향을 살펴보면 대체로 다음과 같다. ①서울에서 의주로 연결되는 서북지방에서 남부와 동북지방으로, 그리고 교통이 편리한 철도 연변의 대도시에서 중소도시·읍·면·리로 전파되어 갔다. ②지방운동으로서 그 규모가 컸던 시위 날짜는 대부분 장날과 합치한다. 이는 거사계획의 사전 누설 방지와 인원 동원이 용이하기 때문이다. ③같은 장소에서 같은 날 또는 5일, 10일 간격으로 몇 차례씩 거듭하여 일어났다. 이는 일제의 억압 속에 살아오던 민족적개심(民族敵愾心)의 끈질긴 발현으로서 어떠한 탄압과 제지에도 쉽사리 굽힐 줄 모르는 강인함

을 보여 준 것이다. ④당초의 만세운동은 독립선언서 말미의 공약 삼장에서 밝힌 바와 같이, 오직 자유적 정신의 발휘와 질서를 존중하는 광명정대한 방법으로 행하여졌다. 그러기 때문에 3월 1일에 일어난 서울의 시위운동은 시가를 성난 파도처럼 휩쓴 수십만의 인파로 들끓었지만 폭력 행위는 발생치 않았다. 이와 같이 우리 민족은 평화적인 방법으로 우리의 지상명제인 자주독립을 절규하였다.

시간이 흐를수록 또 지방으로 내려갈수록 시위 민중의 폭력 저항 횟수가 늘어났지만, 이것은 일제측의 탄압 수단이 더욱 잔인하고 포악해진데 대한 일시적 반발에 지나지 않는 것이었다.[1] 3·1운동이 각 도로 발전하여 간 날짜를 보면 다음과 같다. 3월 1일 하루 동안에 서울을 비롯해서 평남의 평양·진남포·안주, 평북의 선천·의주, 함남의 원산 등 4개 도, 7개 도시에 이른다. 그밖에 황해는 3월 1일에 해주·웅진·서흥 등지에서 독립선언서가 배부되었고 3월 2일 황주에서 처음 만세시위운동이 일어났다.

강원은 3월 2일 평강에서 독립선언서가 거리에 나붙었고, 3월 10일 철원에서 최초의 만세운동이 벌어졌으며, 충남은 3월 3일 예산의 봉화만세운동이 그 출발이었다. 전북은 3월 3일 전주·군산·이리에서 독립선언서가 배포되고 3월 4일에 옥구의 만세시위로 발전하였으며, 전남은 3월 3일 목포·광양·구례·순천·여수 등지에서 독립선언서가 배포 또는 나붙더니, 3월 10일 광주에서 학생의 만세시위운동이 일어났다.

경남은 3월 3일 부산과 마산에서 독립선언서 배포가 있더니, 3월 11일 부산진의 만세시위로 발전하였다. 이보다 조금 늦게 경북 대구 3월 8일, 함북 성진 3월 10일에 이어, 충북 괴산의 3월 19일 독립만세운동을 시작으로 전국 13도에 넓게 발전하여 갔다.

---

1 김진봉(金鎭鳳)「삼일운동과 민중」,「삼일운동 50주년기념논집」(동아일보사, 1969), pp. 363~364

운동의 전파 양상을 보면 중남부지방의 경기·강원·충청·전라·경상·황해도의 운동에서는 계속적이면서도 장기간 이어가는 끈질김을 볼 수 있고, 평안도는 한꺼번에 들고 일어났다가 일단 후퇴하는 듯하다가 다시 터져나오는 폭발적인 양상을 띠었다. 함경도는 그 기간이 중남부 지방처럼 길지는 못하지만 한 번 일어나면 끝까지 밀고 나가는 강인함을 나타낸다. 이를 다시 도별로 분석해 보면 다음과 같다.

경기는 3월 1일부터 4월 23일까지 독립만세운동이 계속되었으며, 그 절정기는 3월 26일·27일이었다.

강원은 3월 2일에 시작해서 4월 21일에 끝났는데, 본격적인 만세운동의 전개는 3월 27일부터였고, 최성기는 4월 4일 전후였다.

충북은 전국에서 제일 늦은 3월 19일에 시작해서 4월 19일 끝났는데, 4월 초가 가장 격렬하였다. 충남은 3월 3일부터 4월 12일까지 하였으며, 대부분의 만세운동은 3월 27일 이후에 있었다.

전남북은 다같이 3월 3일부터 4월 18일까지 계속되었으나, 다른 도에 비해 소극적이었다.

경북은 3월 8일부터 4월 28일까지 하였으나, 4월 12일 이후는 실질적으로 끝난 것과 다름이 없었고, 최성기는 3월 20일경이었다. 경남은 3월 3일부터 4월 29일까지 계속되었으나 실질적인 만세운동 기간은 3월 11일부터 4월 11일까지의 1개월간이었고, 4월 초가 절정기였다.

황해는 3월 1일에 시작해서 4월 22일에 끝났는데, 다른 도보다 꾸준한 것이 특징이었다.

평남은 3월 1일부터 4월 16일까지 계속되었는데, 3월 초와 말경의 2단계에 걸쳐 집중적으로 일어났다. 평북은 3월 1일부터 4월 11일까지 하였으나, 대부분은 3월 초순과 4월 초순의 두 차례에 걸쳐 있었다.

함남은 3월 1일부터 4월 8일까지였으나, 실제로는 3월 22일까지만 꾸준히 계속되었다. 함북은 3월 10일부터 4월 19일까지 만세운동이 전개되었으나, 대부분의 운동은 3월 중순에 있었다.[2]

3·1독립만세운동의 진행 횟수를 보면 기독교 단독 주도지역이 78개소, 기독교와 천도교의 공동 주도 42회, 천도교측 단독 주도 66회, 각급학교 학생의 단독 주도 63회, 농민의 단독 주도는 분명히 밝혀진 것만 62회였다. 주도자가 불분명한 것도 874회나 된다. 그밖에도 서울에서 일어난 인쇄공장 직공들의 만세시위, 전차 종업원들의 동맹파업과 천안군 직산금광 광부들의 헌병주재소 습격 같은 노동자의 만세운동이 있었고, 합천 해인사·밀양 표충사·대구 동화사의 승려들도 만세시위를 주도했으며, 또 통영군의 한국인 관리 8명은 운동을 계획하다가 발각·검거되기도 하였다.[3]

또한 색다른 만세운동으로는 서울과 해주의 어린이 만세시위, 서울 종로에서 일어난 어린이와 걸인들의 연합운동, 그리고 수원·안성·해주에서는 기생조합원(妓生組合員)들의 독립만세시위운동이 있었다.[4] 그러므로 지방운동의 주체는 직업상으로는 종교단체·교육기관을 비롯해 농어민·상인·관리·노동자·기생 등 양반에서 천민에 이르기까지의 각 계층이 고루 참여하였다.

그런데 만세운동은 낮과 밤을 가리지 않았고, 도시 대로상의 만세시위뿐만 아니라 심산벽촌의 산상봉화(山上烽火) 만세운동 등 갖가지 형태로 전개되었다. 또 같은 날 같은 장소에서의 몇 차례에 걸친 운동, 일제 관헌의 눈에 보이지 않는 소규모의 운동도 있었다. 그러므로 실제의 3·1운동 기간이나 규모는 통계치보다 더 길고 컸다고 보아야 옳을 것이다.

---

2 김진봉(金鎭鳳), 전개서, pp.363~364, 도별운동일지 참조.
3 「每日申報」 1919년 3월 27일~4월 4일 참조.
4 「각도운동일람」 참조.

2

경기도 지방

3·1운동의 진원지인 서울의 만세운동을 보면 그 주체는 각 종교단체 신도, 각급학교의 학생, 노동자와 지방에서 국장을 배관하려 상경한 사람까지 참여한 각계각층과 각 지방민의 총합으로서 전국 운동의 축소판과 같았다. 그리고 운동의 규모는 3월 1일의 수십만명을 정점으로 점차 소규모로 변해 갔다. 서울의 만세운동에서는 시내 요소와 전차에 격문이나 혹은 국민회보를 붙였으며 전주(電柱)에는 태극기를 달았다. 서울의 모든 상인은 동맹공약서를 결의 작성하고서 3월 9일부터 4월 초까지 1개월 가까이 철시를 단행함으로써 일제에 항거했으며, 전차 종업원은 몇 차례에 걸쳐 동맹파업을 단행하였고, 또 용산의 인쇄공장 직공들도 만세시위운동을 펼쳤다.

서울의 만세운동은 처음에는 질서정연하였다. 그러나 일본 군경의 단속이 거칠어지고 검속자(檢束者)가 점점 늘어나자, 경찰관서를 습격하기도 하고 또 동맹파업에 불응하고 운행하는 전차에 투석하여 차창(車窓)을 부수기도 하였다. 서울의 시위운동은 전국에서 규모가 가장 컸고, 횟수도 가장 많앉지만 일제와 큰 충돌은 없었다. 그럼에도 사상자 수가 수백 명, 피검된 사람은 1만명이 넘었다.

3월 21일 밤에는 영화관인 우미관(優美館) 및 단성사(團成社)에서 활동사진 상영 중, 관객이 일제히 일어나 대한독립만세를 불렀다. 3월 27일에는 삼청동(三淸洞) 고등보통학교 부근에서 만세시위를 벌이던 약 3백명의 군중이 옥동(玉洞)에 있는 이완용의 집으로 몰려가 투석하면서 "나라를 판 도적 이완용"이라고 매도하였다.

그리고 중국 상해에서 발행하는 독립신보 제1호(4월 11일자)에 의하면 근일 각 학교는 일본 정부의 강압에 견디지 못하여 개교한 곳도 있었다. 수업시간에 일본인 교사가 학생에게 일본 말로 "우리나라(日本)의 수부(首府)가 어디냐?"고 물으면 어린 학생들은 한국말로 "서울, 서울"이라고 큰 소리로 대답하고, 또 때때로 교실 안에서 대한독립만세를 부르므로, 일본인 교사들은 기가 질려 어찌할 바를 몰랐다고 하였다.

경기도의 운동은 개성 호수돈여학교 학생의 시위에서 비롯되었다. 그리고 도내 운동 중 가장 희생자가 많이 발생한 곳은 수원군 향남면(鄕南面) 제암리(提岩里)였다. 그리고 만세운동에 참여했다가 피해를 입은 시위 군중 가운데는 피살 약 1백명, 부상 3백여 명, 피검 약 4천명이었다.

1) 제암리와 고주리 학살사건

1919년 3월 31일 장날 시위와 4월 3일의 화수리·수촌리 시위가 벌어진 후 발안은 주요 경계 대상이었다. 헌병을 중심으로 편성된 1차 검거반은 4월 5~6일 발안에 주둔하며 수촌리를 습격하여 마을을 방화하였고, 2차 검거반도 4월 10일부터 11일까지 발안을 중심으로 수촌·화수리지역을 수색하여 204명을 검거하였다.

이들 검거반이 남양 방면으로 이동한 후 발안지역 치안을 맡기 위해 지원 나온 육군 보병 79연대 소속 중위 아리타가 지휘하는 보병 11명이 발안에 도착한 것은 4월 13일이었다. 따라서 이들의 임무는 토벌작전이 끝난 발안지역의 치안을 유지하는 것이었다.

그러나 다른 지역의 시위 중심인물들은 2차에 걸친 검거작전으로 대부분 체포된 반면, 발안 시위를 주도했던 제암리 주민들은 체포되지 않아 불안 요소로 남아 있음을 안 아리타는 제암리를 토벌하기로 하였다.

사건이 일어난 후 제암리를 비롯한 고주리·수촌리·발안 등지는 공포 분위기에 휩싸였다.

이 사건을 기점으로 수원지역의 만세시위가 급격히 줄어들었다는 점에서 일본측의 진압 의도는 나름대로 성공을 거두었다고 볼 수 있다. 그러나 사건 직후 현장을 방문한 외교관과 외신기자, 선교사들을 통해 사건이 외부로 알려지면서 일본 측을 곤혹스럽게 만드는 상황이 전개되었다.

4월 6일에 일어난 수촌리 마을 방화사건에 대한 소식을 듣고 4월 16일 현장을 확인하기 위해 수촌리로 가던 중 제암리사건 현장을 목격하게 된 커티스·테일러·언더우드 등에 의해 사건이 서울에 알려지게 되었다.

그 뒤에 스코필드는 현장을 여러 차례 방문하여 부상자 치료와 난민 구호에 적극 참여하였으며, 4월 19일에는 영국 대리영사와 노블을 비롯한 감리교 선교사들이 현장을 방문하였다.

2) 장안면 수촌리가 입은 피해

1919년 4월 5일 새벽 아리다 중위가 이끄는 30명의 수비대는 수촌리를 포위하고 집집마다 불을 놓아 불길을 피해 뛰쳐나오는 주민들에게 사정없이 총질을 해 댔다. 이날 수비대의 방화로 민가 24채가 불탔다. 4월 8일 수촌리에 남은 가옥도 불태웠다. 그리하여 총 42채 가운데 38채가 잿더미로 변하였다.

3) 우정면 화수리에서 발생한 학살과 탄압

1919년 4월 4일 새벽, 어둠의 장막을 찢으며 사방에서 요란한 총소리가 메아리쳤다. 일본군 제20사단 39여단 79연대 소속 아리다 중위가 이끄는 1개 소대병력이 발안에서 달려와 화수리를 완전 포위하고 마구 총질을 해 댔다. 이에 화수리 주민들은 일경의 보복을 예상하고 노인들만 남기고 캄캄한 밤중에 원안리와 호곡리 바다 쪽으로 가족들을 이끌고 피신했다.

수비대들은 동네에 사람 그림자가 보이지 않자 집집마다 불을 놓고 보이는 주민들은 닥치는 대로 잡아다가 몽둥이질을 하여 탈진해 쓰러지면 냇가에 들어다 팽개쳤다. 화수리 구장 송찬호는 72군데나 칼로 난도질을 당했다.

3

강원도 江原道 지방

　도내 만세운동의 파급 상황을 보면 3월 2일 평강(平康)에 독립선언서가 나붙으면서 비롯되었다. 이어 3일에는 김화(金化), 4일에는 화천(華川)과 철원(鐵原)에도 독립선언서가 나붙기 시작했으며, 최초의 만세시위운동이 벌어진 곳은 10일의 철원이었다.

　다시 철원과 김화에서 만세운동이 일어났다가 한동안 조용하더니, 화천·횡성(橫城)·원주(原州)·춘천(春川)·홍천(洪川)과 강릉(江陵)·통천(通川)과 양구(楊口)·이천(伊川)·평창(平昌)·양양(襄陽)·정선(旌善)·울진(蔚珍)·삼척(三陟)과 회양(淮陽)·간성(杆城)·영월(寧越)이 차례로 만세운동에 가담하였다. 그리하여 도내 20개 군에 파급된 시위운동의 횟수는 70회가 넘고 그 인원은 2만 5천명 이상이었다.

　강원도에서는 대체로 교통이 편리한 지역에서는 기독교도가, 그리고 산간(山間)에서는 천도교도가 운동의 주동체이었다. 그 밖에 학생과 서당 생도, 농민이나 혹은 양반이 주동한 곳도 있었다. 그러나 도내에서 최초로 시위를 벌인 곳은 철원이었다. 시위대에 강제로 끌려나온 군수는 하는 수 없이 시위 군중 앞에서 '대한독립만세'를 선창하고, 일본인 서무주임을 비롯한 전 직원이 군중과 함께 만세를 불렀다. 이날의 시위운동이 끝난 뒤에도 2백여 명의 청년들은 철원역으로 행진하여 정거하고 있던 열차 안의 승객을 향하여 독립만세를 고창하고, 또 독립연설회를 개최하였다. 그 뒤에도 70여 명의 청년들은 부호 박의병(朴義秉)의 집으로 몰려가서 그가 매국노 이완용을 숨겨주었다며 마구 폭행을 가했다.

강원도의 만세운동이 다른 도에 비하여 늦게 시작된 것은 교통의 불편이 가장 큰 이유인 것 같다. 그리고 이곳의 만세시위가 중부지방에서 가장 온건했던 것은 도민의 성격 탓일 것이다. 시위 군중에 의해서 습격 파괴된 일제의 관서는 경찰관서 4, 헌병대 4, 군청·면사무소 6, 우편소 3으로 모두 17개소였다.

한편 일본 군경의 출동지역은 16개소, 발포지역은 14개소이며, 시위 군중의 피해 상황을 보면 피살 30명, 부상 약 50명, 피검 약 1백 50명이었다.

4

충청북도忠淸北道 지방

　충북의 운동이 다른 도보다 늦은 것은 천도교나 기독교 계통의 조직이 강하지 못하였다는 점도 있지만, 교통이 비교적 불편한 까닭이라고 하겠다. 그러나 시위운동은 처음부터 격렬하고 끈질기게 계속되었다. 충북은 기독교측에서 만세운동을 일으킨 흔적은 찾아볼 수 없고, 간혹 천도교도가 주동한 곳은 있었다. 그 밖에 양반층과 서당 생도가 주도한 곳이 있었으나, 대부분의 운동은 농민이 일으키고 있었다.

　그 밖에도 충북에서 대표적인 운동으로는 영동과 음성의 시위를 들 수 있다. 충북의 만세 시위운동은 경찰 주재소나 헌병 파견소 또는 면사무소 등 일제의 관서를 습격 파괴한 행동이 많았다. 그러나 이와는 반대로 밤에 산으로 올라가 봉화를 올리고서 독립만세를 외치고 내려오는 곳도 있었다. 이 같은 봉화운동은 충주군 관내에서 가장 많았는데, 간혹 다음 날 아침의 과격한 시위운동으로 연결되기도 하였다. 이것이 곧 이 지방의 특색이기도 하였다.

이 같이 전국에서 가장 늦게 시작한 충북의 만세운동은 자못 치열해서 총 운동 횟수의 절반에 가까운 28개 지역에서 일본 군경과 충돌하였다.

시위 군중이 습격 파괴한 관서는 경찰 관서 13, 헌병대 5, 군청·면사무소 7, 우편소 1 등 모두 26개소였다. 한편 우리 측의 피해를 보면 일본 군경의 출동지역 12개소, 발포지역 14개소이며, 피살 40여 명, 부상 약 150명, 피검 약 2백명으로 나타나 있다.

충청남도忠清南道 지방

충남의 운동은 3월 3일 예산(禮山)에서 시작되었다. 예산 만세운동의 물결은 곧 도내 각 군으로 번져나갔다. 부여(扶餘), 논산(論山), 공주(公州), 대전(大田)과 아산(牙山), 연기(燕岐), 천안(天安), 서산(瑞山), 서천(舒川), 홍성(洪城)과 당진(唐津), 청양(青陽)군이 만세운동에 가담함으로써 도내에서 보령군(保寧郡)을 제외한 13개 군에 파급되었다.

3월 하순에 재연(再燃)되더니 3월 31일부터 4월 8일까지가 그 절정기였다. 도에서는 기독교도와 천도교도가 만세운동을 주도한 몇 곳을 빼고는 거의가 농민들이 주동한 것 같다. 물론 학생이나 혹은 광산노동자가 주체가 된 곳이 없는 것은 아니다.

반면에 밤중에 가까운 산에 올라가 봉화를 올리고 만세를 부르는 등 다른 도보다는 특이한 양상을 보이기도 하였다. 4월 1일 천안군 아우내장터에서 일어난 만세시위운동은 충남지방에서 첫째로 손꼽히는 운동이다. 천안군 일대뿐만 아니라 멀리 충북의 청주·진천 방면에서도 장꾼과 장꾼을 가장한 운동자가 아우내장터로 몰려들기 시작하였다. 이날 오전 9시경에는 3천여 군중이 장터에 몰려들었다. 거사 계획은 순조롭게 진행되어 큰 태극기가 긴 장대에 매달려지고, 그 아래에서 독립선언식이 열렸다.

이 운동의 총지휘자 조인원이 독립선언서 낭독을 끝내자 군중은 장터가 떠나갈 듯 '대한독립만세'를 불렀다. 이어서 군중은 태극기를 선두로 만세를 부르면서 헌병 파견소 쪽으로 행진해 갔다. 이때 16세의 이화여학교(梨花女學校) 학생 유관순(柳寬順)은 미리 만들어온 태극기를 장꾼들에게 나누어 주었다. 시위 군중은 평화적인 행진을 계속하면서 만세를 불렀다. 그런데 앞서 가던 시위대 한 사람이 일본 헌병의 칼에 찔려 피를 토하고 쓰러졌다.

이 광경을 본 군중은 술렁대기 시작하였고, 시위대는 최초의 희생자를 둘러메고 헌병 파견소로 몰려갔다. 시위 군중은 무참하게 살해된 동지의 시체를 파견소 앞 마당에 메어다 놓고 일제의 만행을 성토하였고, 일부 청년들은 파견소 뒤로 돌아가서 전화선을 끊기도 하였으며, 폭력으로 대항하기도 하였다. 사태가 이렇게 험악해지자 일본 헌병들은 겁에 질려서 파견소 안에 들어가 숨었다. 얼마 뒤에 지휘자 조인원의 만류와 설득으로 큰 충돌 없이 차차 평온을 되찾게 되었다.

그러나 일본 경찰과 헌병은 갑자기 발포하기 시작해서 그 첫 탄환에 조인원이 쓰러졌다. 일본 헌병의 계속되는 발포로 군중은 일단 후퇴하지 않을 수 없었다. 얼마쯤 지나서 군중은 다시 몰려들기 시작했고, 또 다시 '대한독립만세'를 외쳤다.

그런데 오후 2시가 지나면서 뜻밖에도 천안에 본부를 두고 있던 헌병 20~30명이 트럭을 타고 출동했다. 그들은 트럭에서 내리자마자 시위 군중을 향해서 무차별 사격을 하였다. 군중은 다시 흩어져 달아났지만 일본 헌병대는 달아나는 군중을 추격하면서 등 뒤에다 마구 발포하였고, 혹은 칼로 찔러 쓰러뜨렸다. 순식간에 장터는 칼과 총에 맞아 피투성이가 된 시체와 중상자가 즐비하게 널렸다. 이때에 피살된 사람은 유관순의 부모를 비롯해서 모두 14명이나 되었고 그 밖에도 중상자가 많았다.

충남 만세운동의 총 발생 횟수는 80회에 가깝고, 동원된 군중 수는 약 5만 명이었다. 그 중에서 일제와 충돌한 것은 40개소나 되어, 절반을 넘었다. 그리고 군중이 습격 또는 파괴한 일제 관서 1, 헌병대 4, 군청 또는 면사무소 4, 기타 1개소로 도합 10개소였다. 한편 일본 군경의 출동지역은 19개소, 발포지역은 27개소였으며, 운동자의 피해는 피살 20여 명, 부상 약 130명, 피검 2백명 이상이었다.

6

전라북도全羅北道 지방

　제일 먼저 옥구에서 3월 4일에 기독교도 약 70명이 시위를 전개하였다. 그 뒤를 이어 군산·김제(金堤)·익산(益山)과 임실(任實)·전주(全州), 정읍(井邑)·금산(錦山)과 장수(長水)·무주(茂朱)·남원(南原)·순창(淳昌)·진안(鎭安)·부안(扶安)군이 마지막으로 만세운동에 가담함으로써 도내 14개 군에 모두 파급되었다. 이 지역 만세운동의 주체는 기독교도·천도교도·각급학교 생도·농민 등 각계각층이었다. 그리고 운동의 양상은 3월 23일의 5개소 시위운동을 빼고는 모두 한 두곳에서 꾸준히 계속되더니, 4월 6일 이후로는 산발적으로 두 세차례의 운동이 일어났을 뿐이다.

　이 지방의 운동 중에 4월 3일 남원군 덕과면(德果面)에서 전개된 8백여 명의 농민시위운동은 기념식수 후 면장이 주동한 것이며, 다음 날인 4일 김제군 만경(萬頃)에서 일어난 보통학교 6백여 명의 시위운동은 그 학교 훈도(訓導)가 선동해서 폭동으로까지 이끌고 간 것이었다.

　익산군에서는 기독교도가 중심이 된 6백여 명의 군중이 만세운동을 일으켰다. 이들 만세운동자들은 장터에 모여 '조선독립만세'라고 붉은 글씨로 쓴 깃발을 세워놓고 독립선언서를 읽었다. 선언서의 낭독이 끝나고 만세를 외친 다음 막 시위운동에 들어가려고 하던 때에 긴급 출동한 일본 헌병대가 말을 탄 대장의 진두지휘 아래 무차별 사격을 가하며 총검돌격(銃劍突擊)을 감행하였다. 이 같은 일본 헌병의 만행에 대항하기 위해서 일부 청년들은 몽둥이를 휘둘렀으나 대적이 될 수가 없었다.

전북의 만세운동은 총 횟수 약 40회에 연인원은 1만여 명이었다. 시위 군중의 폭력 행사로 파괴된 일제 관서는 경찰 주재소 3개소, 면사무소 1개소, 기타 일본인 가옥 등 3개소로 도합 7개소였다. 한편 시위운동 중 일제측과 충돌한 지역은 7개소, 군중 피살 8명, 부상 10여 명, 피검 약 370명이었다. 이같이 시위 희생자 수가 다른 도에 비해서 적었던 까닭은 일본 군경의 출동지역이 3개소, 발포지역이 단 2개소뿐이었기 때문이다.

전북의 만세시위운동은 도내의 모든 군에 파급되었으나 그 규모나 운동 상황은 미미하였다. 농민의 적극적인 운동 참여를 찾아보기 어렵고, 특히 천도교의 단독 운동이 전혀 눈에 띄지 않는 것이 특이한 현상이다. 이같이 호남지방의 만세운동이 보잘 것 없었던 것은, 이 지방이 동학운동 이래 구한말의 항일투쟁으로 일제의 탄압을 받아 희생이 컸기 때문이다.

전라남도全羅南道 지방

전라남도(全羅南道) 지방의 만세운동은 3월 3일에 목포(木浦)·광양(光陽)·구례 (求禮)·순천(順天)·여수(麗水), 4일에는 광주(光州)에서 독립선언서가 일반 민중에게 배부되면서 기운이 감돌기 시작하였다. 그리고 3월 10일에 광주에서 숭일학교(崇一學校)·수피아여학교(須彼亞女學校)·농업학교(農業學校) 학생들과 일반 민중이 만세시위를 전개하면서 본격화 되었다.

그 후 전남의 만세운동은 도내 각 군으로 파급되어 갔는데 영광(靈光), 해남(海南), 담양(潭陽), 18일에는 무안(務安), 순천, 제주(濟州), 곡성(谷城), 광양, 장성(長城), 강진(康津), 완도(莞島), 목포, 함평(咸平), 보성(寶城), 영암(靈岩)군에서 차례로 가담하여 도내 19개 군 중에서 16개 군이 시위운동을 전개하였다. 전남의 만세운동은 하루에 한 두곳에서 꾸준히 계속되었으며 4월 초에는 3, 4곳에서 일어나 그 절정을 이루었다. 도내 최초의 만세운동에는 기독교도를 중심으로 각급학교의 학생과 농민 5천명 이상의 군중이 참여하였다.

시위 군중 대다수는 태극기를 손에 들고 대한독립만세를 소리 높여 부르고, 또 최남선이 지은 독립운동의 노래를 부르면서 시가를 누비고 다녔으며, 각 관청에 민족대표의 이름으로 된 격문을 돌렸다. 이 같은 치밀하고 규모가 큰 시위운동에 당황한 일본 군경은 강압적인 수단으로 시위를 제압, 해산시켰다.

이 만세운동의 주동자는 나주(羅州)에 사는 김복현(金福鉉)이었다. 그는 3월 1일의 서울 만세운동을 몸소 겪고 내려와서 광주에서 거사하기로 결심하였다. 그리하여 3월 6일 고향에서 광주로 나와 기독교 신자 김강(金剛), 장로 남궁혁(南宮爀), 숭일학교 교감 송흥진(宋興鎭), 동교 교사 최병준(崔丙俊)·장인식(張仁植), 보통학교 촉탁 김태열(金泰烈), 그리고 일반인 한길상(韓吉祥)·김용규(金容圭)·김용삼(金龍三)·강석봉(姜錫奉) 등과 거사 준비를 분담하여 진행해 나갔다.

전남의 만세운동은 목포와 광주에서 기독교도가 주동이 된 때도 있었지만, 그 밖의 지역에서는 각급학교 학생 혹은 서당 생도가 주체가 되었다. 학생 중에서도 대부분은 보통학교의 생도였다는 것이 색다른 점이다. 그러나 전북과 마찬가지로 구한말 이래 항일 의병운동 때문에 일제의 혹심한 탄압을 받아 왔던 관계로 다른 지방보다 만세운동이 미온적이었다고 생각된다. 만세운동 횟수는 모두 40여 회, 동원된 인원 수는 대략 따져도 수만명에 이른 것 같다.

이 시위운동 중 일제측과 충돌한 지역이 4개소, 일본 군경의 출동지역은 6개소, 발포지역은 3개소였다. 그리고 시위 군중에 의해서 습격당한 일제 관서는 헌병대 1개소뿐이었다. 이 같이 양측의 충돌이 미미하였기 때문에 우리 군중측의 피살자는 없었고, 부상자 4명, 피검자 약 5백 명이 발생하였다.

강진군은 전라남도의 남단에 위치하여 교통 연락이 사방으로 편리한 곳이다. 때문에 서울의 3·1독립운동 소식 역시 일찍 전하여졌다. 그 중에서도

천도교에서는 송화전(宋化田)이 장흥의 김재계(金在桂)를 통하여 진작 독립
선언서를 받아서 교인들에게 배포하고 예수교에서는 주일예배 또는 전도
부인들을 통하여 3·1운동 소식을 군내 교인들에게 전달하였다.

강진읍의 예수교 청년 이기성(李基性)·황호경(黃鎬京) 등은 진작부터 독
립운동 전개에 뜻을 두고, 예수교인들에게 "3월 1일 서울에서 독립선언이
발표된 후 전국적으로 만세운동이 전개되고 있는데 강진에서도 만세를 불
러야 하겠다."며 운동 준비를 진행하였다.

3월 20일에는 동경 유학생 김안식(金安植)이 돌아와서 읍내의 청년 김영
수(金永洙)·김학수(金學洙) 등과 함께 독립운동에 앞장설 것을 결의하니 운
동 준비는 활발한 움직임을 보이게 되었다. 따라서 이들은 3월 25일(음 2월
24일) 강진읍 장날에 읍내에서 운동을 크게 전개하기로 하고, 22일 밤에 읍
내 서성리(西城里) 김현균(金玄均)의 집에서 김윤식(金允植)·김현상(金炫庠)·
김성수(金晟洙)·김영수 등이 모여 태극기를 제작하고 선언서를 작성하는 등
의 준비를 하였다.

김윤식·김현균 등은 돈을 모아 태극기를 제작하고, 김영수 등은 읍내 군
청 뒷산에서 일본의 불평등교육과 침략정치를 논박(論駁)하는 선언서를 작
성하여 등사하는 등 책임을 분담하여 준비를 서둘렀다. 한편 이기성·황호
경 등도 이들과 계획을 같이하여 25일 장날에 공동 거사하기로 하였다.

그러나 비밀리에 진행하는 단기간의 준비가 예정대로 되지 않았기 때문
에 3월 25일의 거사계획은 부득이 5일을 연기하여 다음 장날로 미루게 되
었는데, 공교롭게도 26일에 일본 경찰에게 탐지되어 김안식·김영수·김학
수·김현상·김현균·양병우(梁炳宇)·김성수·김만철(金萬哲)·김계명(金鷄鳴)·
양경천(梁京千)·김영호(金永浩) 등 12명이 차례로 검속당하여 일시 중단하지
않을 수 없게 되었다.

한편 처음부터 운동을 계획하던 이기성·황호경·김현봉 등은 계획이 발

각되자 몸을 피했고 3월 31일에는 다시 서울에서 귀향한 배재학교 학생 오승남(吳承南)을 맞이하게 되었다. 읍내 출신인 오승남은 서울의 만세운동에 참가하여 학생대열에서 활동하던 중 3월 말경 각 학교가 휴교에 들어가면서 고향으로 돌아왔다. 그는 독립선언서, ≪독립신문≫ 등을 감추어 가지고 돌아와서 동지들을 찾게 되었다.

4월 2일 김현봉·황호경 등이 서성리 이기성의 집에 모여 4월 5일(음 3월 4일) 강진읍 장날에 거사하기로 결정하는 동시에 이기성·김현봉 등은 읍내 남성리 교회의 강주형(姜宙馨)·박영옥(朴英玉) 및 김춘석(金春錫) 등을 찾아서 함께 거사할 것을 의논하여 찬성을 얻었다. 여기서 이들은 각 방면으로 동조자들과 연락하며 강진보통학교 졸업생들을 통하여 보통학교 생도들의 동시 궐기를 권유하였다.

4월 5일 김한봉·황호경·오승남·김춘석 등은 아침 9시경에 이기성의 집으로 모였다. 이날 운동방법 등을 최종적으로 결정하고, 준비된 태극기·선언서·독립가 등을 나누어 동성리(東城里) 장터로 운반하였다. 예정대로 예배당에서 울리는 정오의 종소리를 신호로 강진읍의 만세운동은 전개되었다. 김후식(金厚植)은 동성리 자기 집에서 준비한 큰 태극기를 군청 뒤 산마루에 높이 세웠다.

청년 동지들은 일제히 시장으로 모여 독립만세를 소리 높여 외쳤다. 시장에 모인 1천여 명의 장꾼들도 모두 따라 부르니 시장은 독립만세의 환호성으로 진동하였다. 오응추(吳應秋) ·김제문(金濟文)·박일춘(朴一春)·이은표(李股杓)·최덕주(崔德柱)·김성수(金性守)·강주형 등이 군중들을 격려하며, 선언서·태극기 등을 나누어주었다. 이기성·황호경·김현봉·오승남 등을 선두로 만세를 부르며 대열을 지어 시위행진을 나서니 따르는 사람이 줄을 이었다.

한편 강진보통학교 생도 약 60명은 점심시간을 이용하여, 돌연 교문 정면에 있는 시장으로 나오며 대한독립만세를 소리높여 부르니, 모였던 군중들이 모두 환성을 올리며 격려하였다. 일본측의 무력 발동으로 대열은 해산되고, 이기성 등 주동 인물들은 일본 헌병·경찰에 끌려갔다. 창검이 번득이고 총성이 여기저기서 들렸다. 이 외에 군동(郡東)·칠량(七良)·작천(鵲川) 등 여러 면에서도 산발적으로 만세운동이 있었다.[5]

---

5 광주지방법원 장흥지청 형사재판서 원본(1919년분 제1책). 그해 4월 9일, 15일자 전라도 장관 보고. 이용락(李龍落), ≪3·1운동 실록≫, 전라남도편.

경상북도慶尙北道 지방

경상북도(慶尙北道)에서 처음으로 만세운동을 일으킨 곳은 대구(大邱)이다. 대구에서는 고등보통학교 학생·기독교도·천도교도 등 약 8백명이 연합해서 시위운동을 전개하였고, 이튿날 각급학교 학생 약 4천 5백명이 시가에 몰려나와 만세를 불렀다.

그 뒤를 이어 영일(迎日)·의성(義城)·김천(金泉)·경주(慶州)·칠곡(漆谷)·안동(安東)·영덕(盈德)·봉화(奉化)·상주(尙州)·영양(英陽)·청송(靑松)·영천(永川)·성주(星州)·예천(醴泉)·선산(善山)·영주(榮州)·청도(淸道)·문경(聞慶)·달성(達城)군이 차례로 만세운동에 가담하여 도내 20개 군이 운동에 참여하였으나 고령(高靈)군과 경산(慶山)군은 가담치 않았다.

이 지역의 운동 주체는 기독교도·천도교도·각급학교 학생 및 농민이었으며, 양반이 주동한 곳도 있었다. 이 지역에서는 충청도처럼 산에 올라가 봉화를 올리는 소극적인 운동은 거의 볼 수가 없고, 어디서나 직접 시위운동을 전개한 것은 아마도 경상도 기질 때문인 것 같다. 20개 군의 운동 중에

서 그 규모나 내용으로 보아 13개소에서 만세운동을 벌인 안동군이 대표적
이라 하겠다.

처음에는 읍내 부근에서 작은 집단으로 전개하던 만세시위 군중들은 저
녁 무렵부터 읍내로 밀려들어 일본 군경과 격렬한 충돌을 일으켜, 피살 14
명, 부상 10명 이상이 발생하였다. 영덕군 영해(寧海)의 만세운동은 3월 18
일과 19일의 2일에 걸쳐 전개되었다.

경북의 총 시위지역은 60여 개소, 연 인원은 3만명에 가까웠다.

그 중 26개소에서 일제와 충돌하였으며, 일본 군경의 출동지역은 20개소,
발포지역은 9개소였다. 성난 시위대에게 습격 파괴된 일제의 관서는 경찰
관서 12, 면사무소 3, 우편소 1, 기타 2로 모두 18개소였다. 한편 시위 군중
의 피해를 보면, 피살 약 20명, 부상 약 70명, 피검 약 7백명이었다고 한다.

9

경상남도慶尙南道 지방

　경상남도(慶尙南道)의 만세운동은 전국에서 가장 늦게 끝났다. 그러나 3월 3일의 거사는 부산(釜山)과 마산(馬山)에서 독립선언서를 배포한 데에 지나지 않았고 시위운동으로 나간 것은 아니었다. 따라서 이 지방에서 만세시위운동이 본격화된 것은 3월 11일 부산진(釜山鎭)의 시위가 시발점이었다.

　이 시위운동에 뒤이어 마산, 동래(東萊)·창녕(昌寧)·밀양(密陽)·통영(統營)·의령(宜寧), 하동(河東)·합천(陜川)·진주(晋州)·함안(咸安)·거창(居昌)·산청(山淸)·사천(泗川)·창원(昌原)·양산(梁山)·함양(咸陽)·고성(固城)·김해(金海)·울산(蔚山)·남해(南海)군이 차례로 호응하여 도내 21개 군에 파급되었다.

　총 121개소에서 약 10만명의 군중이 동원되었으며, 다른 도와 마찬가지로 대개의 경우는 학생·기독교도·천도교도·농민·노동자가 주동이 되었다. 색다른 운동으로는 통영읍에서 군고원(郡雇員) 3명, 면서기 4명, 산림기수 1명 등 8명의 지방관리가 만세운동을 계획하다가 발각되어 검거된 일이며, 의령읍에서는 면서기와 자산가(資産家)가 주동해서 운동을 일으켰다. 또 3

월 3일의 합천 해인사(海印寺)와 4월 4일의 밀양군 대룡동(臺龍洞) 시위운동에는 승려가 주동자로 끼어 있었다.

이 지방에서 10회 이상 만세운동이 일어난 곳은 하동·합천·창원·진주·김해 등 5개 군이었는데, 그 중에서도 13회나 봉기한 합천군이 그 규모나 양상으로 보아 가장 컸다. 이처럼 단 1회 운동에 동원된 엄청난 군중 수는 서울과 강화읍 다음 가는 것으로서, 삼남(三南)지방에서는 이에 비교할 만한 곳이 없었다.

3월 13일 경남에서 세번째로 일어난 동래에서의 만세운동은 그 주체가 고등보통학교 학생이었다는 점이 특이하다. 이날의 만세시위운동은 주동체가 동래고보(東萊高普) 학생이었기 때문에 동래고보사건이라고 부른다. 그런데 이 동래고보사건은 이 학교를 졸업하고 경성고등공업학교(京城高等工業學校)에 다니던 곽상훈(郭尙勳)이 3월 10일경 독립선언서를 가지고 온 데서 발단이 되었다.

약속된 시각 정오가 되니, 고보학생 엄진영(嚴振永)이 당시 군청 정문이었던 망미루(望美樓)에 올라가 태극기를 휘날리며 대한독립만세를 선창했다. 때를 같이하여 모여든 학생과 군중은 품속에서 태극기를 꺼내들고 만세를 따라 불렀으며 여기저기에 독립선언서가 살포되었다. 이 광경을 보고 있던 범어사(梵魚寺) 승려들과 장꾼 수천 명도 독립만세를 외치면서 큰 길로 몰려나갔다. 마치 수 천명의 군중이 미쳐서 날뛰는 것 같았다.

이때 망미루 안에는 일경 몇 명이 있었지만 군중의 기세에 눌려 어찌할 도리가 없었다. 만세시위의 열띤 광경을 보고 있던 한국인 순사와 헌병 보조원은 모자와 제복을 벗어던지고 속옷 바람으로 군중 속에 끼어들어, 만세를 부르면서 얼싸안고 민족적인 감격을 나누기도 하였다. 피는 물보다 진하다는 말처럼 감격적인 장면이 벌어진 것이다.

주동자들은 모두가 학생 신분이었기 때문에 실형을 선고받지 않고 풀려났다. 이때 학생들의 변호를 담당했던 사람은 구한말(舊韓末) 법관학교를 나온 이조원(李祖源)이었다. 그는 변론에서 "개 한마리가 짖으면 동네 개가 다 짖는 법이고, 닭 한 마리가 울기 시작하면 동네 닭들이 모두 따라 우는 법인데, 어린 학생들이 만세 좀 따라 불렀다고 무슨 죄가 되느냐?"고 하였다. 이 사실은 한때 명변론이라고 하여 사람들의 입에 오르내렸다.

경남의 만세운동은 자못 과격해서 일제측과 충돌한 지역이 39개소였다. 그리고 군중들에게 습격 파괴된 일제 관서는 경찰관서 15, 헌병대 7, 군청 또는 면사무소 7, 우편소 6, 기타 8개소로 모두 38개소나 되었다. 한편 일경의 출동지역은 28개소에 발포지역은 26개소이며, 피살된 민중은 70여 명, 부상 약 250명, 피검 약 7백 명이었다.

황해도黃海道 지방

　황해도(黃海道)의 만세운동은 3월 2일 황주(黃州)에서 기독교도와 천도교도 연합으로 3백여 명의 군중이 만세시위 끝에 경찰서를 습격 파괴하는 등자못 활발한 양상을 띠었다. 황주의 뒤를 이어 해주·옹진·금천(金川)·봉산(鳳山)·수안(遂安)·곡산(谷山)·재령(載寧)·서흥·장연(長淵)·신천(信川)·안악(安岳)·송화(松禾)·은율(殷栗)·연백(延白)·평산(平山) 과 마지막으로 신계(新溪)군이 가담하여 도내 17개 군이 만세운동에 참여하였다.

　황해도의 만세운동은 중부지방의 특징을 지녀서, 시작에서 끝날 때까지 거의 빠짐없이 날마다 일어났으니, 격렬한 일면과 끈질김을 엿볼 수 있다. 만세운동의 주체는 기독교도와 천도교도 등 종교단체와 각급학교의 학생·농민·서당생도였다. 그 중에서도 다른 도에 비해서 기독교도의 활동이 두드러진 것이 특징이다. 이곳에서는 곧잘 기독교와 천도교도가 연합해서 시위운동을 전개하였다.

　수안읍의 만세운동은 군중의 기세로나 일본 헌병의 야만적인 살상 행위로 보나 황해도에서 대표적인 것이다. 수안은 본래 천도교가 성행한 곳이었다. 헌병대 앞에서 독립만세를 외치던 시위 군중은 마침내 헌병대 안으로 몰려가 "조선은 이미 독립을 하였다."면서 항복을 요구하였다. 이처럼 살기가 등등한 기세에 눌린 헌병 분견대장 요시노는 할 수 없이 시위대에 항복서를 써서 도장까지 찍어 주었다. 이 항복서를 받고 시위 군중은 한층 사기가 올라서 거리를 누비고 다니며 독립만세를 부른 다음, 천도교 회당으로 돌아와 잔치를 벌이고 기뻐하였다.

수안읍의 이날 만세 시위대는 세 차례에 걸쳐 헌병 분견대를 습격했으며, 사태가 점점 더 험악해지자 일본군 수비대 30명이 응원차 긴급 출동하여 무력으로 시위 군중을 진압하기 시작했다. 이날의 충돌로 군중의 피해는 피살 9명, 부상 18명이었다고 하니, 이 운동이 얼마나 격렬했던가를 짐작할 수 있다. 수안군에서는 그 뒤에도 몇 차례 더 만세운동이 일어났다. 도내에서 맨 처음 만세시위운동을 일으킨 황주군에서는 3월 2일 읍내, 3일에는 겸이포(兼二浦)에서 천도교도와 기독교도가 중심이 되었다.

읍내의 시위대는 시가를 행진하고 나서 황주경찰서로 몰려가 유리창을 모두 부수었다. 반면에 겸이포의 시위 군중은 오히려 일경과 소방서원의 제지를 받고, 또 교회당이 습격을 받아 파괴되었다. 그리고 해주군의 만세운동은 수천 명의 군중이 참여하여 일본 군경과의 충돌로 많은 사상자가 발생하였다. 황해도의 만세운동에 대한 열성은 대단해서 시위 횟수가 서울을 포함한 경기도 다음으로 많은 137회, 동원 인원 수는 약 7만 명이나 되었다. 그리고 시위 군중에게 습격 또는 파괴된 일제의 관서는 경찰관서 8, 헌병 분견소 11, 군청 혹은 면사무소 6, 우편소 1, 기타 1로 모두 27개소였다. 한편 53개소에서 일제측과 충돌하여 역시 전국 2위를 기록했으며, 일본 군경의 출동지역 13개소, 발포지역 29개소이고, 군중의 피해를 일제측 기록으로 보면 피살 35명, 부상 약 150명, 피검 약 1천명에 이르렀다고 한다.

평안남도平安南道 지방

평안남도의 만세운동은 서울과 동시에 3월 1일에 평양(平壤)·진남포(鎭南浦)·안주(安州)에서 일어났다. 그 뒤를 이어 용강(龍岡)·중화(中和)·강서(江西)·순천(順川)·성천(成川)·덕천(德川)·양덕(陽德)·대동(大同)·평원(平原)·맹산(孟山)·강동(江東)·영원(寧遠)이 차례로 만세운동에 가담함으로써 15개 부군(府郡)이 모두 참여하였다.

운동의 주동체는 다른 도에서와 마찬가지로 기독교도·천도교도·각급학교 학생과 농민이었다. 그런데 교통이 편리한 지역에서는 기독교도 혹은 기독교도와 천도교도의 연합이었으나 산간벽지에서는 천도교도만의 활약인 것이 특이한데, 이것은 두 종교의 분포와 직접 관련되는 것 같다. 평양의 만세시위운동은 1일부터 5일까지 연속으로 일어났으며, 매일 1천명 이상의 군중이 참여하고 있었다. 그 중에 4일의 시위운동은 여성만의 운동으로, 1천여 명이 참여하였다는 것이 특이하다.

강서군 반석면 사천리는 평양에서 60리 남짓 떨어진 조그만 마을이다.

일본 헌병의 잔악성을 잘 드러낸 이른바 '사천사건'은 반석·원장(院場)·사천 등 3교회의 기독교도에 의해서 3월 1일 밤부터 계획되었다. 이들 교회 대표들은 3일 낮 반석교회 장로 조진탁(曺振鐸) 집에 모여 구체적인 행동 계획을 완성하였다. 4일 오전 11시에 원장에 있는 합성학교 운동장에서 고종 황제의 추모식을 거행한다고 하고는 독립선언식을 올리기로 결정하였다. 그리고 각 교회별로 신도들을 인솔하여 오고 또 합성·반석의 두 사립학교(基督敎系의 學校) 학생을 동원키로 하였다.

약속된 장날이 되어 미리 연락을 받은 사람들은 하나 둘씩 장꾼 틈에 끼어 합성학교로 모여들었다. 그러나 거사 시각인 오전 11시가 되어도 사천 교회측에서는 아무런 연락도 없이 한 사람도 나타나지 않았다. 주동자들의 마음은 초조해졌다. 그렇다고 일단 계획된 운동을 중지할 수 없음을 안 그들은 모인 군중 1천여 명만으로 행사를 단행키로 하였다.

시간이 되자 미리 준비했던 태극기와 독립선언서가 배부되었다. 이어 선언서의 낭독이 끝나고 대한독립만세를 3창한 다음 장터로 시위행진을 벌였다. 잠깐 동안에 장꾼이 이에 합세하여 3천여 명으로 증가된 시위대는 장거리를 휩쓸었다. 경찰은 선두에서 행진하는 시위운동 지휘자들에게 과격한 행동을 피하여 달라고 부탁할 뿐 적극적인 제지를 하려고 하지 않았으며, 시위대도 질서정연한 행진을 하였다.

불참한 사천교회측의 일이 궁금하고 또 걱정이 되어서 대오도 정연하게 20여리 떨어진 사천으로 행진해 갔다. 이때 사천교회 간부 10여 명이 오늘 새벽에 체포되었다는 소식이 들려왔다. 이 소식을 들은 시위 군중은 "동지를 구출하자."고 외치며 길을 달려갔다. 시위 군중이 사천에 거의 다 가서 고갯길을 막 넘으려는 참이었다. 갑자기 숲속에서 총소리가 들려왔다. 계속 발사되는 총탄에 앞서 가던 청년들이 하나 둘씩 피를 흘리며 쓰러졌다. 이성을 잃은 군중은 손에 손에 돌멩이를 쥐고 숲속으로 몰려갔다. 그곳에는 사천 헌병 파견대장 사또오와 한국인 보조원 2인이 있었다.

성난 군중은 겁에 질려 도망가는 이들 헌병을 뒤쫓아 보조원 두 놈을 붙잡아서 돌로 찧어 죽이고, 도망치는 사또오를 추격하여 헌병 파견대까지 갔다. 생명이 위급하게 된 사또오는 옆에 있는 민가로 뛰어들면서 다시 총을 쏘아댔다. 더욱 화가 치민 군중은 그 집을 포위하고서 불을 질렀다. 타오르는 불길 속에서 어쩔 수 없이 기어나오는 사또오는 군중의 몽둥이에 맞아 피를 토하며 거꾸러졌다.

이 사건으로 군중의 피해는 피살 10명, 부상 약 60명, 피검 2백여 명이었다. 이 만세운동의 주동자급 인사 43명은 평양재판소에서 모두 사형 아니면 무기징역의 가장 무거운 형을 선고받았으나, 대부분 몇년의 옥고를 치르고 석방되었다. 그러나 그 중에는 옥중에서 병사한 인사와 주동자로 뒷날 검거되어 사형된 사람도 있었다.

평남의 만세운동 횟수는 모두 85회요, 연 인원이 약 6만명이었다. 그리고 양측의 충돌 지역은 26개소이며, 군중에 의해서 습격 파괴된 관공서는 경찰관서 6, 헌병분대 9, 면사무소 1개소로 모두 16개소였다. 한편 일본 군경과 충돌지역은 36개소, 발포지역은 15개소이며, 군중의 피해는 피살 64명, 부상 약 3백명, 피검 1천여 명이었다.

평안북도平安北道 지방

12

3월 1일, 서울과 사전에 연락을 취해 오던 선천(宣川)과 의주(義州)에서 대규모의 만세시위가 벌어졌다. 이어 신의주(新義州)·용천(龍川)·철산(鐵山)·영변(寧邊)·정주(定州)·삭주(朔州)·태천(泰川)·구성(龜城)·초산(楚山)·자성(慈城)·창성(昌城)·벽동(碧潼)·위원(渭原)·희천(熙川)·운산(雲山)·강계(江界)군이 차례로 시위에 가담하여 평안북도는 18개군이 모두 참여하였다.

평안북도의 만세운동의 주체가 된 것은 천도교도·기독교도·학생·농민이었으나 이는 일반적인 현상이고, 천도교측이 기독교측보다 약간 우세한 것 같다. 또 한만국경(韓滿國境) 가까운 지방에는 만주에서 활약하던 독립운동가의 상당수가 국내 만세운동에 가담한 흔적이 보이며, 그 때문에 다른 도보다 과격한 행동이 많았다.

대표적인 운동으로는 일제측 기록에서 보더라도 4월 6일에 삭주군 대관(大館)에서 일어난 8천 군중의 시위였다. 이 시위대는 2백명의 결사대가 조직되어, 일본 군경이나 일인 거류민에게 폭행을 가함으로써 양측에 적지 않은 희생자를 내었다. 또 3월 8일 선천읍의 8천명과 3월 4일의 6천명, 다음으로는 3월 7일 철산읍의 5천명, 3월 13일 용천군 남시(南市)의 5천명의 시위운동이 규모가 큰 것들이었다.

3월 1일 평북 최초로 만세운동을 일으킨 곳의 하나인 선천읍 시위는 천도교도·기독교도·학생이 주체가 되었다. 3천여 명의 군중이 모였는데, 부녀자들이 시위대를 선도하고, 여학생 30여 명은 독립선언서를 배포하였다. 3월 6일 산면(山面)에서 일어난 시위운동은 종(鐘)과 큰 북을 치면서 시위행진을 한 것이 특이하였다. 그리고 3월 8일의 선천읍 8천여 군중의 만세시위 때는 일본 군경 1개 부대가 출동했다고 하니, 그 규모로 보아 큰 충돌이 있었음이 틀림없다.

4월 13일자 미국 샌프란시스코 주간지 「콘티넌트」에는 당시 선천에 있던 미국 장로교 선교사(宣敎師)의 편지를 게재했는데, 그 내용의 일단은 폭력을 당하면서도 비폭력시위를 하였다는 것이다.

의주군의 만세운동은 3월 1일에 시작해서 4월 7일에 일단락되었는데, 그 횟수는 모두 37회로 단일지역으로는 서울 다음 가는 것이었다. 그 중에서 군중 수가 1천명 이상이 8개소, 일본 군경 출동지역 11개소, 발포지역 10개소였다. 그리고 시위 군중의 피해 상황을 보면, 피살 14명, 부상 50여 명, 피검 약 50명이었다. 그러나 실제로는 위의 일제측 통계 기록보다는 훨씬 많았을 것이며, 이런 점은 전국 각지의 현실이 비슷할 것이라고 믿어진다.

한편 3월 7일 철산읍에서 일어난 만세운동은 시위 군중의 피해로 보면 대표급에 든다. 철산읍 운동의 발단은 3월 1일 밤 이곳 기독교 계통 사립 명흥학교(明興學校) 숙직실에 낮모르는 기독교도 한 사람이 찾아와, 독립선언서 1장을 주면서 평양과 선천의 운동 상황을 전한 데서 비롯되었다.

회의에서는 거사 일자를 장날인 3월 7일로 정했다. 계획된 시각인 3월 7일 정오가 되자, 교회의 종소리가 울려 퍼졌다. 미리 연락된 기독교도와 천도교도, 그리고 일반인이 교회당으로 모여들었다. 식은 예정대로 진행되어 독립선언서 낭독과 만세 3창이 끝난 뒤, 태극기를 들고 교회당을 나와 시위 행진에 들어갔다. 시위대가 서편에 있는 경찰서로 행진하는 동안에 장꾼들이 가담하면서 군중은 5천여 명에 이르렀다.

시위 군중이 좁은 경찰서 앞길을 꽉 메우고 만세를 외치고 있을 때였다. 갑자기 경찰서에서 경찰이 뛰쳐나와 군중에게 사격을 하는 한편, 창을 휘둘러 닥치는대로 찌르기 시작하였다. 이 충돌사건으로 군중측은 피살 6명, 부상 40명의 피해를 입었다. 그리고 주동자의 일부는 만주지방으로 피신해서 독립운동에 몸을 바쳤고, 미처 피하지 못한 사람은 피검되어 옥고를 치렀다.

평안북도의 시위 총수는 115회, 참가인원은 약 15만명으로 서울 경기도 다음 가는 큰 규모였다. 그 중 48개소에서 일제와 충돌하였는데, 일제 관서로 습격 파괴된 것은 경찰관서 3, 헌병 분견소 8, 군청 면사무소 7, 우편소 1, 기타 세관 등 2개소로 모두 21개소였다. 반면에 일본 군경의 출동지역은 35개소, 발포지역은 28개소에 달했으며, 우리측의 피해 상황을 보면 피살 48명, 부상 약 3백명, 피검이 약 4백명이었다.

함경남도咸鏡南道 지방

함경남도(咸鏡南道)의 만세운동은 원산(元山)에서 시작되었다. 사전에 서울과 연락된 원산에서는 3월 1일을 기하여 기독교측이 중심이 되어 2천 5백여 명의 군중이 만세시위운동을 일으켰다. 함남의 만세운동은 3월 전반기에 치우치고 있다는 점이 중남부 지방과 다르지만 또 짧은 기간에 끝났으면서도 연속적으로 끈기 있게 전개 되었다는 점이 평안도와 달랐다.

그 중에서도 3월 8일부터 17일까지 10일간이 그 절정기였다. 총 시위 횟수 75회 중 71회가 이 기간 중에 일어났으며, 이 동안에는 단 하루도 운동이 없는 날이 없었다. 원산의 3월 1일 시위를 시작으로 함흥(咸興), 영흥(永興), 정평(定平), 북청(北靑), 신흥(新興), 이원(利原), 단천(端川), 고원(高原), 풍산(豊山), 갑산(甲山), 장진(長津), 덕원(德源)과 삼수(三水), 홍원(洪原)군이 차례로 가담함으로써 도내 15개 군이 모두 만세운동의 대열에 참여하였다.

이 지방에서 만세운동이 가장 치열했던 곳은 북청군으로 모두 16개소에서 발생하였다. 그 다음이 함흥군의 13개소이다. 함흥읍에서는 3월 2일부터 6일까지 하루도 빠지지 않고 끈질기게 운동을 일으켰다. 함경남도의 만세운동 주동체도 다른 도와 마찬가지였다. 그러나 이 지방에서는 천도교측과 기독교측이 서로 다투어 운동을 일으켰다. 원산 함흥 고원 정평군은 기독교가 주동이 된 반면에, 홍원 북청 풍산 영흥 갑산 단천 삼수군은 천도교가 주동이 되었다. 이처럼 천도교측과 기독교측이 완전히 분리되어 시위운동을 벌인 것은 다른 지방에서는 볼 수 없는 색다른 현상이다.

이 지방의 만세운동 중에 맨 처음 일어난 원산의 시위운동은 특징이 있다. 이곳 만세운동의 지도자는 33인 중의 1인인 정춘수 목사였다. 약속된 3월 1일 오후 2시 정각이 되자, 각 교회의 종소리가 일제히 울려 퍼졌다. 미리 계획한 대로 요소요소에서 각각 독립선언서를 낭독한 뒤 대한독립만세를 크게 외치면서 장터로 집결했다. 장꾼까지 합세한 2천여 명의 군중은 북치고 나팔 부는 학생들을 선두로 만세를 외치며 시위행진에 나섰다.

시위 군중이 당시 관(官)이라고 불리던 일본인 거리를 지나 경찰서로 행진하던 도중에, 경찰과 헌병, 소방대원이 총동원되어 소방호스로 군중에게 물을 뿌려댔다. 그래도 군중이 해산할 기미를 보이지 않자 이번에는 공포를 쏘아댔다. 그리하여 할 수 없이 일부 군중은 해산하고 대부분의 군중은 역전으로 몰려가서 다시 한번 대한독립만세를 부른 다음, 각기 헤어졌다. 이날 원산에서의 만세운동은 평화적으로 끝났다.

함남의 만세운동은 모두 75회에, 동원된 군중 수는 약 2만 5천명이었다. 그 중 18개소에서 일제측과 충돌했으며 군중에 의해서 습격 파괴된 일제 관서는 경찰관서 3, 헌병분견대 9, 철도국 숙사 1로 모두 13개소였다. 반면에 일본 군경과 충돌지역은 8개소, 발포지역은 12개소이며, 우리 민중의 피해는 피살 약 20명, 부상 약 120명, 피검이 약 5백명이었다.

14

함경북도咸鏡北道 지방

함경북도의 만세운동은 북부지방의 5도 중 제일 늦게 시작되었다. 3월 10일에 성진(城津)군 성진읍과 임명(臨溟), 두 곳에서 만세시위운동이 발생하였다. 이어서 길주(吉州), 명천(明川)과 경성(鏡城), 회령(會寧), 청진(淸津), 부령(富寧)과 무산(茂山), 온성(穩城), 경흥(慶興)군이 차례로 만세시위를 전개함으로써 도내 10개 군이 참여하였다.

이 지방 만세운동의 주최는 천도교도, 기독교도, 학생, 농민이었으며 그밖에 서당생도가 적지 않게 눈에 띄는 것은 서북지방에서는 좀 색다른 현상이다. 함경북도의 만세운동은 많은 제약을 받아서 다른 도에 비해서 미미했다. 그것은 일제가 특히 중요시하는 소만(蘇滿)국경지대에 일본 경찰과 군대를 많이 배치해 놓은 때문이었다. 그러므로 만세시위의 규모가 크거나 과격할 수 없었으며, 성진과 길주군의 일부 지역에서는 산 위에서 봉화를 올리고 만세를 부르는 소극적인 운동 방법을 택하기도 하였다.

길주군의 만세운동은 3월 12일부터 15일까지 연속해서 일어났다. 12일

길주읍에서는 천도교도가 주동이 된 1천명 이상의 군중이 오후 4시경까지 시위행진을 벌이다 일본 군경과 충돌하여 부상자가 났다. 그리고 14일 용원(龍原)의 운동은 길주군 참사(參事)가 주동이 되어 1천 5백여 명의 군중이 참가하였다. 이들 시위대는 헌병 분견소를 포위하고 만세를 외치다가 출동한 일본 군경에게 주동자들이 검거되기도 하였다.

명천군의 만세운동은 3월 15일 하가면 화대(下加面 花臺)에서 시작되었다. 각계각층을 총망라한 5천명의 군중이 독립선언식을 거행한 뒤에 대한 독립만세를 외치면서 시위행진을 벌였다. 군중은 면사무소로 몰려가서 친일 면장을 끌어내어 구타하고, 면사무소와 면장 사택을 불태워 버렸다. 사기가 오른 군중은 이어서 화대 헌병 분견소를 습격함으로써 크게 충돌하였다. 이때 일본 헌병은 군중에게 마구 발포하였고, 시위대도 소극적이나마 이에 대항하였다.

이 충돌 사고로 시위군중 3명이 현장에서 사살되고 9명이 중경상을 입었다. 그리고 명천군 내에서는 4월 14일까지 모두 12개소에서 만세운동이 일어나서 도내에서 가장 적극적인 곳이라고 불린다.

함북에서는 총 44회의 만세운동이 일어났으며 참여인원은 약 2만명이었다. 그 중에서 일제와 충돌한 지역이 8개소, 일본 군경의 출동지역은 14개소, 발포지역은 5개소였다. 군중측의 피해는 피살 8명, 부상 약 30명, 피검이 5백명에 가까웠다. 반면에 군중에게 습격 파괴된 일본관서는 경찰 관서 3, 헌병 분견소 3, 면사무소 1, 기타 1개소로 모두 6개소에 불과하였다.

제10장

외국과의 연계

중국 동북지역

　우리나라는 지리적으로 중국(만주)과 인접해 있기 때문에 3·1운동 전부터 국외 독립운동 단체와 긴밀한 연락을 취하고 있었다. 한편 한국은 일찍부터 기독교가 널리 전파되어 있던 관계로 미주와의 연결도 다른 지역보다 활발한 편이었다. 한일병탄을 전후하여 중앙의 정치무대에서 활동하던 안창호, 이갑, 안태국, 양기택, 유동설, 이강, 선우혁, 이택 등은 중국, 러시아, 미주 등지로 망명하여 급속하게 변하는 국제 정세를 주시하는 한편, 해외교포의 계몽과 동지 규합 및 민간의식운동을 계속하여 민족의식을 고취하면서, 국내외에 흩어져 있던 항일세력을 조직화하고 무장화하는 구심체 역할을 담당하였다.

　그 중에서도 만주의 유하현, 삼원보는 한반도와 가장 가까운 지역이어서 망명지사들이 집단적으로 거주하면서 독립운동을 전개하던 곳이다.

　국내의 애국청년들은 앞다투어 이곳을 방문하고 돌아와 국권회복을 꾀할 목적으로 일부는 사업을 벌이고, 일부는 민족정신을 일깨우면서 때가 오기를 기다리고 있었다. 3·1운동 직전에는 국외 독립단체와 연결이 더욱 활발하여 이 지방에서 다시 국내 각 지역으로 연결되는 경우가 많았다. 1918년 가을 선천 북교회에서 개최된 도 사경회와 장로교 총회에서 상해교회 대표로 참석한 여운형과 이승훈과의 비밀회의, 1919년 2월 초 선우혁, 이승훈과의 평북 정주 익성리(오산학교 소재지) 비밀접촉 등은 이해 2월 중순 서울에서 최남선, 송진우, 최린 등으로부터 3·1 독립만세운동에 동참하자는 연락을 받기 전에 이미 국외 독립단체로부터 새로운 정보를 받고 있었다는 사실을 알게 해 준다.

그러기 때문에 이 지방에서는 국내의 어느 지역보다도 먼저 항일 독립운동을 은밀히 추진하고 있었다. 국내외의 3·1운동 전개과정에서 중요한 역할을 담당한 것 중의 하나는 독립신문의 발간이었다. 당시 한국 민족에게 독립만세운동을 고취하던 각종 인쇄물은 몇 백 종류가 있었던 것 같고, 계속적으로 발행된 것만도 독립신문, 자유의 종, 자유민보, 국민신문, 농민보, 각성호, 회보, 반도의 목택, 혁신공보, 조선독립신문 등이 있었다.[1]

3·1운동에 대한 외국의 반향은 일반적으로 한국에 대해 동정적이었다. 대한제국 이전부터 한국과 관계를 맺어 오던 국가에서는 거족적 만세운동에 대한 평가도 하였지만, 그보다는 이 운동에 대처한 일제의 야만성을 규탄하였다.

국내에서 3·1운동의 거센 물결이 일어나자, 국외에 거주하던 우리 민족도 이에 호응해서 독립만세운동을 전개하였다. 독립운동 계획은 동삼성에서 대종교계 중광단의 여준, 이동녕, 조소앙 등이 국민국가 성립을 위해 1918년 12월 「대한독립선언문」을 발표한 것이 최초의 일이다.

---

1 앞의 책, 대정 8년 조선소요사건 상황, p.531

서간도와 북간도를 비롯한 만주지역에는 우리 민족 1백만명 이상이 이주해 살고 있었으며, 이들은 다양한 형태로 항일 독립운동을 벌이고 있었다. 이 지역의 독립운동자들은 국내의 3·1독립선언에 앞서, 이미 1919년 2월에 여준, 김교헌, 이시영 등 국외 독립운동 지도자를 망라한 39인의 서명으로 독립선언서(무오독립선언서)를 선포한 바 있었다. 그리고 이들은 파리강화회의의 대책을 세우는 한편 국내외에 대표를 보내어 전 민족의 궐기를 촉구하기도 하였다.

만주지역에서의 독립만세운동은 간도와 훈춘 등 동삼성지방을 중심으로 일어났다. 국내 3·1운동에 호응해서 전개된 이 지역의 만세운동은 한국 교포가 사는 곳이면 골고루 파급되어 요원의 불길처럼 타올랐다. 그리고 이지역은 국내에서처럼 일제의 저지를 받지 않아 추진이 용이하였을 뿐만 아니라, 평화적으로 우리 민족의 독립 의지를 발표할 수 있다. 이 지역 최초의 독립만세운동은 3월 12일 서간도 지방의 중심지인 삼원보와 통화현 금두에서 독립축하회를 개최하고 만세시위운동을 벌인 데서 비롯되었다.

그 중 삼원보의 운동은 1912년 이래 한민족의 자치와 독립운동 기지의 설정에 힘써 온 부민단원이 주동이 되었다. 이후 부민단원은 만주지역의 각지에 조직되어 만세운동을 추진하였다. 북간도 지방의 만세운동은 다음날인 3월 13일, 이 지방의 중심지이자 비교적 많은 한국인이 거주하는 용정에서 처음 일어났다. 이날 정오 교회당의 종소리를 신호로 용정 북쪽의 서전대야에 1만명 가량의 한국인이 이 곳 일본영사관 바로 옆에서 독립축하회를 열고 만세운동을 전개하였다. 용정의 한국인은 거의 다 참석했음은 물론이고 부근 1백리 내의 모든 동포가 몰려들어서 식장의 넓은 뜰을 메웠다고 한다.

독립축하식은 대회장 김영학의 '독립선언포고문' 낭독으로 시작되었다.

선언문의 낭독이 끝나자 대한독립만세 소리가 하늘을 찌를 듯 하였다. 이어 유예균, 배형식, 황지영 등 3인의 열정적인 연설을 듣고 1만여 군중은 태극기를 흔들었다.

한편 용정에 있는 8백여 호의 한국인 가옥마다 태극기가 게양되어 거센 바람에 펄럭거렸다. 축하회를 마친 군중은 '대한독립'이라고 쓰인 커다란 오장기를 앞세우고 시위행진에 들어갔다. 이들은 명동학교 학생대를 선두로 하여 이국땅의 시가를 행진했다. 그러나 이 같은 만세운동 계획을 사전에 탐지한 일제는 중국 관헌과 교섭해서 맹부덕이 거느린 중국 군대로 하여금 한국인의 만세시위운동을 저지하려 하였다.

군중의 위세를 꺾을 수 없음을 안 맹부덕은 선두의 대한독립기를 빼앗고 발포 명령을 내렸다. 일제의 계략에 말려든 중국 군대의 집중 사격으로 평화적인 시위 군중 18명이 피살되고, 30여 명이 부상당했다. 이처럼 큰 희생자를 낸 한국인 군중은 제대로 대항하지도 못하고 해산하지 않을 수 없었다. 그 까닭은 중국군을 적대할 수는 없는 일이고, 또 앞으로의 독립운동은 이곳을 근거지로 삼지 않을 수 없었기 때문이라고 생각된다.

그러나 이 지역에서의 만세운동은 계속 전개되었다. 17일에는 용정에서 다시 5천여 군중이 태극기를 들고 만세시위를 벌였으며, 두도구에서는 1만 5천여 한국인이 만세시위운동을 일으켰고, 또 하얼빈에서도 만세운동이 일어났다. 훈춘에서는 3월 20일 오전 8시경 동대인구에 모여 식을 올리고, '대한독립만세'라고 쓴 깃발과 악대를 선두로 만세시위를 벌이며, 약 2천여 명의 군중이 기세를 올렸으나 중국군과의 충돌은 없었다.

이 밖에도 3월 26일에는 백초구에서 1만 5천명, 31일에는 고집지에서 1천여 명, 4월 10일에는 대도구에서 2천여 군중이 만세시위를 벌였다. 그리고 3월 21일에는 봉천, 안산, 25일에는 영화사, 27일에는 국자가, 4월 12일에는 용정, 17일에는 동대인구, 18일에는 냄수천자에서 각각 크고 작은 독립만

세운동이 전개되었다.[2]

또 중국 본토의 상해, 북경에서도 만세운동이 일어났지만 그 내용은 알수가 없다.[3] 3·1운동 100주년에 즈음해 우리는 3·1운동과 그 후속운동의 정신과 마음을 이어받아 반드시 해결하여야 할 특별한 과제를 안고 있다. 우선 중국 동북지역과 관련된, 시급히 해결하여야 할 세 가지 과제에 대해 말하고자 한다.

첫째, 분단 80년이 다가오도록 해결의 단초를 마련하지 못하고 있는 남북한 대립의 역사를 청산하는 것이다. 남북한 대립의 역사를 청산하지 않고는 3·1운동 정신과 마음을 온전히 복원할 수 없다. 남북한 대립의 역사를 청산하는 것은 독립을 위해 희생한 선열들에게 지금 우리가 할 수 있는 가장 큰 선물이 될 것이다.

둘째, 해외 각지에 흩어져 살아가고 있는 동포들, 특히 광복 이전에 나라가 무능해 어쩔 수 없이 한반도를 떠났다가 그곳에 정착해 살아온 중국과 구소련권, 그리고 일본에 거주해 온 동포들을 적극적으로 포용하는 일이다. 당사자들은 물론 그 후손들을 적극 포용함으로써 한민족 모두 어깨 걸고 함께 미래로 나아갈 수 있도록 더 많은 노력을 경주하여야 한다.

셋째, 국내는 물론 해외 각지에 산재해 있는 3·1운동과 그 후속운동을 포함한 독립운동 유적지에 대한 복원 및 관리에 더 많은 관심을 기울여야 한다. 특히 중국 동북지역은 발길이 닿는 곳곳에 독립운동의 흔적들이 널려 있다. 그럼에도 불구하고 한국 사회의 노력은 제한적이다. 더 많은 노력이 절실한 상황이다.

---

2 앞의 책, xx,pp.142~147

3 C.W Kendall, The Truth about Korea(한국의 진상), 「독립운동사자료집 제4집」(1971), p.616

2

일본의 반응

1) 3·1운동 이후의 사회 상황

일본 정부는 조선에서 개혁이 필요하나 1919년의 소요 때문에 실행되지 못했다고 밝혔다. 1919년 8월 소위 개혁을 도입할 때에 더 이상 두 나라의 민족 융합은 거론되지 않았다. 오히려 두 민족의 대등한 지위가 강조되었다. 물론 이 조치는 일본의 조선 지배를 확고히 하려는 목적을 지니고 있었다. 우선 민간인도 조선 총독으로 임명될 수 있다고 발표되었다. 총독의 조선 주둔 군대 통수권은 박탈되었고, 필요한 경우에는 군의 명령권자에게 군대를 요청해야 했다. 이 규정이 갖는 실제적 의미는 1919년 이후에도 오로지 전직 고위 군인만이 조선 총독으로 임명되었다는 데에 있었다. 군 통수권자들에 대한 그의 영향력은 확보되어 있었다.

1936년 조선의 관공서가 임용한 87,552명의 공무원 중에서 52,270명이 일본인이었고 한국인은 35,282명이었다. 물론 대부분의 고위직은 일본인이 독점했다. 그러나 전쟁이 일본 공무원들을 잠식해 가면서 한국인들에게 기회가 좀더 많아졌다. 3·1운동 이후 지방행정도 재편되었다. 도, 시, 군 단위의 의회가 도입되어 소규모나마 지역자치가 가능해졌다. 1931년에 다시 한번 재편된 이 의회들의 기능과 선출 방식은 다양했다. 25세 이상으로 1년 이상 그 지역에 거주하고 있고 1년에 5개월 이상의 주민세를 납부한 사람은 선거권이 있었다. 이러한 규정은 일본인에게 유리한 것이었으나 한국인도 자치제의 차원에서 자신의 운명에 영향을 미칠 가능성을 갖게 되었다.

교육제도는 일본의 지배 처음부터 중요한 역할을 담당해 왔다. 교육제도는 특히 1906년 국민학교가 설립되는 등 조직과 규모가 크게 발전하였는데 이는 한국의 아동들을 충성스러운 일본 신민으로 교육시킨다는 목적이 있었다.

조선에 온 수천 명의 일본인 교사들이 목적의 실현에 봉사했다. 1919년의 개혁은 '문화정치'를 표방했다. 한국 국민을 일본인과 같은 수준으로 끌어올리겠다는 것이었으나 이것은 도리어 위협적인 포고였다.

1919년에 부임한 사이토 총독은 공립학교를 더 짓도록 했다. 전반적인 의무교육은 도입되지 않았지만 학생과 대학생 수의 증가는 괄목할 만했다. 1910년에는 약 111,000명이었으나 1937년에는 120만명 이상으로 증가했다.

그리고 일본어 사용이 강요되어 1943년에는 한국 주민의 5분의 1이 일본어를 할 줄 알았다. 그러나 한국의 아동들은 조선에 사는 일본인 아동들에 비해 차별을 받았다. 일본 아동들은 대다수가 학교 교육을 받았지만 1945년 일본 지배가 끝날 무렵까지도 한국 아동들은 절반 이상이 학교에 다니지 못했다. 상급 공립학교에 들어가는 일은 더욱 힘들었다. 다행히도 이때 사립학교, 그 중에서도 종교기관에서 학교를 많이 설립하였다. 중등교육을 받은 한국 학생들은 대부분이 사학에 다녔다. 조선에 새로 건립된 유일한 공립대학인 경성제국대학에는 2~300명의 한국인만 다닐 수 있었다.

2) 요시노 사쿠조의 동화정책 반대론

3·1운동은 조선에 대한 일본인의 관심을 높였다. 당시 일본에서 최대 발행부수를 자랑하던 『오사카 아사히신문』이 1913년부터 1918년에 이르는 6년 동안 조선문제를 사설로 다룬것은 불과 6번, 즉 연평균 한 번에 지나지 않았는데, 1919년에는 11번, 이듬해에는 8번을 다루었다. 그러나 언론계의 대세는 결코 조선독립운동을 지지하는 것은 아니었다.

3월 운동이 시작된 단계에서도 운동을 거족적인 독립운동으로 인정하지 않고 극소수의 천도교나 기독교 지도자들과 그 배후에 있는 외국인 선교사의 선동으로 인한 일시적인 운동으로 간주했다. 조선인은 병탄 이전에 비해 생활이 행복해졌다느니, 민족자결을 주창하는 것은 같은 조상을 가진 일본과 조선 양 민족[일선동조]의 역사에 반한다느니 하는 식의 언론이 횡행했다. 4월에 들어서서야 겨우 무단통치 정책에 대한 비판이 나오게 되었다. 문관총독제 도입, 헌병경찰제도 폐지, 식민지의회 설치, 언론의 자유 부여 등이 주장되었다.

제1야당인 헌정회 총재마저도 10여 년 뒤에는 자치를 승인하라고 언명했다. 그런데 8월에 무관총독제를 대신해 문무관 병용 총독제가 등장하고 새 총독으로 취임한 사이토 마코토가 새로운 통치방침으로 '문화정치'를 내세우자 언론계는 비판의 소리를 멈추었다. 가토 다카아키 또한 '자치'란 무단정치를 그만하고 조선인의 정치욕구를 충족할 방법을 강구하라는 뜻이었다고 변명했다. 이후 새로운 통치방침에 만족하지 않고 독립을 꾀하는 자는 '불령선인'이라고 불리며 증오와 공포의 표적이 되었다.

문화정치를 지지하는 언론계의 대세 속에서 동화정책을 공격하고 독립운동을 불령시하는 것을 거부한 소수의 지식인을 대표하는 사람이 요시노 사쿠조이다. 그는 도쿄제국대학 법학부의 정치사 담당 교수로서 높은 사회적 지위와 당시 종합잡지로서 최대 발행부수를 가진 『중앙공론』의 정치평론 단골 기고자로서 지식인들에게 막강한 영향력을 끼쳤다. 요시노는 한국 병탄에 반대한 사람은 아니었다. 그런데 1914년, 유럽 유학을 마치고 도쿄대 교수가 되고 도쿄대 기독교청년회(YMCA) 이사장에 취임하자 백남훈, 장덕수, 장덕준, 김우영, 최승만, 김준연 등 조선유학생 단체나 재도쿄 조선학생기독교청년회 회원들이 도쿄대 YMCA를 드나들면서 독립을 요구하는 조선인들의 마음을 이해하게 되었다.

1916년 4월, 요시노는 조선을 여행했는데 총독부와 더불어 천도교 본부를 방문하고 또 송진우, 김성수 등 반일적 지식인을 만났다. 귀국 후『중앙공론』6월호에 기고한 〈만한(만주, 한국)을 시찰하고〉에서 헌병정치를 비난함과 더불어 "조선과 같이 일본문명의 선배이자 독립된 문명을 가진 민족이 '선정'만으로 만족할 리 만무하다. 세계 대세에서 보아도 동화는 불가능하다."고 언명했다. 그리고 일본인은 조선인의 민족심리를 무시하지 말라고 하고 조선인에게는 먼저 실력을 양성한 다음 '적당한 해결'을 일본에 요구하라고 충고했다.

총독부 대변인 고마쓰 미도리(외사과장)는『중앙공론』8월호에 반론문을 기고하여 가난한 사람이 모처럼 부잣집 양자가 됐는데 인연을 끊고 독립시키는 격의 주장을 하지 말라고 요시노를 비난했다. 요시노와 조선인 유학생들과의 접촉은 갈수록 깊어져 3·1운동이 발생하기 반년 전에는 조선 문제는 가까운 장래에 일본 내정에 가장 중대한 문제가 된다고 예언했다.

3·1운동이 발생하자 여명회 정례회는 3월 19일, 8명의 조선인 유학생을 초청하여 의견을 교환하고 6월 25일에는 조선문제 강연회를 열어 총독부의 정책을 비난했다. 이 자리에는 다수의 조선인 학생이 참석하여 열렬한 박수를 보냈다.

요시노는 예전과 마찬가지로 조선인의 민족심리 존중과 동화정책 포기를 주장했는데, 특히 일본 본토와 똑같은 언론자유를 조선에서 인정하라고 주장한 것이 주목된다. 요시노는 1919년 11월, 일본을 방문한 상해 임시정부의 유력자인 여운형과 회견을 가진 뒤, 여운형을 보기 드문 존경스러운 인격이라고 칭송하며 "독립운동가를 불령도당이라고 천시하는 것은 아무래도 내 양심이 허락하지 않는다."고 단언했다.(『중앙공론』 1920년 1월호).

요시노는 4년 전과 마찬가지로 총독부 고위 관료와 논전을 벌였다. 조선인은 일본 법률을 따르는 것이 당연하며 요시노의 주장은 조선포기론이 아니냐고 비난하는 총독부 경무국의 마루야마 쓰루키치에 대해 조국의 회복을 도모하는 것은 일본과 양 민족의 공통된 최고 권리라고 다시 밝히고 그 승인을 바탕으로 양 민족의 일치 제휴를 꾀해야 한다고 주장했다(『신인(新人)』 1920년 4월호).

3) 재일 조선민의 3·1운동 계승

1919년 2월 8일, 도쿄의 유학생들이 도쿄 조선기독교청년회관에 모여 조선청년독립단 명의로 독립을 호소하는 선언서와 결의문을 발표하였고, 이 2·8독립선언이 3·1운동의 도화선 역할을 했다는 사실은 진술한바 있다. 그러나 3·1운동 이후 일본에 살고 있던 조선인(이하 재일 조선인)들이 1919년의 경험을 어떻게 계승해 나갔는지 살펴보자.

해방 이후 재일본대한민국민단과 재일본조선인총연합회는 3·1절 기념식 혹은 대회를 열어 각각 남북 정부의 공식적 입장에 보조를 맞추면서 일본 사회의 조선인 차별을 규탄하고 항의하는 메시지를 발표해 왔다. 3·1운동은 이러한 정치적 성격을 띤 행사뿐 아니라 지역의 문화제로도 계승되었다. 이러한 재일조선인 사회의 3·1운동 계승은 1920년부터 꾸준히 이어져 왔다.

1920년부터 1930년까지 도쿄에서는 유학생 및 노동자들이 한 해도 빠짐

없이 집회 및 격문 배포 등의 형식으로 3·1운동을 기념했다. 1920년까지는 유학생(학우회)이 중심이었고 이후에는 노동운동단체, 사상운동단체와 함께 연대투쟁의 형식을 취한 것이 특징이라고 할 수 있다. 하지만 대부분의 경우 다수가 검거되는 등 집회를 무사히 마칠 수가 없었다. 그래도 3·1운동 기념행사는 1923년 관동대지진 이후의 피학살자 추도집회와 더불어 재일조선인운동의 구심점을 이루었다.

해방 직후 재일조선인은 240만명, 연합국군총사령부(GHQ) 조사에 따르면 1946년 3월에는 647,006명이었다고 한다. 해방이 되고 불과 몇달 사이에 170~180만명 가량의 조선인이 고향으로 돌아간 셈이다. 이들은 귀국 대책과 일자리 마련, 생명 및 재산보호 등을 위해 민족단체를 만들기 시작했다. 통합조직으로 가장 먼저 결성된 것은 재일본조선인연맹(이하 조련)으로, 각지의 작은 단체들을 규합하여 1945년 10월 15일에 창립대회를 열었다. 지도층에는 민족운동가, 노동운동가와 친일파도 포함되어 있었지만 이들은 점차 배제되었다.

한편 일부 민족주의 우파와 반공주의자들은 조선건국촉진청년동맹(1945년 11월, 이하 건청)과 신조선건설동맹(1946년1월, 이하 건동)을 결성했다. 건청과 건동은 1946년 10월 3일, 20여 민주세력 단체를 규합하여 재일본조선거류민단(이하 민단)을 결성하였다. 조련과 민단은 1946년부터 각각 3·1운동을 기념하고 의의를 되새기는 대회를 개최하여 조선의 독립을 기리는 한편, 재일조선인의 처우 개선 등 현실적 요구사항과 한반도 정세에 관한 각자의 주장을 전개하였다. 환언하면 1920년대부터 1948년까지 재일조선인들은 각시대적 배경과 중심적 운동조직의 특징을 반영하여 3·1운동을 기려왔다.

3

미주지역의 3·1운동

　3·1운동 소식을 3월 19일 현순을 통해 전해들은 미주지역의 대한인국민회 중앙총회에서는 미주, 멕시코, 하와이 재류동포 전체 대표회의를 열었다. 이 회의에서 12개 항목의 결의안을 채택하고 포고문을 발표하였다. 그리고 안창호를 한인대표로 선출하여 대한민국 임시정부 수립에 참여토록 하고, 김평(金平)을 미주 특파원, 정인과 황진남을 중국 통신원, 강영소, 황사용을 하와이 특파원으로 파견하여 각지 교포의 독립의식을 양양케 하였다.

　미주지역에서는 3, 4월에 걸쳐 대한인국민회 중앙총회가 미주, 멕시코, 하와이의 동포 전체 대표회의를 개최하고, 필라델피아 인디펜턴트홀에서는 한인자유대회가 3일간 열렸다. 그 밖에도 뉴욕, 시카고, 덴버, 디트로이트, 호놀룰루, 애크런, 푸에블로, 야키마, 슈피리어, 샌프란시스코, 새클러멘토, 스토크턴, 리버사이드, 로스앤젤레스 등지에서 만세시위운동을 전개하였다.

1) 동부지역을 중심으로

미주지역에 흩어져 살던 한국인 교포들도 국내의 3·1운동에 호응하여 모두 궐기하였다. 이 지역의 대한인국민회에서는 이미 1918년 말경에 이승만 등 3인을 한인대표로 선정, 파리 강화회의에 특파하기로 결의하고, 노령에 있는 동포에게도 대표를 선출해서 파견할 것을 종용하였다. 이들이 국내 만세운동 소식을 원동 통신원, 현순을 통해서 전해들은 것은 3월 19일이었다. 오랫동안 우리 민족이 슬픔에 싸여 있다가 이제 비로소 큰일을 일으켰으니, 이는 대한독립선언이다.

용감한 자는 큰일에 임하여 대담하고 신중함으로써 일을 치르는 것이니, 우리는 허영을 징계하고 진실한 행동으로 독립운동에 응원을 끝까지 할지며, 죽음으로써 성공하기를 기약하고 우선 다음 3항을 실천하자.

①우리는 피 흘린 후에 목적이 관철될 것을 각오하고 마음으로 군세게 맹세할 것이며, 우리의 운동이 단결과 행동 일치를 요구하나니 동포간에 서로가 비밀이 없을 것이다.

②재미한인은 처지와 환경의 구애로 이행할 책임이 국한되어 있는데, 다행히 미국은 공화국으로 인권과 자유를 가장 힘있게 창도하고 있는 터이니, 미국의 언론기관과 종교기관을 통하여 우리의 억울한 사정을 선전함으로써 국제 공론을 일으키는데 노력할 것이다.

③재미한인은 다른 곳 동포에 비하여 경제적 여유가 있은즉, 내외 각지 독립운동의 경제적 책임을 부담할 것이다.

한편 재미동포는 중국 상해에 대한민국 임시정부가 수립된 직후인 4월 14일부터 16일까지 3일 동안 필라델피아 인디펜던트홀에서 한인자유대회를 개최하였다. 이 대회는 우리 민족의 독립선언과 임시정부 수립을 전 세계에 널리 선포하기 위한 것이었다. 서재필의 주선으로 140여 명의 한인대표와 필라델피아 시장을 비롯한 다수의 저명한 미국 인사가 참가하여, 본국에서 전개되는 독립만세운동 상황과 일제의 탄압 행위를 밝히고 결의안을 채택하였다.

①재미한인은 중국 상해에 건설한 대한민국 임시정부를 지지하며 후원하기를 결의함.
②구미 각국에 대한민국 외교사무소를 설치하기로 함.
③구미 각국 민중으로 하여금 우리 독립선언의 주장과 국내의 사정을 이해하게 하는데 노력하기로 함.
④일본 정부와 국제연맹에 대한민국 임시정부 승인을 요구하기로 함.

위와 같은 결의안을 채택하고 대회가 끝날 무렵, 의장 서재필의 주장으로 시가행진이 벌어졌다. 악대를 선두로 오른손에는 태극기, 왼손에는 미국기를 든 시위군중은 비를 맞으며 행진을 계속하여 독립관에 도착하였다. 임시정부 국무총리로 선임된 이승만이 조지워싱턴 대통령이 앉았던 의자에 앉은 후, 서재필의 개회사로 독립선언식의 막이 올랐다.

독립관장 존슨의 미국 독립선언 약사가 소개된 후, 이승만이 국내에서 가져온 민족대표 33인이 서명한 독립선언서를 낭독하였다. 이때 미국 독립을 상징하는 자유의 종이 울려 펴졌으며, 대한독립만세를 3창하고 폐회하였다.

2) 서부지역 동포들의 활동
3·1운동의 역사적 사건에 미국의 28대 대통령 윌슨을 기억하게 된다. 그

는 1918년 1월 8일 연방의회 연설을 통해 "모든 민족들은 자기들이 원하는 정부를 가질 수 있다."라는 소위 '민족자결주의의 원칙'(The Self-Determination of small nations)을 선포했다. 이는 당시 약소민족들에게는 복음이나 같았다. 당시 일제 지배를 받던 한국도 이에 크게 자극을 받았다.

이미 미주지역에서는 3·1운동이 일어나기 11년전인 1908년 3월 23일 샌프란시스코에서 전명운, 장인환 두 애국청년이 일제를 두둔한 미국인 고문 스티븐슨을 저격해 독립운동의 효시를 알렸다. 이 의거는 나중에 1910년 안중근 의사의 이등박문 암살에 직접적인 영향을 끼쳤다.

조국에서의 3·1운동 시발점은 특히 3·1운동 1년전인 1918년 11월 25일 뉴욕에서 조직된 김헌식의 '신한회'가 정치력으로 미국 정계에 문을 두드렸다. 신한회는 뉴욕에서 개최된 회의에 참가해 조선의 독립을 주장했는데 이 소식이 그해 12월 18일에 일본에까지 알려지게 되었다.

또한 도산 안창호가 주축이 된 국민회는 1918년 11월 25일에 독립청원운동을 벌여 당시 파리 강화회의에 이승만, 정한경, 민찬호 등을 파견하기로 결정하였다. 이 같은 소식들이 일본에 보도되자 동경에 있던 한국 유학생들은 크게 자극받아 YMCA에서 토론회를 열고 3·1운동의 도화선이 된 '2·8독립선언'을 발표하였다.

3·1운동 1주년이 되는 1920년 3월 1일에는 조국은 물론 세계 어디에서도 독립운동기념 행사를 볼 수가 없었다. 그런데 유일하게 캘리포니아 중가주 지역 리들리(Reedly)와 다뉴바(Danuba)에서 3·1운동 만세 소리가 울려 퍼졌다. 리들리 인근 다뉴바에서 1920년 3월 1일 정오 이 지역 한인들이 세계 최초로 3·1운동 1주년 기념 퍼레이드를 벌여 미국 사회에 '대한민국이 독립국'임을 만방에 알렸다. 당시 이 지역 신문인 Danuba Sentinel은 한인들이 아침 10시부터 밤까지 독립운동 행사를 벌였는데 시가행렬에 350명 이상이 참가했다면서 시가행진 사진을 게재하고 대대적으로 보도했다.

당시 이 지역의 모든 한인 여성들은 흰옷으로 정장하고 남자들도 정장으로 도열한 가운데 대한제국 군인 복장을 한 대표가 말을 타고 독립선언서를 낭독하고 수십 대의 자동차와 도보로 태극기와 성조기를 휘날리며 시내 중심가에서 시가행진을 하며 미국 주류사회에 한국이 독립국임을 알렸다.

당시 이 지역의 한인들은 500명 내외로, 350여 명이 시가행렬을 참가했다는 것은 이 지역의 한인들이 거의 모두 참가했음을 보여주고 있다. 이 지역에서는 그 이후로도 3·1운동 시가행렬을 해마다 개최하다가 한인이 줄어들면서 중단되었다. 최근에는 2년에 한 번씩 개최하였으나 그나마 더 이상 개최되지 못하고 있다.

한편 리들리에서는 1921년에 리들리타운 퍼레이드(Reedly Town Parade)에서 한미수교를 축하하는 한인 꽃차를 출품해 한국이 1882년에 미국과 수교조약을 맺은 독립국가임을 과시하였다. 이처럼 중가주지역은 미주 이민사에서 독특한 의미를 지니고 있는 독립운동의 성지라고 말할 수 있다. 이곳은 1903년부터 시작된 하와이 사탕수수 농장의 한인 이민들이 샌프란시스코와 LA 중간에 있는 중가주지역 과일농장에서 일하기 위해 옮겨왔던 곳이다.

중가주지역에 한인이 처음 도착한 것은 1905년으로 추산되며 1906년에 프레즈노의 한인 노동자 22인이 공립협회 지회를 설립하였고 1914년에는 대한인국민회(KNA) 지방회가 조직되었다. 1920년대 중가주 리들리와 다뉴바지역은 대한인국민회 이외에도 대한여자애국단과 대한여성구제회 등을 포함한 애국단체들이 활동하던 유서 깊은 지역이다. 당시 이 지역은 과일단지로 유명해 하와이 사탕수수 농장에 이민했던 선조들이 대륙으로 오면서 모이기 시작했다.

특히 이 지역은 김호, 김형순이 설립한 '김 브라더스'(Kim Brothers)가 큰 사업체로 등장하면서 고국에서 3·1운동이 일어난 후 독립운동과 독립자금 공급에서 중요한 역할을 하였다. 그래서 이승만 박사와 안창호 선생은 기회 있을 때마다 이 지역을 방문하였다.

이 지역에서 활동했던 선조 이민들은 총각이나 홀아비들이 많았으며, 과일농장에서 일한 돈으로 의식주 이외의 대부분을 독립자금으로 기부하다가 쓸쓸하게 죽어 이곳 리들리와 다뉴바 공동묘지에 잠들었다. 이는 '김 브라더스'의 대표인 김호 선생이 쓸쓸히 죽어간 선열들을 위해 미리 묘지를 사두었기 때문에 가능했다. 그 후 세월이 흘러 조국은 독립되었으나 이곳 선열들의 묘역은 아무도 찾아주지 않았다.

아무도 찾아주지 않는 이 묘역을 1992년부터 중가주해병전우회의 김명수 회장을 포함한 주변 지역 해병전우들과 지방유지들이 성역화 작업에 나섰고 최근에는 조경사업까지 완성하였다. 그리고 1992년부터는 매년 메모리얼 데이와 광복절에 리들리 묘역과 다뉴바 묘역에 잠든 선조들의 혼을 달래주고 있다.

3) 언론 및 정치인의 활동

3·1운동에 관한 기사가 미국 언론에 보도된 것은 이해 3월 20일 「뉴욕타임즈」(New York Times)가 처음이었고, 같은 날 허스트 계열 신문(Hearst Papers)들에도 보도되어 일본을 규탄하기에 이르렀다. 이보다 앞서 2월 22일자 「세인트 폴 파이어니어 프레스」(St. Paul Pioneer Press)지는 한국 민족이 독립청원서를 제출하고, 한국의 주권 회복을 위한 운동과 그에 대한 원조를 윌슨 대통령에게 요청한 데 대해서, 일본은 한국을 약탈하고 국제연맹의 사상에 위배되는 통치 방법을 취하고 있다고 지적하였다.

그리고 일본인은 고대로부터 계승되어 온 한국의 문명을 파괴하고 있으니, 이 같은 일본의 태도는 한국민의 생활을 뒤엎으려는 것이며 이번에 한국민이 청원서를 제출한 것은 일본인이 허위 선전하는 것처럼 한국민에게 자주 능력이 없는 것이 아니라 충분히 자립 독립할 수 있음을 입증한 것이라고 논평하였다.

그리고 이해 3월 17일까지 한국에 있었던 캐나다의 감리교회 외국선교부 사무차장 암스트롱(A. E. Armstrong) 목사는 「뉴욕타임즈」에 이렇게 썼다.

"외국인들은 한국인들이 그러한 대운동을 조직하고 실천하는 능력과 철저성을 가진데 대해서 놀라지 않을 수 없다. 한국에 오래 산 적이 있는 영국이나 미국 시민들까지도, 한국인들이 그러한 광범위한 시위를 계속하고 집행할 수 있는 능력을 가진 데 대해 전혀 예상을 못했다."

뉴욕에서 발행되는 「아시아 매거진」(Asia Magazine)도 이해 5월호에 "한국은 1천 7백만명의 인민을 소유하고 있다. 이러한 국민들의 각종 토지를 여러 가지 명목과 이유로 빼앗으며, 병탄 후에는 토지 조사 때 측량해서 일본이 소탕적인 몰수를 해버렸다. 그 결과 부유한 한국인은 빈궁해졌다. 더욱이 일본은 일본인을 한국 땅에 이주시켜서 한국을 지배하고자 단체를 형성시키며, 한국인의 항쟁에 대항할 수 있는 준비 태세를 갖추었다. 일본인 이민은 벌써 30만명을 돌파했으며, 현재도 증가일로에 있다. 일본 정부는 동양척식주식회사에 연간 50만원의 보조비를 주어 그들 정부 직할하의 조직체로 만들면서 일본의 식민지 증가에 혈안이 되었다. 그리고 그들은 악랄한 방법으로 한국 농부의 토지를 헐값에 매수하였다. 그뿐 아니라 화폐 정리 후에, 한국의 화폐에는 니켈, 동, 청동의 성분이 많기 때문에 구한국 화폐를 일본으로 수출해 가는 등 갖은 방법으로 경제적 약탈을 자행하였다."고 보도하였다.

「리더스 다이제스트」(Readers Digest)도 6월호에서 일본의 한국 통치에 대해 논평하였다. 즉, 일본 관헌들은 한국인의 통신 자유를 방해하며, 신문의 열람을 금지하고, 길에서 마음대로 행인들의 신체 수색을 자행하며, 무저항의 한국인들을 구타함은 물론 남녀 노유를 막론하고 발포 사살하여 잔인포악한 살육을 감행한다고 지적하였다. 뿐만 아니라 교회당을 파괴해 기물를 부수며, 성서와 찬송가 등의 서적을 모두 불태우고, 한국인을 십자가에 묶어서 구타하며, 심지어 부상자에 대한 치료까지도 방해한다고 지적하였다.

한편 미국 의회에서는 1919년 6월 30일부터 약 3년간에 걸쳐 한국 문제가 간헐적으로 제기되었다. 그것은 1882년에 체결된 한미수호통상조약의 실행 여부에 관해서 상원의원 스펜서가 국무장관에게 질문한 데서 비롯되었다.

그리고 7월 15일 공화당 상원의원 포인덱스터(Poindexter)는 국제연맹 규약의 비준을 반대하면서 그 공격의 방법으로 한국 문제를 들고 나왔다. 즉, 국제연맹은 그 동안에 일본과 조약을 맺어, 한국민을 자유롭게 해 주기는커녕 3천만명의 중국인을 새로이 일본의 지배하에 몰아넣었다면서, 국제연맹의 실패와 횡포의 한 예로 들고 나와 행정부를 공박하였다.

같은 날 노리스(Norris) 의원도 중국에서 독일의 조차권이 일본으로 넘어가는 것은 부당하다고 주장하면서, 중국이 이에 대해서 반대를 하지 않은 것은 일본이 한국민에게 가하고 있는 포악상을 잘 알고 있기 때문이라면서 일본의 포악상을 폭로하였다.

"중국은 다음의 사실들을 알고 있습니다. 즉, 일본이 바로 이 시간에 한국의 문학과 역사를 말살하려고 갖은 짓을 다 하고 있다는 것, 일본의 관헌과 군경이 무죄한 한국민을 참혹하게 학살하고 있다는 것, 일본은 조국을 사랑하다는 죄 밖에 없는 한국민을 부녀자나 아이들을 막론하고 학살한다는 것, 한국인의 집은 모두 수사되고 그 서적은 모조리 불살려진다는 것, 한국말은 일본말로 대체시키고 있다는 것 등등을 말입니다.

　의장, 내 손에 든 한 장의 사진을 보시오. 죽임을 당한 한국인의 사진입니다. 이것은 미국 성서공회의 선교사로 한국에서 20년간 재직한 벡(S. A. Beck)씨가 나에게 준 것입니다. 그는 지난달에 한국에서 돌아왔습니다. 그는 이 사진을 찍은 사람 곁에 있었다고 합니다. 이 불쌍한 한국인은 한쪽 귀를 잘리우고, 28군데에 상처를 입었으며, 그 얼굴은 짓뭉개졌습니다.

　그 모든 상처가 일본 관헌에 의해서 가해진 것입니다. 그에게 무슨 죄가 있으며, 무엇이 죄목으로 되었을까요? 그는 무기도 지니지 않았고, 죄도 없으며, 불법행위라고는 하지 않는 사람입니다. 다만 애국심에 불타 '대한독립만세'를 큰 소리로 외친 것 밖에 없었던 것입니다. 이것은 한국에 있어서는 아주 흔한 일의 한 예일 뿐입니다."

　재한 미국 선교사들이 서명한 이 장로교회 보고서는 미국 기독교회연합회 동양관계위원회의 이름으로 작성된 것인데, 먼저 간단한 서론으로 한국 사정을 쓰고, 다음에 증거물 제시의 형식을 취하고 있다. 그 증거물의 내용은 일본의 식민통치제도, 만세시위 상황, 일본 군경의 포학상, 각 지방의 탄압 실태 등 모두 30여 항목에 달하고 있다.

　이 같은 미국 의회의 한국 문제에 관한 토의는 8월 이후에도 계속되었다. 그들은 자유와 민족자결의 원칙을 중시하는 미국이 그 반대인 일본 정부의 포학을 지지하고 있다고 비난하고, 한국의 독립을 지지 찬성한다는 입장을 나타내었다.

　그러나 그것은 큰 성과를 거두지는 못하였다. 이처럼 미국 행정부는 한국의 독립문제에 냉담한 태도를 보인 데 반해서 의회, 종교, 단체, 언론 등에서는 한국민에게 동정적이었다.

연해주 지역

　러시아 연해주지역에 사는 수십만명의 한국 교포도 국내의 3·1운동에 즉각 호응하였다. 이보다 앞서 1918년 말 미국의 대한인국민회로부터 파리 강화회의 참여에 관한 통보를 받은 재러 한인들은 콜리시크에서 모임을 갖고 간도 및 노령 방면의 한인대표로 윤해(尹海), 고창일(高昌一) 등을 선출하여 2월 5일 파리로 출발케 하였다.

　그리고 국외동포의 통합 기구인 한족상설회의를 대한국민회의로 개편해서 노령과 간도지역 독립운동의 총지휘 본부로 삼았다. 국내의 만세운동 소식이 전해지고 간도지방의 교포가 잇달아 봉기하자, 연해주지역 교포들도 이에 호응하여 만세운동을 전개하게 되었다. 3월 17일 대한국민회의가 주체가 되어 블라디보스토크에서 대규모의 독립시위운동을 전개함으로써 연해주지역 독립운동의 봉화를 올렸다.

　대한국민회의에서는 러시아 관헌에게 사전 통고도 없이 이날 오후 4시 블라디보스토크 주재 11개국 영사관 및 러시아 당국에 국민회의 명의로 된 독립선언서를 배부하고 일본 총영사관 앞을 통과하면서 열띤 시위운동을 벌였다. 이에 당황한 일본 총영사는 러시아군 사령관에게 즉각 이 만세시위를 제지해 줄 것을 요구하였다. 외교 분쟁을 우려한 러시아 당국은 오후 7시 반경에 시위운동을 중지시키고 신한촌에 게양된 태극기를 모두 내리게 하는 한편, 주동 학생 2명을 검거하였다. 러시아 당국의 이 같은 처사에 격분한 한국인 노동자들은 18일을 기해서 동맹휴업을 감행했으며, 학생들은 동맹휴교에 돌입하였다.

한편 이날 니콜리스크에서도 다수의 교포가 모여 만세시위운동을 일으켰으며, 청년들 1백여 명은 시위운동을 계속하기 위해서 라즈도리노예로 떠났다. 그리고 18일 스파스고예에서는 5백여 명의 한국인이 모여 만세시위운동을 벌였는데, 러시아 관헌의 도움을 얻은 일본군의 저지 탄압으로 다수의 교포가 부상당하였다. 이 밖에도 21일에는 라즈도리노예, 4월 5일에는 녹도에서 9백여 명의 만세운동이 발생하는 등 이 지역 여러 곳에서 계속 전개되었다.

5

영국과 프랑스의 반응

　파리 강화회의에 파견된 대한민국 임시정부 대표단은 1919년 3월 13일 중국 상해로부터 프랑스 파리에 도착하였다. 그 구성은 김규식(金奎植)을 단장으로 한 4인이었다. 이들은 파리에 한국공보처를 설치하고 4월 16일부터 구주 각국의 신문사에 한국 독립운동에 관한 정보를 제공하는 홍보지를 간행하였다. 이 홍보지는 이해 11월 29일자로 22호를 내고는 정간되었으나 그 뒤에는 『자유한국』이라는 잡지를 내어 한국의 독립 문제를 세계 여론에 호소하였다. 그리고 한국 대표단은 5월 10일부터 몇 차례에 걸쳐, 강화회의 의장 및 이사회 임원들에게 서한을 보내어 한국이 일본으로부터 해방되어야 한다고 요구하였으나, 그 답신은 한국 문제는 강화회의에서 다루어질 성질의 것이 아니므로, 국제연맹에 제소해야 한다는 것이었다. 여기에는 일본 대표의 방해 공작이 크게 작용했던 것이다.

　그러나 유럽을 대표하는 양 대국 즉, 영국과 프랑스는 한국의 독립운동에 동정적이었다. 영국에서 발행되는 『런던 타임즈』(London Times)는 4월 12

일자 기사에서 일본 정부가 한국에 6개 대대의 병력을 증파키로 한 것은 한반도 정세의 중대함을 고백함과 동시에, 이제까지 경시되었던 만세시위운동이 드디어 진정한 반란으로 변한 사실을 반증하는 것이라고 하였다. 이 신문은 또 4월 20일자로 한국 사태에 대한 일본 헌정회 총재 가또(加藤)의 연설을 인용 보도하였다. 즉, 한국에 있어서의 식민통치의 문제점을 들고, 한국의 자치를 찬성하며 무관 총독을 문관 총독으로 바꾸어야 하고, 한국인도 정치에 참여케 해야 한다고 하였다.

1920년 초에 영국 하원의원 헤이데이(Hayday)는 외무담당 차관에게, "영국 정부는 일본의 대한 정책을 반대하는 각서를 국제연맹에 제출해서 한국 대표단을 지지할 의사가 없는가?" 또 "한국민에게 정의를 보장하고, 그들의 정부를 갖도록 하는 방안을 영국 정부는 강구할 용의가 있는가?"고 따져 물었다.

그리고 뒤이어 그룬디(Grundy) 의원은 수원군 제암리 사건을 상기하면서 "영국 정부가 이를 조사했는가? 조사했으면 그에 관한 보고서를 공개하겠는가?"고 신랄한 질문을 퍼붓기도 하였다.

한편 프랑스 파리에서 발행되는 『앙따뜨』(Entente)지는 7월 7일자 기사에서 "일본 정부는 한국을 일본의 한 지방으로 만들어 버리는데 성공하리라고 믿었다. 그러기에 일본은 한국의 언어를 말살하고, 경제를 약탈하고, 자의적인 교육 방법을 택하고, 옛 전통을 말소하는 방법을 취하였다."고 보도하였다.

1920년 1월 8일 파리대학의 샬레(Challaye) 교수는 인권옹호협회 연설에서, 일본의 학정과 한국민의 독립운동에 관해서, "한국인은 평화를 사랑하는 민족이다. 그들은 일본제국주의를 혐오하고 있다. 한국인은 무엇보다도 한국인이기를 원하며 나라의 독립을 열망하고 있다. 그들은 그들의 의사에 반해서 독립이 말살되었음에 큰 고통을 느껴 몇 차례 폭동을 일으킨 바 있었다. 그들은 강화회의의 시기에 큰 희망을 얻었고, 감동을 받아, 민족자결의 원칙에 따라 세계가 재건될 것이므로 한국은 해방될 것이며, 한국은 다시 자유로운 나라가 될 것이라고 생각하였다. 한국인은 강화회의에 대표단을 보냈고 독립을 선언하였다. 극동의 평화를 위협하고 있는 것은 일본의 국군주의이다."라고 말한 바 있다.

이러한 유럽 강대국의 한국에 관한 여론은 무르익어, 영국과 프랑스에 '한국의 친구'(Les Amis de La Coree)라는 단체가 조직되었다. 이 모임에는 저명한 인사들이 망라되어 한국의 독립운동을 지지하는 운동을 전개하였는데, 이들은 한국의 처지를 소개하는 데만 그치지 않고 때로는 영국의 새뮤얼(Lyle Samuel) 의원처럼 한국을 돕기 위해서, 일본과의 통상을 저지하는 방안도 강구하자는 태도를 보이기도 하였다.

6

소련의 입장

코자크 주민대회가 1920년 2월 26일 그레데꼬보 역에서 개최되었다. 이 집회에 참가했던 한국인들은 우리도 총을 들고 일본을 타도하겠다는 결의를 표명한 바 있고, 또 이해 3월 1일에는 블라디보스토크의 신한촌에서 3·1운동 경축대회를 성대히 거행하였다.

이 식전에서는 지역 사령관 그라고웨쯔키의 "한국의 혁명에 다대한 촉망을 걸고 본 사령관은 백방으로 지원할 것이다. 일본군을 시베리아에서 철수시키는 것만으로써 만족하지 않고, 한국 독립이 혁명당에 의해서 성공하기를 바란다." 라는 요지의 축사가 있었다. 소련 당국의 해석을 보자.

한국의 의병운동은 러시아혁명에서 거대한 영향을 받고 있다고 하였고, 또 3·1운동은 1917년 10월의 볼셰비키혁명의 직접적인 영향하에 있었다고 주장하면서, 3·1운동의 지도층이 외국 제국주의자와 공모해서 민족해방운동을 배반하였다고 아전인수식 언급을 한 바 있다.

그러나 한국의 의병운동은 러시아의 제1차 혁명과 아무런 관련도 없다.

한국의 의병장들은 1905년에 일어난 러시아혁명을 모르고 있었다. 그리고 볼셰비키 편에 가담한 노령의 한국인들이 국내에 잠입해서, 그 영향으로 운동이 일어났다고 주장하는 것은 전혀 근거가 없는 가설에 불과하다. 오히려 사실은 그와 반대로 국내에서 3·1운동이 일어나자 노령지역의 한국인 사회도 크게 분발해서 독립운동을 일으키게 되었으며, 레닌 집단도 그곳 한국인의 만세운동을 보고 비로소 한국 관련 정책에 새삼 열의를 가지게 된 것이다.

3·1운동과 지하신문

1) 친일파들의 반발

3·1운동 당시 활발한 활동의 이면엔 '지하신문'들의 활약이 컸다. 당시 유일한 국문판 신문인『매일신보』는 3·1운동을 단순한 소요사건으로 규정해 아주 조그맣게 다루었을 뿐만 아니라 부정적으로 보도하였으니 지하신문이 나서지 않을 수 없었고 총 29종의 지하신문이 출현했다.[4]

『매일신보』는 권고문 성격의 사설과 지방장관 명의로 발표된 경고문 등을 게재했다. 사설을 통해서는 학생이나 민중들에게 스스로 자성하고 학업과 생업에 전념할 것을 강조했으며, 경고문에서는 민족자결주의에 대해 오해하지 말라고 하였다.

일제는 각종 모임을 개최하여 민중의 시위 열기를 차단하고자 했다. 일부 지역에선 농민들의 시위 가담을 막기 위해 대지주와 결탁하여 소작인에

---

4 한국신문사논고, 일조각 1995, p.315

게 소요에 참가하지 않는다는 서약을 받았다.[5] 친일인사들도 3·1운동 반대를 표명하고 나섰다. 윤치호는 3·1만세의거 직후 가진 기자회견에서 "강자와 서로 화합하고 서로 아껴가는 데에는 약자가 항상 순종해야만 강자에게 애호심을 불러일으키게 해서 평화의 기틀이 마련되는 것입니다."(『경성일보』1919. 3. 7)라며 약자인 조선이 살아남기 위해서는 일제에 순종하는 길뿐이라고 주장했다.[6]

양현혜는 윤치호에게 있어서 조선인의 독립투쟁은 "실패할 뿐만 아니라 말할 수 없을 정도로 개인적인 재난을 불러일으키는 것으로" 밖에 보이지 않았다고 말한다. 이완용도 3·1운동이 일어나자 세 차례에 걸쳐 청년, 학생들은 부질없이 생명, 재산을 잃지 말고 자중해서 실력양성을 기다리라는 내용의 성명을 냈다.[7]

또 고희준, 윤효정, 김명준 등 30여 명의 인사들은 모임을 갖고 사태의 심각성에 대해 의논하는 한편, 『매일신보』1919년 4월 19일자에 경고문을 발표했다. 민원식은 『매일신보』1919년 4월 27, 28, 29일에 걸쳐 3·1운동의 무모함과 부당성을 강조하는 논설을 3차례 연재했다.[8]

2) 조선 독립운동의 활약

지하신문은 일제의 3·1운동 탄압에 맞서 맹렬히 투쟁하였다. 가장 먼저 생겨난 지하신문은 독립선언서를 인쇄한 천도교의 보성사에서 창간된 『조선독립신문』이었다. 『조선독립신문』제2호는 사장 윤익선(1871~1946)과 독

---

5 황민호, 일제하 식민지 지배권력과 언론의 경향, 경인문화사, 2005.

6 정운현, 정직한 역사 되찾기: 친일의 군상, 윤치영가의 빛과 그림자, 서울신문, 1998년 9월지일, p.9

7 이이화, 영원히 씻을 수 없는 매국노의 오염: 이완용과 송병준, 역사문제연구소 편, 인물로 보는 친일파 역사, 역사비평사, 1993, p.85

8 황민호, 일제하 식민지 지배권력과 언론의 경향, 경인문화사, 2005, p.56

립선언서에 서명한 민족대표들이 일본 경찰에 체포된 사실, 관립 경성여자고보생들이 궐기한 사실, 20여 명의 한인 헌병 보조원들마저 학생들의 열렬한 연설에 감화되어 모자를 벗고 독립만세를 외쳤다는 사실 등을 보도하였다.

최준은 『조선독립신문』은 비록 지하에서 비밀히 발행된 신문이라 배포에 많은 애로가 있었음에도 불구하고, 보도 내용이 참신하였으며 또 논평도 정의와 인권에 입각한 당당한 주장으로 받아들이게 되어 한국의 국민에게 절대적 영향력을 끼쳤다고 평가했다.[9]

서울에서 발송된 『조선독립신문』은 각 지방에서 다시 복사되어 배포되었으며 다른 지하신문들의 탄생에 자극을 주어 3·1운동의 열기를 지속시키는 데 큰 기여를 했다. 이후 생겨난 지하신문으로는 각성회 회보, 국민회보, 국민신보, 조선신보, 독립자유민보, 혁명공론, 노동회보, 독립신문, 대동신문, 대한민보 등이 있다.[10]

또한 곳곳에 나붙은 격문, 경고문 등은 총독의 통치권 거부, 일본군 철수, 파리 강화회의에 조선대표 파견, 조선인 관리의 퇴직 등을 요구하였다.[11] 지하신문들은 공적인 허가를 받고 검열을 거친 '지상신문'과는 비교를 할 수 없는 신문 발간의 기본적 조건마저 갖추어져 있지 않은 매우 열악한 상황에서 신분의 위협을 무릅쓰고 발행되었다.

"지하신문은 대체로 정규, 정상적인 상황에서 나온 것이 어니다. 더구나 이때의 지하신문이 타율적인 '단절'의 벽을 뚫고 일제의 민족에의 '절대 부정'적인 언론에 대항해서 이겨나가고자 하자면 그러한 열화 같은 기사 내용

9   최준, 한국신문사논고, 일조각, 1995, p.314-315
10 최준, 한국신문사논고, 일조각, 1995, p.313
11 최민지, 김민주, 일제하 민족언론사론, 일월서각, 1978, p.33-3

으로도 모자랄 지경이었을 것으로 생각된다."[12]

3) 상하이 임시정부의 『독립신문』

『조선독립신문』은 국외의 독립운동단체에도 큰 자극이 되어 3·1운동 이후 해외에서도 35종의 신문이 발행되었다.[13] 1919년 4월 상하이의 프랑스 조계지에 수립된 대한민국 임시정부는 기관지로 8월 21일 『독립』을 창간하였다. 춘원 이광수가 사장 겸 주필, 주요한(1900~1979)이 편집국장 겸 기자로 일했다. 『독립』은 가로 27센티미터, 세로 29센티미터 크기의 타블로이드판으로 총 4면에 국한문 혼용으로 띄어쓰기 없이 세로쓰기를 했다. 일본 총영사가 프랑스 관헌을 통하여 임시정부와 신문의 탄압을 요구한 것을 계기로 1919년 10월 25일 제22호부터 『독립』은 매월 2~3회 발간 됐으나 자금난 등으로 1925년 제189호를 마지막으로 폐간됐다.[14]

2005년 8월 『독립』 창간호가 우리나라에서 처음으로 온전한 형태로 공개됐다. 독립기념관이 대구지역의 한 고문서 수집가로부터 입수한 것인데, 그간 국내에 알려진 창간호는 중간 아래가 떨어져나간 반쪽 형태로 연세대 도서관에 보관된 것이 유일했다.[15]

임시정부와 다른노선을 걸은 독립운동가들도 신문을 냈다. 임시의정원 회의에서 국무총리로 이승만이 선출되었을 때, 신채호는 이승만의 위임통치론을 들어 그의 선임을 반대한 이후로 상하이에서 『신대한』을 발간해 임시정부를 공격하였고, 북경으로 이동하여 박용만(1881~1982), 신숙(1885~1967) 등과 『대동(大同)』을 발간하였다.

---

12 임근수, 언론과 역사: 희관 임근수 박사 논총, 정음사, 1984, p.249
13 김민환, 한국언론사, 사회비평사, 1996, p.209-211
14 최준, 한국신문사, 일조각, 1987, p.206
15 이태훈, 임정 기관지 '독립' 창간호, 조선일보 2005년 8월 10일 8면

그밖에도 중국 일대에서 독립운동가들에 의해 발행된 신문엔 간보신보, 신대한보, 한족신보, 경종보, 대동민보 등이 있었다.[16]

4) 러시아지역의 언론활동

러시아지역의 언론 활동도 활발하였다. 1910년대 러시아지역에서 발간된 대표적 신문은 1912년 4월 22일 창간된 『권업신문』이다. 이 신문은 블라디보스토크에서 조직된 연해주지역 재러 한인의 권익옹호기관이자 독립운동단체인 권업회의 기관지였다.

1917년 2월 러시아혁명의 영향을 받아 그해 7월 8일부터 블라디보스토크에서는 청구신보, 한인신보 등이 창간되었으며, 그밖에 대한인정교보, 대양보 등이 있었다. 1920년대엔 선봉(1923년 3월 1일), 말과 칼(1924년 4월 잡지) 등이 창간되었으며, 1930년대엔 연해주어부(1930년 7월 13일), 광부(1932년 11월 7일), 당교육(1932년 12월 초순), 동방꼼무나(1933년 1월 22일), 공격대원(1933년), 쓰딸린네츠(1933년 10월 10일), 레닌광선(1936년 10월 28일) 등이 창간되었다. 1937년 강제 이주시 한글 신문들은 모두 폐간되었고, 『선봉』만이 『레닌기치』라는 이름으로 제호를 변경하여 카자흐스탄에서 1938년 5월 15일 간행되었으며 1991년 초부터 신문 제호를 『고려일보』로 개칭하여 오늘에 이르고 있다.[17]

당시 해외에선 지역주의 갈등도 심하게 나타났다. 지역주의를 비롯한 파쟁이 심해 살인사건이 일어나기도 했다. 이는 신문에까지 불똥이 튀어, 신문 발행의 주도권을 둘러싸고 갈등이 빚어지기도 했다.

---

16 한시준, 제7장 중국 관내 독립운동과 신문, 잡지, 위암 장지연 선생 기념사업회, 일조각 1987년, p.206-207
17 박환, 제4장 러시아 지역의 한인언론, 위암 장지연 선생 기념사업회, 커뮤니케이션북스, 2001, p.313-316

블라디보스토크지역 한인사회의 경우도 예외는 아니어서, 이동휘는 단합을 강조하고 나섰다. 권업신문 1913년 11월 2일자가 보도한 바에 따르면, 이동휘는 "거져 단합이라 하면 명사가 박약하니 영원단합이라 하옵세다. 여러분은 생각하시오, 난우면 망하고 합하면 흥하나니 오늘날은 살부살형의 원수라도 우리의 광복을 희망하야 셔로 나누지 말자."고 역설했다.[18]

그러나 나라를 빼앗긴 상황에서도 '정치는 역시 정치'였던 것인지, 정치의 속성은 그대로 였다. 그래서 합하는 일보다는 나누는 일이 더 많았고, 그 와중에 치열한 싸움이 벌어지기도 했다. 우리 인간의 속성과 더불어 조선 독립운동가들이 처해 있던 최악의 조건들이 그런 결과를 낳은 것일 터이니, 굳이 애써 감출 필요는 없을 것이다

---

18 반병률, 성재 이동휘 일대기, 범문사, 1998, p.105

제11장

3·1운동의 역사적 의의와 이후의 투쟁

1

문화통치

삼일운동은 일본제국주의가 통치정책에 변화를 가져올 정도로 커다란 민족운동이었다. 일본은 지금까지의 무단통치 대신에 문화정치를 내세우게 되었다. 부드러운 어감을 가진 문화정치는 새로 부임한 총독 사이또에 의하여 표방된 것이다. 그러면 이 문화정치란 어떤 내용이었는지를 살펴보자. 우선 지금까지 육·해군 대장이 임명되어오던 총독에 문관도 임명될 수 있게 되었다.

다음은 헌병경찰제도 대신에 보통헌병경찰제도를 도입한다는 것이었다. 또 교육을 보급시켜 일본인과 같은 수준으로 올린다는 것이었다. 그리고 언론의 통제를 완화하여 한국인이 경영하는 한글로 된 신문의 간행을 허락한다는 것이었다.

그러나 이것은 지금까지와 같은 목적을 추구하기 위하여 그 방법을 달리한 것 뿐이었다. 그러므로 허위와 기만에 가득 찬 것이었다. 일본은 1945년 한국에서 축출될 때까지 단 한 명의 문관도 총독으로 임명한 일이 없었다. 또 비록 보통헌병경찰제도가 도입되었으나 반면에 경찰기관은 조직이 확대되고 경찰 인원도 증가하였다. 1918년에는 헌병을 포함한 경찰의 수가 14,358명이었으나 1930년에는 18,818명이 되었다. 결국 경찰의 인원은 25% 증강, 경비는 300% 증강, 무기는 300% 이상 증가로 나타난다. 한편 감옥은 증설되고 사상범도 증가하였다.

또 그들이 선전하는 교육의 보급은 겉치레뿐이었고 교육의 차별은 여전히 심하였다. 또한 동아일보, 조선일보 등 한국인이 경영하는 한글로 된 신문이 창간되었으나 이것은 한국인의 언론을 통제하기 위한 하나의 수단에 지나지 않았다. 그들의 검열은 엄격하였고 삭제, 압수, 과태료 처분, 폐간 등이 연속적으로 일어나서 매월 평균 5, 6건에 이르렀다. 결국 일본이 표방하는 문화정치는 표면적인 완화에 불과하였다. 그것은 일종의 회유정책이었고 식민정책의 근본에는 변화가 없었다.

일제가 1904년 이래 정책 조문으로 쓰던 대한방침(對韓方針)을 처음으로 변경한 것으로 한국 정책의 기본 방침이 크게 변화한 것이라 할 수 있다.

조선 통치의 방침을 보면 그 골자는 다음과 같다.

첫째, 조선의 독립을 허락하지 않을 것.
둘째, 조선인의 조선자치(朝鮮自治)를 허락하지 않을 것.
셋째, 조선에 지방자치를 인정하고 점차 이를 확장할 것.
넷째, 재외 조선인에 대한 보호 취체(取締)의 방침을 수립할 것.
다섯째, 문명적 행정(行政)을 행할 것

한국인 법관 수는 약간 늘었으나 그 권한은 제한되었다. 한국인과 일본인 관리를 동등하게 대우한다면서도 온갖 구실을 붙여서 차별하였다. 그리고 회사령을 개정해서 한국인 기업을 원조한다고 하였으나, 결과적으로는 일본인 자본이 한국인 경제를 억압할 수 있는 계기 마련에 골몰하였다. 끝으로 한국인에 대한 회유·동화 공작을 활발히 전개했는데, 그 내용을 보면 아래와 같다.

첫째, 모든 한국인은 친일과 배일로 성분을 조사 구분해서 회유와 위압 정책을 적극적으로 실시한다. 둘째, 각계각층에 친일단체를 조직하여 이용한다. 송병준·박영효 등의 조선민우회(朝鮮民友會), 윤용구(尹用求)·어윤적(魚允迪) 등의 대동사문회(大東斯文會), 민영기(閔永綺)의 상무연구회(常務研究會) 등이 대표적이다. 종교 조직을 이용해서 불교와 기독교는 회유하고 천도교는 탄압하였다.

교육에서도 일본은 한국인의 지적을 원하지 않았다. 한국인은 아직 고상한 학문을 배울 단계에 이르지 못하였으므로 실용적인 실업상의 지식이나 불어넣어야 한다는 것이 초대총독 데라우찌의 주장이었다. 일본이 실용주의 교육을 내세운 것은 한국인의 지식 수준이 향상되어 일본의 식민정책을 비판하고 독립사상을 주장할까 두려웠던 때문이다. 일본은 지도적 인물보다도 행정·기술 등에서 심부름을 잘하는 정도의 인물을 필요로 하였을 뿐이었다. 그 결과 일본은 보통교육과 실업교육에 주력하게 된 것이다. 보통교육에서는 일본의 통치에 토대가 되는 일본어를, 그리고 실업교육에서는 정신이 없는 기술교육에 주력하였다.

3·1운동 이후 문화정치가 표방됨에 따라 교육 방침에도 변화가 일어났다. 1922년에 신교육령(新敎育令)이 반포되고 여기서 한국인의 교육 수준을 일본인과 같게 한다는 규준(規準)을 내세운 것이다. 이리하여 학교도 부쩍 늘었고 서울에 대학까지 설치되기에 이르렀다. 그러나 그들이 한국인의 교육에 무성의하였음을 우리는 통계에서 찾아볼 수 있다. 즉 한국인의 교육은 초등교육에서도 취학률이 일본인의 6분의 1에 지나지 않았다.

이러한 차이는 고등교육기관으로 올라갈수록 심하였다. 결국 그들이 교육기관을 확장시킨 것은 한국인의 교육을 위하기보다는 식민통치의 수월성을 위한 것이었다. 이를 통하여서도 소위 문화정치의 기만성을 알 수 있다.

그러나 1930년대에 들어서면서 교육방침은 또 변하였다. 교육 즉 생활주의의 교육이 표명된 것이다. 이것은 어느 의미에서 초기의 실용주의교육으로 되돌아간 것이라고 하겠지마는 그 목적하는 바는 달랐다. 일본은 대륙침략에 따르는 한국의 병참기지화를 위하여 공업을 진흥시켰음은 이미 설명한 바 있다.

❖ 한국인과 일본인의 취학자 비교(1925년)

학교		취학자수	인구 만명에 대한 비율	비율의 비교
초등학교 (初等學校)	한국인	392,832	206.53	1
	일본인	59,859	1,240.43	6
남자중등학교 (男子中等學校)	한국인	5,443	2.86	1
	일본인	4,490	101.26	35
여자중등학교 (女子中等學校)	한국인	705	0.38	1
	일본인	5,690	128.32	337
실업학교 (實業學校)	한국인	4,831	2.54	1
	일본인	2,843	64.12	25
사범학교 (師範學校)	한국인	1,696	0.86	1
	일본인	625	14.95	16
전문학교 (專門學校)	한국인	439	0.23	1
	일본인	676	15.24	63
대학예과 (大學豫科)	한국인	71	0.04	1
	일본인	233	5.25	131

이 공업의 발달은 많은 노동자를 필요로 하였는데 이에는 적어도 일본어를 해독하는 것이 요구되었고 또 어느 정도의 기술이 필요하였다. 이에 일본어의 습득을 주목적으로 하는 보통교육과 기술의 습득을 위한 실업교육이 필요하게 된 것이다. 교육 즉 생활주의는 이러한 배경에서 나온 것이다.

요컨대 일본의 교육방침은 철두철미 그들의 식민정책에 순응하는 것이었다. 그러므로 거기서 한국인이 기대할 것은 없었다. 한국인을 위한 교육기관은 역시 선교사들이 경영하는 학교를 포함한 사립학교였다.

1941년도의 초등학교에서는 한국인 학생의 2.5%가, 중등학교에서는 26.2%가, 실업교육에서는 15.5%가, 그리고 전문학교에서는 무려 56.5%가 사립학교에서 배우고 있었다. 한편 한국에서 보다는 차별이 심하지 않은 일본이나 혹은 또 미국 등으로 유학을 갔다.

1931년에 일본 유학생은 3,638명, 미국 유학생은 493명으로, 대부분 대학생이었다는 것을 생각하면 그 수의 많음에 주목하지 않을 수 없다. 한국인이 근대적 사조나 과학을 받아들인 것은 결국 사립학교나 유학을 통해서임을 알 수 있다.

2

3·1운동의 민족사적 의의

3·1운동은 비록 민족의 독립을 달성하지는 못했으나 민족사와 세계사에서 모두 큰 의의를 갖는 독립운동이 되었다. 먼저 3·1운동의 민족사적 의의로서는 다음과 같은 점이 있다.

①3·1운동으로 일제가 1920년 이후 9년간 닦아 놓은 식민지 무단통치와 한국 민족 말살정책이 근본적으로 붕괴되었다. 일제가 한국 민족을 말살하기 위하여 펼친 포악한 식민지 착취와 잔학한 무단통치는 근본적으로 파산에 직면하였다. 또한 일제의 잔학한 무단통치의 진상이 전세계에 폭로되었다.

② 3·1운동에 의하여 어떠한 힘으로도 파괴할 수 없는 민족독립 역량이 강화되고 독립운동의 확고한 원동력이 형성되면서 독립운동을 내부에서 장기적으로 튼튼히 뒷받침하게 되었다. 3·1운동 이후 한국 민족의 독립운

동 역량은 그 이전과는 비교하기 어려울 만큼 크게 비약했다는 사실이 이 점을 명백히 증명해 주고 있다.[1]

③3·1운동에 의하여 상해에 〈대한민국 임시정부〉가 수립되었다.[2] 임시정부의 수립은 9년간 단절되었던 민족정권을 잇는 것이며, 더구나 종전과 같은 군주제 형태가 아니라 공화정체로 수립됨으로써 민족사상 새로운 기틀을 마련하였다.

수립 초기의 임시정부는 각계각층과 각파의 독립운동단체들이 참가한 명실상부한 임시정부로서 대부분의 독립운동을 지휘하였으며, 연통제(聯通制)를 조직하여 국내의 독립운동도 지도하는 등 통치활동의 일부를 담당하였다.

④3·1운동에 의하여 만주 등 국외의 독립군 무장투쟁이 강화되고 국경 지역에서는 국내 진공까지 가능하게 되었다. 당시 만주와 노령(露領)에서 독립군단의 속출과 강화는 전적으로 3·1운동의 결과로 이루어진 것이다.[3] 3·1운동에 참가했던 국내의 청소년들이 무수히 만주로 건너가서 독립군에 입대했으며, 3·1운동을 계기로 전투적 독립운동가들이 독립군단들을 따라가고 만주의 이주민 교포들도 아들들을 독립군에 진입시켰다.

---

1 독립운동 역량을 3·1운동 이전과 이후로 나누어 비교해 보면, 이후에 비교도 할 수 없을 만큼 엄청난 대비약(大飛躍)을 하고 있음에 놀라게 된다. 이것이 바로 3·1운동이 거둔 성공이며 독립의 쟁취를 자기의 실력으로 스스로 보장한 획기적인 것이었다.

2 『조선독립신문(朝鮮獨立新聞)』 제2호(1919년 3월 3일자) 『한국독립운동사자료(韓國獨立運動史資料)』 5, p.2에는 '가정부조설(假政府組設), 일간(日間) 국민대회(國民大會)를 개(開)하고 가정부(假政府)를 조직(組織)하며 가대통령(假大統領)을 선거(選擧)한다더라. 안심안심(安心安心) 부구(不久)에 호소식(好消息)이 유(有)하리라'고 하여 3월 3일에 이미 임시정부조직(臨時政府組織)과 그것을 공화정(共和政)으로 할 것이 지하신문(地下新聞)을 통하여 선포되고 있다.

3 박은식(朴殷植), 「한국독립운동지혈사(韓國獨立運動之血史)」, 『박은식전서(朴殷植全書)』상권, p.637 참조

예컨대, 신흥무관학교는 3·1운동 이전에는 1년에 40명의 입교와 졸업도 어려웠는데, 3·1운동 이후에는 밀려오는 청소년들을 모두 수용하지 못하여 학교를 옮기고 분교를 설립했으며, 1년에 600명의 졸업생을 내게 되었다.[4]

1920년 10월 일본 정규군 5개 사단 35,000명의 토벌 공격을 받고 2,800명의 독립군 병력으로 일본군 3,300명을 살상하고 대승리를 거둔 청산리 독립전쟁을 수행한 북로군정서(北路軍政署) 등의 독립군 연합부대 장교와 참모 다수는 신민회와 중광단(重光團)과 신흥무관학교 출신이지만 사병은 국내에서 건너간 청소년들과 교포들의 자제를 6개월간 단기 훈련하여 편성한 것이었다.

⑤3·1운동은 국내의 일제 헌병경찰제에 의한 극악무도한 민족말살정책을 붕괴시키고 언론 출판 집회 결사의 부분적 자유를 어느 정도 쟁취한 다음 민족문화운동과 민족실력양성운동을 전개할 기틀을 마련하였다. 3·1운동의 영향으로 활성화한 민족문화운동과 민족실력양성운동은 일제의 간교하고 가혹한 민족말살정책에서 민족의 소멸을 방지하고 스스로 민족과 민족문화를 보존하는 데 크게 기여하였다고 할 수 있다.

⑥3·1운동은 국내에서 새로운 농민운동, 노동운동, 사회운동의 등장에 계기를 열어 주었다. 우리나라에서 본격적인 농민운동, 노동운동, 사회운동이 등장한 것은 3·1운동이 열어 놓은 길 위에서 전개된 것이다. 이러한 운동들은 농민층과 노동자층의 지위 향상뿐만 아니라 독립운동에도 크게 기여하였다.

---

4 「신민회(新民會)의 창건(創建)과 국권회복운동(國權回復運動)」하(下), 『한국학보(韓國學報)』제9집, 1977

⑦ 3·1운동은 스스로의 실력으로 국제적으로 한국 민족의 독립을 보장 받았다. 한국 민족이 전민족적 봉기인 3·1운동에서 자주독립을 전세계에 선언했기 때문에 일본이 승전국이었던 당시에는 당장에 독립이 성취되지 않는다 할지라도 언젠가 일본이 패전국이 되는 날에는 한국은 자동적으로 독립되는 것으로 전세계로부터 공인받게 되었다.

제1차 세계대전 직후에는 한국 민족의 대표를 파견해도 국제열강은 회의에 참석조차 시켜주지 않았지만 제2차 세계대전 때는 일본 패전 후의 한국 독립이 한국 민족대표의 참석 없이도 모든 국제회의에서 당연한 것으로 논의된 것은 기본적으로 3·1운동에 의한 것이다.

위에서 본 바와 같이 3·1운동은 비록 일제의 식민지 지배하에서 한국 민족사에 신기원(新紀元)을 열고 독립을 약속한 획기적인 운동이었다.

3

3·1운동의 세계사적 의의

3·1운동은 한국 민족사는 물론이려니와 세계사적 의의도 크다.

①세계사에서 볼 때 3·1운동은 제1차 세계대전 당시 승전 제국주의의 지배하에 있던 식민지 약소민족이 분발하여 적극적 독립운동을 일으키는 계기를 열어주었다. 3·1운동 이전까지의 상황을 보면 제1차 세계대전 패전국의 식민지 약소민족들은 제1차 세계대전 종전을 전후하여 독립운동을 활발히 전개하였다.

그러나 영·불·미·일 등 승전 제국주의 열강들의 식민지들은 대규모 독립운동 궐기를 엄두도 못내고 승전 제국주의 열강의 기세에 위축된 형편에 있었다. 이러한 상태에서 승전한 제국주의 열강의 지배하에 있던 약소민족들 사이에서는 완만한 독립운동이 전개되다가 동아시아의 한반도에서 첫 봉화를 든 3·1운동에 영향을 받아 독립운동이 급격하게 불타오른 것이다.

②세계사적으로 3·1운동은 맨주먹 비폭력으로 민중이 독립혁명을 일으
킴으로써 세계 혁명사에 하나의 신기원을 이룩하였다. 3·1운동 이전까지
의 식민지 약소민족들의 독립운동을 보면 독립을 구하는 민족혁명운동의
주체는 민중이 아니라 직업적 혁명운동가와 군인들이었으며, 모두가 무기
를 든 폭력혁명이었다.

③3·1운동은 중국의 5·4운동에 큰 영향을 끼쳤다. 현대 중국 탄생의 전
환점이라는 5·4운동은 내부 요인을 별도로 하고 세계사적으로는 3·1운동
의 영향을 받고 일어난 것이다.

1919년 5월 4일 북경대학생의 시위로 시작된 5·4운동의 핵심 추진자들
이었던 중국의 민족운동가들과 학생들은 한국의 3·1운동을 격찬하고 한국
의 3·1운동에서 배울 것을 절규하였으며, 5·4운동이 3·1운동의 영향을 받
은 것임을 증언하는 다수의 글들을 남겨놓았다.

중국 5·4운동의 지도자이며 뒤에 무정부주의자가 된 경매구(景梅九)는
「위한국근사정고한인(爲韓國近事正告韓人)」(한국의 근사를 논하고 중국인에게 고
함)이라는 논문에서 3·1운동을 찬양하고 한국의 독립운동이 중국 민족에게
도 영광이 된다고 깊은 연대를 표시하였다.

"일본의 학정 밑에서 신음하는 한인들은 감연히 궐기하여 민중을 모아
함께 정의의 깃발을 높이 들고 지극히 문명적으로 장렬한 행동을 개시했
다. 독립을 선포하여 우방들에게 알리고 잃었던 나라를 되찾으려 했다. 의
거를 일으킨 이래 수많은 한국의 지사와 의로운 민중들이 일본의 야만적
경찰에게 살해되고 체포 투옥되었다. 그러나 모든 민중들은 시종일관 뜻을
굳게 지켜 굽히지 않았다. 불과 며칠 동안에 팔도강산이 피로 물들었으니
실로 가긍하면서 또한 존경할 일이다. 한국이 하루 속히 독립의 원상을 회

복하고 동아시아에 제2공화국을 건설하게 되면 그것은 오직 한국 국민의 다행일 뿐만 아니라 또한 우리 중국의 4억 인에도 영광이 있을 것이다."[5]

당시 북경대학 학생으로 5·4운동의 선두에서 학생대표로 활동했으며 뒤에 대표적 민족주의자가 된 부사년은 「조선독립운동중지신교훈」(3월 10일 집필)에서 3·1운동의 충격을 다음과 같이 소화하여 배울 것을 호소하고 있다.

"조선의 3·1운동은 정신면에서 실로 '혁명계에 신기원을 열었다.'고 할 수 있는 운동으로서 미래의 모든 혁명운동에 대하여 3개의 중요한 교훈을 가르쳐 주고 있는 바, 첫째로 '무기를 갖지 않은 혁명'이라는 점이요, 둘째로 '불가능한 것을 알고 한 지기불가이위지(地其不可而爲之)혁명'이라는 점이요, 셋째로 '순수한 학생혁명'이라는 점이다.

위의 세 항목 어느 것이나 이번의 조선독립운동의 특색이다. 조선의 독립은 아직 성공하지는 않았지만, 그 정신은 반드시 스스로 계속하여 나갈 것이다. 세계의 혁명은 아직 끝나지 않았지만, 이 정신은 반드시 계속하여 나갈 것이다. 이 정신은 현재에는 어리석은 것으로 보일지도 모르지만 세계의 조류에 비추어 보면 반드시 최후의 승리를 얻을 것이다. 〈조선독립운동의 정신 만세!〉라고 외치지 않으면 안 된다."

『북경 데일리 뉴스』는 1919년 5월 2일자에서 해외 유학에서 귀국한 학생들의 요청으로 1919년 5월 4일 하오 4시에 귀조학생 임시대회가 구미유학생구락부에서 개최될 예정임을 보도하면서 회의의 주제가 ①평화회담에서

---

5 박은식, 한국독립운동지혈사, 박은식 전집, 상권, pp.610-611

중국문제의 최근 경과와 ②조선독립운동에 대한 것임을 밝히고 있다.[6] 당시에 3·1운동과 5·4운동의 주제는 불가분의 관계로 인식되었던 것이다.

북경대학 학생구국회 대학생들은 하나같이 한국의 3·1운동을 격찬하고 일제 군경의 탄압과 만행을 규탄했으며, 만주의 한국인의 독립운동을 탄압하는 중국의 당국자들을 규탄하였다.

3·1운동에 대한 이러한 큰 충격 속에서 북경대학 학생구국회 학생들은 5월 2일 『구민』 편집실에서 시위운동을 결의하고 3일에는 북경의 각 학교 학생들에게 연락을 했으며, 4일에는 북경 천안문 광장에 모여 5·4운동의 횃불을 높이 든 것이다.

북경의 5·4운동 발발에 미친 3·1운동의 영향은 심대한 것이었다. 상해의 5·4운동에도 3·1운동은 큰 영향을 미쳤을 뿐만 아니라 3·1운동에 관련된 인사들과 〈한국청년독립단〉이 직접 이에 참가하였다. 상해의 5·4운동은 중국인들이 국치기념일이라고 하는 5월 7일 국민대회 형태로 시작되었다. 이 대회는 일본측 자료에 의하면 약 4~5,000명, 중국측 자료에 의하면 약 2만명이 참가했는데[7] 〈한국청년독립단〉 소속 한국인 30여 명이 참가하여 반일문서를 보내고 반일투쟁을 선동하는 등의 활동을 하였다.

"상해 거주 선인(鮮人) 등이 지나인(支那人)과 제휴하여 배일운동을 계속하고 있는 것은 사실로서 교섭은 더욱 밀접히 되고 있다. 조선인측에서 교섭의 임에 당하고 있는 것은 오익표(吳翼杓)이다. 5월 9일 본인의 소개에 의하여 현순, 김필목 등이 지나인(支那人)의 양강학당에 이르러 지나학생들과 함께 배일적 연설을 하였는데, 당일 학생의 출석자 약 3백, 선인(鮮人)의 출석자가 약 30명 있었다. 현은 영어를, 김은 선어(鮮語)를 사용

---

6 『한국독립운동사자료』5, pp.173?174 참조
7 『오사운동좌상해(五西運動左上海)』p.181 및 p.183

하고 선인(鮮人)의 지나유학생에게 통역시켰다."[8]

여기서 명백히 알 수 있는 것은 3·1운동은 중국 최대의 도시 상해의 5·4운동에 심대한 영향을 미쳤을 뿐만 아니라, 한국의 독립운동가들(3·1운동에 관여한 사람들까지도)도 직접 5·4운동에 뛰어들어 참가하였다. 이후에는 한국의 독립운동가들과 중국의 5·4운동가들 사이의 굳은 연대로 발전되었다. 3·1운동이 중국의 5·4운동에 미친 영향은 비단 북경과 상해뿐만 아니라 5·4운동이 일어난 모든 지역에 걸친 것이었다.

④인도에서는 3·1운동에 고취된 국민회의파의 비폭력 독립운동이 급속히 고조되었다. 인도 독립운동의 전환점을 이룬 간디의 지도로 1919년 4월 5일부터 시작된 〈사타야그라하 사브하(진리수호)〉 운동의 외부 요인을 보면 3·1운동의 영향을 크게 받았다. 그들은 '간접통치'인 영국의 식민지 통치의 특징을 활용하여 3·1운동의 비폭력 투쟁방법까지 채택해서 급속도로 발전하였다.

당시 제국주의의 지배 밑에서 신음하던 모든 약소민족들은 상호 연대감을 갖고 긴밀히 영향을 주고받았으며, 인도와 한국의 독립운동가들도 긴밀한 연대감을 형성하고 있었다. 예컨대 3·1운동 이전에 인도 독립운동의 최고 지도자인 라빈드라나드 타골은 3·1운동독립선언서의 작성자인 최남선의 요청을 받고 한국에 대한 연대의 시로 「정복당한 여인의 노래 Le Chant de la Vaincue」라는 송시를 3·1운동 직전에 최남선에게 써 주었다. 이 시의 설명 주기에는 다음과 같이 씌어 있다.

---

8 「대한민국 임시정부(大韓民國臨時政府)에 관(關)する, 상해정보보고(上海情報報告)의 건(件), 조선독립운동(朝鮮獨立運動)에 관(關)する 상해정보(上海情報)」, 김정명편(金正明編), 「조선독립운동(朝鮮獨立運動)」 제2권, p.39

"인도의 유명한 시인이자 교수인 라빈드라나드 타골은 한국의 뜻있는 민중지도자 최남선의 부탁을 받고 한국에 대한 이 시를 썼다. 타골은 이 시에서 수치와 오욕에 빠져 있는 한국의 당시 상황에 대해 그가 가지고 있던 명석한 통찰과 아울러 한국을 향한 애틋한 연민을 뚜렷이 보여주고 있다.[9] 3·1운동 이전에 한국의 독립운동자들과 연대를 가지고 있던 타골이 3·1운동 소식을 듣고 자기 나라의 독립문제와 관련하여 얼마나 큰 충격을 받았을 것인가를 상상할 수 있다. 마하트마 간디는 타골의 수제자이다. 3·1운동 당시 간디는 남아프리카에 체류하다가 3·1운동 후에 황급히 귀국하여 타골의 지도를 받으면서 1919년 4월 5일부터 비폭력 방법에 의한 본격적인 독립운동을 전개하였다. 라빈드라나드 타골은 3·1운동 10주년인 1929년에도 그 감명을 잊지 않고 한국을 노래하였다.

　　일찍이 아시아의 황금 시대에 등불의 하나이었던 코리아
　　그 등불 다시 한 번 켜지는 날에 너는 동방의 밝은 빛이 되리라"

　　실제로 자와하랄 네루 등 인도 민족독립운동의 지도자들은 한국의 3·1운동을 매우 높이 평가하였다. 3·1운동의 영향은 인도지나반도와 필리핀과 아랍의 일부 지역에까지 파급되어 독립운동에도 영향을 끼쳤다. 또한 필리핀에서는 미국의 식민지 지배에 반대하여, 1919년 여름에 마닐라 대학생을 중심으로 독립시위운동이 일어났다. 또한 이집트에서도 영국의 식민지 지배에 반대하여 1919년 여름에 카이로 대학생들을 중심으로 역시 독립시위운동이 크게 일어났다.

---

9 『대한민국운동사자료(大韓民國運動史資料)』5, p.507. 여기에는 타골이 3·1운동 이전에 최남선에게 한국을 노래하여 써준 「정복당한 여인의 노래」가 각주와 함께 수록되어 있다. 원문은 영어(英語)인 듯 한데 여기에는 파리 강화회의에 제출하기 위하여 불어(佛語)로 번역되어 있다.

4

한성(漢城)정부의 수립

3·1운동은 민족을 이끌고 최후의 목적을 달성할 조직체의 부족으로 오랫동안 지속될 수 없었다. 통일적이고 조직적인 항쟁을 계속하기 위하여는 이를 실천할 수 있는 조직체가 필요하였다. 따라서 민족지도자들은 국내외에 임시정부(臨時政府)를 조직하게 되었다. 만세시위운동이 절정에 달한 1919년 3월 하순부터 4월 상순 사이에 한성임시정부(漢城臨時政府), 중국 상해(上海)에는 대한민국 임시정부, 노령(露領)에는 대한국민의회(大韓國民議會), 간도(間島)에는 군정부(軍政府)가 각각 수립되었다. 처음부터 이처럼 여러 갈래의 지도기관이 수립되게 된 것은 일제의 감시와 횡포가 심하여 불가피하였다.

한성정부의 중요성은 우리나라 수도에서 전국 13도 대표의 국민대회(國民大會) 명의로 수립되었다는 점이다.[10] 그리고 이 정부는 3·1운동의 정통을

---

10 국사편찬위원회, 『대한독립운동사』 pp.6~7.

이어받은 것으로 인정되는 데에 그 의의가 큰 것이다. 한성정부는 제일 마지막에 발표되었지만 이 계획은 3월 중순부터 마련된 것이다. 처음에 한남수(韓南洙), 김사국(金思國), 홍면희(洪冕熹) 등이 각 독립운동단체를 망라하여 국민대회를 조직, 임시정부를 수립하여 계통적인 독립운동을 하기로 모의하고, 3월 중순부터 비밀리에 계획을 추진시켰다.[11]

그리하여 4월 2일 인천 만국공원에서 임시정부 수립을 선포하기로 정하고, 천도교 대표 안남덕(安南德), 기독교 대표 박용희(朴用熙), 장붕(張鵬), 이규갑(李奎甲), 유림(儒林) 대표 김규(金奎), 불교 대표 이종욱(李鍾郁) 등이 선정되었다.

그 후 홍면희, 이규갑, 한남수 등은 상해의 독립운동본부(獨立運動本部)와 연락하기 위하여 4월 8일 상해로 떠나고, 다음 일은 안상덕에게 맡겼다. 그러자 이교수(李敎需), 이민태(李敏台), 이응교(李應敎), 윤용주(尹龍周) 등이 참여하여 국민대회 준비를 계속하였다. 그 장소는 서울 시내 서린동의 중국 요리점 봉춘관(奉春館)으로 하고, 학생 수천명을 종로에서 시위하게 하고 자동차로 시내 각처에 전단을 배포하도록 계획을 세웠다.

자금은 안상덕, 현석칠(玄錫七) 등이 각각 600원(圓)을 내어 동화당약국(同和堂藥局) 민강(閔橿)에게 금전출납을 시키고 김사국은 거사 당일의 집행 총책임을 맡고 돈도 여기서 가져갔다. 이에 앞서 이동욱(李東旭)으로 하여금 '국민대회취지서(國民大會趣旨書)'와 '선포문(宣布文)'을 기초하도록 하고, 인쇄는 현석칠이 맡아 목각(木刻)으로 약 1,000매를 인쇄하였다.

또 김사국은 김유인(金裕寅)을 통해 장채극(張彩極)에게 내일이 거사일이라고 알리고 ①자동차 3대에 '국민대회공화만세(國民大會共和萬世)'라고 쓴

11 홍순옥(洪淳鈺), 「한성·상해·노령임시정부(露領臨時政府)의 통합과정」, 『3·1운동 50주년기념회집』, p.899, 동아일보사

기(旗)를 달고 동대문 남대문 서대문에서 각각 출발하여 보신각에 도착할 것 ② 노동자 3,000명이 보신각 앞에 집합하여 국민대회기를 걸고 정오를 기하여 독립만세를 외치며 시위에 들어갈 것 ③그때 봉춘관에서 13도 대표가 모여 국민대회를 열고 임시정부 수립을 선포하되, 봉춘관 앞에는 '국민대회'라는 간판을 달 것 등 구체적인 계획을 수행하도록 하였다. 이에 행동 책임자들은 인쇄물, 기(旗), 간판 등을 준비하고 행동부서를 정하였다.[12]

4월 23일 장채극은 김유인과 함께 기, 격문 등을 각 책임자와 노동자 지휘부에게 나누어 주어 행동을 개시하도록 했다. 그리하여 유태응(劉泰應), 박수봉(朴壽奉) 등 노동자 지휘자들은 종로 보신각 앞에서 기를 흔들며 독립만세를 외쳤다. 한편 이만봉(李萬奉)은 서대문으로부터, 다른 2명은 동대문, 남대문에서 기를 휘두르며 유인물을 뿌렸다.

염우렬(廉禹烈), 김병호(金炳鎬), 류기원(柳基元), 김홍식(金洪植) 등은 예정대로 각각 동대문 방면, 서대문 방면, 창덕궁 방면에 격문을 뿌렸다. 그리고 장채극, 전옥결 등은 인력거(人力車)로 '국민대회' 간판을 싣고 가서 이철(李鐵)이 데리고 간 김철백(金徹伯), 송병봉(宋炳鳳)에게 달게 하였다.[13]

일본 헌병대 보고에 의하면 이날 학생 차림의 5명이 '국민대회(國民大會)', '공화만세(共和萬歲)'라고 쓴 기(旗) 3개를 가지고 만세를 부르며 뛰어가다가 2명은 잡혔으나 각종 인쇄물이 뿌려졌다고 하였다.[14]

그리고 국민대회 13도 대표자로 서명한 이용규(李容珪), 최전구(崔銓九), 이래수(李來秀), 유근(柳瑾) 등 4명이 종로경찰서에 체포되었다.[15]

이렇게 하여 한성정부 수립을 위한 국민대회는 국민대회 취지서를 발표

---

12 상동(上同)

13 장도식, 「3·1운동사」 민강(閔薑)의 취조공술문(取調供述文)

14 김정명(金正明), 「조선독립운동 I」 p.649.

15 김정명(金正明), 「조선독립운동 II」 p.17.

하고 결의사항 채택과 선포문을 선포, 약법(約法)을 제정하고 임시정부 각원(閣員)을 선임 발표하였다.

한성정부의 수립으로 노령(露領), 상해, 한성 등에 3개의 정부가 수립되었다. 이러한 분열은 대외활동에 큰 지장을 초래하였기 때문에 국내, 미주(美洲), 중국, 노령 등지의 교포를 대표하여 상해에 모인 대표자들 사이에 절충안이 모색되었다. 그 결과 법통(法統)은 한성정부를 계승하고, 위치는 상해에 둔다고 결의함으로써 대한민국 임시정부가 수립되었다. 임시정부의 수립지역을 상해로 결정한 것은 일제가 직접통치하는 국내에는 정부를 둘 수 없고, 만주나 노령에는 한국 교포가 많지만 일본군이 주둔하는 요충지이므로 비교적 안전한 상해에 두기로 한 것이다.[16]

이리하여 3·1운동의 정신을 본받아 6개월의 진통을 겪으면서 수립된 정통 유일 정부는 왕이나 재상(宰相) 중심시대에서 백성(百姓) 중심시대의 막을 열었다. 이상과 같이 살펴 본 3·1운동은 단순히 우리 민족이 태극기를 들고 독립만세만 외치며 거리를 누비고 다닌 것이 아니다.

우리 민족 모두가 일치단결하여 일제의 무력탄압과 학살(虐殺)에도 굴하지 않고 독립을 쟁취하겠다는 피맺힌 절규였다. 이 운동은 세계의 이목을 놀라게 하여 한국인에 대한 인식을 새롭게 하였다. 궁극적 목표인 국권회복과 민족의 자주독립은 성취하지 못하였지만, 세계의 여론을 환기시키며 후일의 조국 광복에 밑거름이 되었다.

---

16 홍순옥(洪淳鈺), 전게 논문, p.897.

5

임시정부의 수립과 활동

1) 독립운동의 중추 기구

3·1 운동은 상하이에 정통 정부인 대한민국 임시정부를 탄생시켰다. 이는 국내에서 13도 대표가 창설한 한성정부를 계승하기로 했다. 1910년 이래의 정부 공백 상태를 메웠다는 의미에서 한민족이 일제에 의한 민족 수난기에 민족사적 정통성을 회복한 것이다. 이 정부는 군주제를 벗어난 공화정부로서, 민주국가의 성격을 띠었으며, 민족 지도자들의 근대적 정치의식이 확대되고, 새 시대로의 전환이 이루어지고 있음을 의미하는 것이었다. 임시정부는 민주공화제 정부로서, 국내외의 독립운동을 보다 조직적이고 효과적으로 추진하는 중추기관의 임무를 담당해 나갔다.

임시정부는 원래 1910년대 초에 수립될 듯 하였으나 성립을 보지 못하였다. 그러다가 3·1 운동 이후 여러 곳에서 정부 수립의 움직임이 진행되어 상하이의 대한민국 임시정부를 비롯하여 국내에서 한성정부, 시베리아의 대한국민의회, 간도의 군정부 등 여러 갈래로 정부가 수립되었다. 그러나 전 민족을 이끌고 보다 강력한 독립운동을 추진하기 위해서는 통합된 정부가 필요하였기 때문에 대한민국 임시정부로 통합되었다.

1919년 2월 연해주 대한국민의회에서 손병희를 대통령으로 하는 정부안을 내놓았다. 3·1 운동 직후인 4월 13일에는 상하이에서 이승만을 국무총리로 하는 정부안이, 4월 23일에는 국내에서 이승만을 집정관 총재로 하는 한성정부안이 각각 발표되었다. 임시정부가 세 곳에서 발표되자 자연히 하나의 정부를 수립하기 위한 통합운동이 일어났다. 연해주와 상하이측은 한성정부안을 수용하고 정부는 상하이에 둔다는 통합 원칙을 마련하였다.

통합 과정에서 임시정부를 어디에 둘 것인가 하는 문제로 진통을 겪었다. 임시정부의 위치 문제는 독립운동 방법론과 맞물려 있었다. 외교론의 입장에 서있던 사람들은 임시정부를 상하이에 두자고 주장한 반면, 무장항쟁을 중시하던 사람들은 이를 반대하였다. 결국 임시정부의 위치를 상하이로 하는 대신 연해주의 이동휘 등 일부 세력이 상하이 의정원에 합류하는 형태로 통합되었다. 임시정부는 대통령 선정 문제로 또 한 차례 진통을 겪었다. 이승만이 대통령으로 추대되자 신채호 등은 그가 미국 대통령에게 '위임통치청원서'를 보낸 사실을 들어 반대하고 나섰다. 이러한 비판 여론에도 상하이 의정원은 1919년 9월 공화주의와 삼권분립의 원칙에 기초한 헌법을 공포하였다. 11월에는 이승만을 임시 대통령으로, 이동휘를 국무총리로 하는 대한민국 임시정부가 출범하였다.

2) 임시정부의 헌장

대한민국 임시정부는 각지의 임시정부가 하나로 통합된 뒤, 민주주의에 입각하여 근대적 임시 헌법을 갖추고 출범하였다. 이에 따라, 임시정부는 임시 의정원과 국무원으로 구성된 한국 최초의 민주공화정체의 정부 조직을 갖추게 되었다. 대한민국 임시정부가 군주제를 버리고 민주국가의 공화제로 세워진 것은 1880년대 급진개화파 인사들이 주창했던 개혁정치의 염원이 이 시기에 와서 이룩되었다고 볼 수 있다. 임시정부의 헌정적 지도체제는 대한 민국 임시정부 수립 이후 5차에 걸친 개헌 과정을 통하여 이루어졌다.

제1차 개헌은 대통령 지도제로서 대통령이 국정을 총괄하였다. 그 뒤 6 년 만인 1925년, 제2차 개헌을 통하여 국무령 중심의 내각책임지도제로 전 환하였다가, 2년 뒤인 1927년에 제3차 개헌을 통하여 국무위원 중심제인 집단지도체제로 변경한 후, 14년간 계속되었다. 그 뒤, 1940년에 제4차 개 헌을 통하여 주석 중심제인 주석지도체제로 전환하여 강력한 지도력을 발 휘하다가 1944년에 제5차 개헌을 통하여 주석 부주석 중심체제로 전환, 1945년까지 계속되었다. 1919년 4월 상하이 프랑스 조계에서 국내외 대표 자 29인이 모여 임시 의정원을 구성하고, 4월 11일 10개조의 '대한민국 임 시 헌장'을 발표하였다. 그 내용은 다음과 같다.

대한민국 임시 헌장

제1조 대한민국은 민주공화제로 한다.

제2조 대한민국은 임시정부가 임시 의정원의 결의에 의하여 이를 통치한다.

제3조 대한민국의 인민은 남녀 귀천 및 빈부의 계급이 없고 일체 평등하다.

제4조 대한민국의 인민은 종교, 언론, 저작, 출판, 결사, 집회, 통신, 주소 이전, 신체 및 소유의 자유를 향유한다.

제5조 대한민국의 인민으로 공민 자격이 있는 자는 선거권 및 피선거권을 가진다.

제6조 대한민국의 인민은 교육 납세 및 병역의 의무가 있다.

제7조 대한민국은 신의 의사에 의하여 건국한 정신을 세계에 발휘하며, 나아가 인 류의 문화 및 평화에 공헌하기 위하여 국제연맹에 가입한다.

제8조 대한민국은 구(舊)황실을 우대한다.

제9조 생명형(刑), 신체형 및 여창제(女娼制)를 모두 폐지한다.

제10조 임시정부는 국토 회복 후 만 일개년 내에 국회를 소집한다.

3) 광복운동의 전개

임시정부는 초기에 전체 독립운동가들의 동조를 얻지 못하여 국민대표회의가 소집되는 등 진통을 겪었다. 그러나 1925년에 김구가 국무령으로 선출되어 강력한 지도력을 발휘하면서 정부로 발전하게 되었다.

그 후 일본의 중국 침략에 따라 10여 차례에 걸쳐 중국 각지로 이동하는 어려움을 겪기도 하였으나, 빼앗긴 조국의 광복을 위하여 끝까지 항전을 계속하였다. 임시정부의 연통제는 국내외를 연결하는 행정체계로, 이것은 정통정부의 기능을 발휘한 비밀 조직망이었다. 연통제 실시 2년 만에 전국의 도·군·면에는 독판, 군감 등의 비밀 행정 조직이 만들어져, 한민족은 누구나 이 조직을 통하여 독립운동에 가담할 수 있는 길이 마련되었다. 국내의 한국인은 이 조직을 통하여 임시정부와 연락할 수 있었고, 군자금도 전달할 수 있었다.

군자금은 만주의 이륭양행이나 부산의 백산상회를 통하여 임시정부에 전달되기도 하였다. 또, 애국공채 발행으로 모금하기도 하였는데, 이렇게 마련된 자금은 각지에서 독립전쟁에 참여하고 있는 독립군에 전달되어 그들의 사기를 북돋워 주었다. 또 임시정부는 교통국의 통신망을 통하여 국내외를 연락하기도 하였다. 한편으로는 외교총장으로 선임된 김규식을 전권대사로 파리 강화회의에 파견하여 한국의 독립을 주장하게 하였다. 또 국제연맹에의 호소나 태평양회의에 국내외 국민의 독립 열망을 전달하는 운동도 전개하였으며, 미국에 구미위원부를 두고 이승만을 중심으로 적극적인 외교 활동을 전개하여 국제적으로 한국의 독립 문제를 상기시켰다.

임시정부는 기관지로 독립신문을 간행, 배포하고, 사료편찬소를 두어 한일관계사료집을 간행하였으며, 밖으로 한국의 자주성과 우월한 민족문화를 인식시키고, 안으로 민족의 독립의식을 고취시켜 조국의 광복을 달성할 수 있다는 자신감을 안겨 주었다.

4) 임정(臨政)의 침체

임시정부가 그 위치를 상해에 정했다는 사실부터가 독립전쟁론에 입각한 정부라기보다 실력양성론, 외교독립론 중심의 정부였음을 말해주고 있다. 따라서 만주나 연해주지방에 있는 많은 독립군 단체들을 직접 통제하지 못했고 따라서 이 지방 독립군의 전력이 통일되지 못했다. 한때 임시정부는 심한 정쟁과 파쟁 속으로 휘말려 들어갔다. 특히 외교독립에 바탕을 둔 이승만의 국제연맹 위임통치론은 정쟁의 가장 큰 불씨가 되었다.

이렇게 되자 북경을 중심으로 신숙(申肅), 신채호(申采浩) 등 독립전쟁론자들은 군사통일주비회(軍事統一籌備會)를 열고 이승만을 불신임하면서 임시정부 활동과 독립운동 전체의 방향 전환을 위한 국민대표회의 개최를 주장했고 이에 상해와 만주·노령지방이 호응하고 나섰다.

해외동포사회의 70여 단체 대표 1백여 명이 모인(1923. 1) 국민대표회는 지금까지의 독립운동 과정 전체를 반성하는 한편 임시정부를 독립운동의 실천에 맞도록 개조하자는 개조파(改造派)와 현존의 임시정부를 해체하고 새로운 정부를 수립해야 한다는 창조파(創造派)로 나뉘어져 팽팽히 맞섰다. 결국 국민대표회는 결렬되고 창조파는 새로운 정부를 만들어 노령으로 갔으나 소련의 원조를 얻지 못해 실패하고 말았다.

국민대표회에 대한 찬반 양론으로 크게 타격을 받은 임시정부는 이승만을 탄핵하고 헌법 개정을 통해 대통령제를 없애고 국무령(國務領)으로 바꾸어 일종의 집단지도체제로 전환했다. 임시정부는 독립운동 전체를 통괄하는 정부라기보다 하나의 개별 독립운동 단체로 변하는 침체기에 들어가게 되었다.

6

임시정부의 세계사적 의미

1) 3·1운동의 중요성과 임시정부

1919년은 세계사에서나 한국사에서나 모두 중요한 시기였다. 세계사적으로 보면, 선발 제국주의 국가와 후발 제국주의 국가 사이에 한 차례 영토 쟁탈전이 끝난 시기이자, 그 마무리 작업으로 파리 강화회의가 진행되어 승전국을 중심으로 새로운 국제질서가 형성되는 출발점이기도 하였다.

식민지로서는 자신을 통치하고 있는 제국주의 국가의 승패가 결정적으로 작용하게 되었다. 영국이나 미국처럼 승리한 국가들로부터 통치 당하던 식민지는 사실상 해방을 기대할 수 없었기 때문이다. 따라서 외세에 눌려 살던 식민지들은 전쟁의 결과를 주시할 수밖에 없었다.

그런데 자신을 지배하는 제국주의 국가가 비록 승전국에 속했다고 하더라도 모든 것을 포기할 수는 없었다. 행여나 국제회의가 진행되다 보면 자기 민족과 국가의 문제를 다룰 기회가 올지도 모른다고 기대하는 마음이 생겼고 또 거기에 힘을 기울이게 되었다.

침략을 받거나 식민지를 겪던 나라들은 일반적으로 두 가지 목표를 세우고 있었다. 하나는 외세침략에서 해방되어 자주국가를 만드는 것이고, 다른 하나는 구체제나 중세사회로 돌아가기보다는 근대사회와 근대국가를 일구어내는 것이다. 전자는 제국주의 침략에 맞선 식민지 해방투쟁으로 나타났고, 후자는 전근대사회를 극복하여 근대사회를 구현하는 근대화운동으로 펼쳐졌다. 정리하자면 식민지 해방운동은 대개 자주독립과 근대국가 건설이라는 목표를 보편적으로 가지고 있었던 것이다.

한국사에서도 1919년은 중요한 의미를 가진 시기였다. 한일병탄 후 8년이 넘는 기간 동안 식민지라는 종속상태를 겪었는데 이를 벗어나 자주독립국가를 세울 수 있는 놓칠 수 없는 기회로 판단한 시기가 이때였다. 또 독립할 경우 세울 나라가 구시대로 돌아가는 군주국가가 아니라 근대 민주국가로 나아간다는 진보성을 확연하게 드러낸 때도 이 무렵이었다.

앞의 것이 식민지해방운동이고 뒤의 것이 근대화운동이다. 이러한 변화 현상이 이 시기에 두드러지게 나타났다는 점에서 한국사에서도 1919년은 매우 중요하다. 3·1운동에 나타난 한국인의 주장은 일제 침략과 점령이 무효라는 사실이다. 강제로 맺어진 조약과 협약들이 모두 무효이며 이러한 행위로 이루어진 모든 결과가 무효라는 점이 거기에 담겨 있다. 이를 뒤집어 말하면, 민족의 독립을 위해 투쟁하는 사람이야말로 정당성과 도덕성, 나아가 정통성을 가진다는 의미도 담고 있다.

또한 3·1운동 당시 국내에서 발표된 독립선언서 첫머리에 조선의 독립국임과 조선인의 자주민임을 선언한 것에서 알 수 있듯이 비록 대한제국을 일제가 멸망시켰지만, 한국이 이미 '독립국'이라는 사실을 분명하게 밝혔다. 이는 일제가 강제로 짓밟아 무너뜨린 나라를 다시 되살려 독립국을 세운다는 뜻을 천명한 것이다. 그렇게 선언된 '독립국'을 세우고 국가를 운영할 정부조직체를 만든다는 것은 역사적 과제였고, 이를 추진해 나간 열매가 바로 1919년 4월 중국 상해에 세워진 대한민국이라는 국가와 임시정부라는 정부조직체였다.

3·1운동에서 나타난 민중의 뜻은 더 이상 군주사회로 돌아가서는 안된다는 것이었다. 다시 말해 국민들의 인식 속에서 대한제국은 종결된 것이었다. 사실상 3·1운동은 회귀적 역사논리에 종지부를 찍은 거대한 '사건'임에 틀림없다. 따라서 민중의 뜻과 명령을 현실로 이끌어 낸다면, 그것은 바로 역사적 정당성과 정통성을 담아내는 일이다.

3·1운동은 한국사에서도 중요한 의미를 가졌다. 전통적인 피지배계급이 아니라 역사의 주제로 민중이 등장했기 때문이다. 더구나 그 민중이 새로운 국가와 정부조직체를 요구하였고 그 부름에 맞추어 대한민국이 세워지고 임시정부가 조직되어 한국 역사에서 최초로 민주공화정체가 등장한 것이다. 이로 말미암아 3·1운동과 대한민국 임시정부는 역사적 정통성과 정당성을 확보했다. 또 독립운동으로 근대화를 달성했다는 점은 높이 평가할 만하다. 이는 3·1운동과 대한민국 임시정부를 민족문제 해결 차원에서만 평가할 것이 아니라, 근대화를 지향하는 진보적인 기준에서 높게 평가할 필요가 있다는 말이다.

대한민국 임시정부는 세계 식민지 해방투쟁사에서 우뚝 솟을 만한 위상을 갖는다. 국가를 세우고 정부 조직을 구심점으로 삼아 무려 27년이나 투쟁한 사례는 그 어디에서도 찾아볼 수 없기 때문이다. 1919년은 바로 그러한 역사를 만들어낸 시점이자, 한국 독립운동가들이 세계 개조의 흐름을 적극적으로 이용하고 나선 출발점이기도 하다.

침략 제국주의 국가들이 민주사회, 시민사회를 만들 때 시민혁명을 거쳤다면 한국은 독립운동을 통해 시민혁명에 해당하는 성과를 올렸다. 식민지가 해방운동을 펼치는 과정에서 민족문제만이 아니라 근대사회를 일구어가는 전형적인 모델을 한국 역사가 보여준 것이다. '독립운동근대화론', '독립운동 근대국가건설론'은 그래서 설득력을 가질 수 있다. 1919년은 승전국만이 아니라 식민지에게도 좋은 기회로 파악되던 시기였다.

2) 3·1운동은 침략 및 수탈자에 대한 경종

세계에서 침략과 수탈로 살아간 제국주의 국가는 10개 정도의 나라에 지나지 않는다. 스페인과 포르투갈의 영토 팽창으로 시작된 절대주의는 전세계에 식민지를 만드는 데 앞장섰다. 그들에게는 그 행위가 '발견'이자 '진출'이었지만 그 앞에 무릎 꿇린 아시아, 아프리카, 아메리카의 나라에게는 좌절과 고통의 순간이었다. '진출'이란 이름으로 '침략'이 줄을 잇고 네덜란드 시대를 거쳐 프랑스와 영국이 패권을 다투는 시기가 뒤를 따랐다. 산업혁명을 거치면서 이들 서유럽 국가들은 세계 대부분의 지역을 식민지로 장악했고 뒤늦게 출발한 독일과 이탈리아, 그리고 러시아와 미국 등이 식민지 분할을 요구하면서 곳곳에서 부딪쳤다. 일본은 동아시아에서 나타난 제국주의 국가의 아류였다.

서유럽 국가를 제외한 나머지 국가와 민족들은 제국주의 침략에 짓밟히는 수난을 당했다. 동남아시아를 보면 인도네시아, 필리핀, 베트남, 인도 등이 네덜란드, 스페인, 프랑스, 영국 등에게 짧게는 100년에서 길게는 400년이 넘는 동안 침략을 받거나 반식민지 혹은 식민지 역사를 보내야 했다.

남아메리카는 아시아보다 훨씬 길었지만, 20세기 후반에 종속이론이 이 지역에서 튀어나온 사실을 보면, 유럽 열강에 얽혀있던 '제국주의 국가 - 식민지'의 종속성이 쉽게 벗어나기 힘든 그물임을 알 수 있다. 식민지 역사는 유럽에서도 많았다. 영국의 그늘 아래에서 800년이나 되는 기나긴 세월을 국토 상실과 반식민지, 또는 완전한 식민지라는 굴레를 거듭하며 살아온 아일랜드가 그 가운데서도 대표적인 사례이다.

제국주의의 침략과 수탈의 물결은 매우 강했다. 때문에 거기서 맞서 싸울 수 있는 식민지는 존재하기도, 존립하기도 힘들었다. 식민지의 저항이 미미할 수밖에 없었던 이유가 거기에 있다. 400년이나 전개된 스페인의 통치 아래, 필리핀은 별다른 저항을 보이지도 못했다. [17]

300년이 넘는 기간 동안 프랑스에 핍박받은 베트남도 유림들의 의병항쟁 등이 잠시 존재했을 뿐, 저항은 크지도 오래가지도 못했다. 240개 종족과 500개가 넘는 언어로 구성된 인도네시아는 벌일 수 있는 저항도 그 한계가 뚜렷했다. [18]

또 인도에서는 '제포이반란'이라 불리는 인도인 영국 용병들의 저항이 있기는 했지만, 엄밀하게 말해 처우에 대한 불만에서 싹튼 저항이지, 식민지 해방운동, 독립운동 차원에서 일어난 것은 아니다. 오랜 역사문화를 간직한 아시아지역이 이 모양이니, 아프리카나 오세아니아에서 제국주의에 저항한 대규모 독립운동은 거의 없었다고 볼 수 있다.

3) 3·1운동과 세계 식민지 해방투쟁

세계 식민지 해방투쟁사 차원에서 보면, 3·1운동은 제국주의의 침략 물결을 되돌려 놓으려는 투쟁의 선두주자였다. 비록 제국주의 열강 가운데 승전국이 판을 쳤던 파리 강화회의였고 여기에 해당사항이 될 수는 없었지만 식민지 해방 문제를 다루도록 요구하고 나선 것이 3·1운동이다.

한국 문제를 다루어 달라고 온 겨레가 하나되어 요청하고 나선 거사는 한 민족과 한 나라의 문제가 아니라, 세계 제국주의 열강에 대한 도전이기도 했다. 물론 그 힘이 모자라서 전달력이 약했지만, 패권주의 때문에 몰락

---

17 최병욱(1999), 「프랑스의 베트남 식민지 지배에 보이는 협조와 대결」, 『전통과 현대』 10, 1999 겨울호(http://www.jongtong.co.kr/99win/10s5.htm)

18 김희곤(2006), 「동아시아 독립운동 주도 조직의 성격과 대한민국 임시정부」, 『한국독립운동사연구』 26, 64쪽.

한 식민지가 독립을 얼마나 갈구하고 있는지를 그 사실만은 확실하게 전달하였다. 이러한 노력은 식민지 국가, 혹은 제국주의 국가의 침략 앞에 서 있던 나라들이 3·1운동 소식을 크게 보도한 이유도 거기에 있다.

3·1운동은 제1차 세계대전 직후 펼쳐진 세계 식민지해방운동 속에서 평가받아 마땅하다. 3·1운동은 시간적으로 선두에 있었고 중국의 5·4운동 과정에서 3·1운동을 높이 평가한 것은 그 반향이 결코 작지 않았다는 사실을 말해준다. 또 인구 대비 참가자들의 비율도 높았으며 무저항 비폭력투쟁이라는 방법면에서, 또 인류사회가 지향해 갈 인도주의를 제시한 사상적인 면에서도 높이 평가해야 마땅하다.

7

임시정부와 독립군

 1919년 9월 2일, 신임 총독 사이토 마코토가 서울에 부임하였지만 그를 기다리고 있던 것은 노령(露領)에서 돌아온 56세의 노의사(老義士) 강우규(姜宇奎)의 폭탄세례였다. 이로부터 개인에 의한 폭력저항은 1930년대 초에 이르기까지 부단히 계속되어, 자칫 잠들려는 민중의 민족혼을 불러일으켰다. 만세시위가 일단락되자, 항일독립운동도 교육, 산업 등에 의한 민족의 주체적 역량의 배양, 언론결사에 의한 일상적(日常的)인 항쟁 등 점차 지구적(持久的)인 태세로 들어가게 되었다.

 이와 보조를 같이 하여 일반 국민의 납세 거부(納稅拒否)운동, 일화 불매(日貨不買), 일본인에 대한 상품 불매(商品不買), 일본인 소유 토지 가옥 등의 매수 운동, 금주단연(禁酒斷煙)을 비롯한 소비절약(消費節約)운동, 국산장려(國産獎勵)운동 등 경제적 민족주의라고도 할 비타협 불복종운동으로 번져 갔다.

 갈수록 치열해진 조선 민족의 저항은 1931년 일본의 만주 침략에 이르기까지 1920년대의 약 10년간 절정을 이루었는데, 해외의 저항운동도 꾸준히 계속되었다. 그 중심은 중국 본토에 자리 잡은 대한민국 임시정부와 만주 노령에 산재한 여러 독립군 조직이었다. 임시정부 조직에 관한 움직임은 3·1 운동이 일어난 직후부터 시작되었다. 서로 연락 없이 각각 조직된 세 갈래의 임시정부는 일원화의 방향을 모색하여 그해 9월 11일에 상해 정부를 중심으로 통합을 실현, 다시 임시 헌법을 공포하고 임시 대통령에 이승만(李承晩), 국무총리에 이동휘(李東輝)를 선출하기에 이른 것이다. 이로부터 '대한민국 임시정부(大韓民國臨時政府)'는 3·1운동에서 유감없이 표시된 조선독립의 열원(熱願)을 기초로 하여 민족해방의 그날까지 조선 민중의 정부로서 악전고투를 하였다.

이 무렵 서북 간도와 노령에서는 국치 직후에도 활동하던 의병 등 무장독립운동단체들이 한동안의 정체상태를 벗어나 다시 활기를 띠고 여러 곳에 집단을 형성하기 시작하였다.

압록강 대안의 서간도에는 이상룡(李相龍), 여준(呂準), 김동삼(金東三), 이청천(李靑天) 등의 서로군정서(西路軍政署)와 조맹선(趙孟善), 박장호(朴長浩), 안병찬(安秉瓚) 등의 광복군사령부(光復軍司令部), 두만강 대안의 북간도에는 최진동(崔振東), 안무(安武), 홍범도(洪範圖) 등의 국민회군(國民會軍), 서일(徐一), 김좌진(金佐鎭) 등의 북로군정서(北路軍政署), 때마침 러시아혁명으로 볼셰비키 세력이 날로 강화되어 가고 있던 노령에서도 이범윤(李範允), 문창범(文昌範), 이동휘(李東輝), 최재형(崔在亨) 등의 무장단체들이 활동하고 있었다.

이 독립군들은 3·1운동이 일어난 그해 가을부터 이듬해 1920년 봄에 걸쳐 제1단계의 정비를 끝낸 뒤, 혹은 현지에 파견되어 있던 일본군 부대와 교전하고 혹은 국경을 뚫고 내지로 들어와 일본 관서를 습격하는 등 눈부신 활동을 전개하였다. 이 독립군의 활동 가운데서도 가장 유명했던 것이

1920년 6월 국민회군의 왕청현 봉오동(汪淸縣鳳 梧洞)전투, 1920년 10월 북로군정서의 화룡현 청산리(靑山里) 전투였다.

또 만주 길림(吉林)에서는 1919년 11월에 김원봉(金元鳳)을 중심으로 의열단(義烈團)이 조직되어 1926년까지 국내외에서 투탄 저격 등으로 세상을 놀라게 한 여러 사건을 감행하였다.

8

광복군의 대일전쟁

　대한민국 임시정부는 초창기에는 여러 지역에서 활동하는 독립운동단체와의 협력이 잘 이루어지지 않아 외교적 활동만을 전개하였다. 임시정부가 숙원사업인 광복군을 창설하는 군사계획을 개시한 것은 중일전쟁이 일어난 이후였다. 광복을 위해서는 일본과 결전을 벌이는 길이 최선이며, 국제정세도 일본과 전쟁할 시기가 임박하였음을 시사하고 있었다. 군사 계획을 추진함에 있어서 큰 장애는 훈련받은 군사 인재의 부족이었다. 이를 타개하기 위하여 임시정부 산하에 정규군이 필요하였다.

　이에 대한민국 임시정부의 김구, 김규식, 지정천 등은 만주와 시베리아에서 항쟁하던 신흥무관학교 출신의 독립군과 중국 대륙에 산재해서 독립운동에 종사하던 많은 한국 청년을 모아 충칭에서 광복군을 창설하였다(1940). 이보다 앞서 김원봉의 조선혁명단은 조선의용대를 결성하여(1938) 중국 각지에서 항일전쟁을 전개하고 있었다.

　광복군은 조선의용대를 흡수하여 3개 지대로 증강하였고, 중국 정부의 적극적인 협조를 받아서 연합군의 일원으로 대일전쟁에 참전하려고 노력하였다.

태평양전쟁이 일어나자(1941), 임시정부는 즉각 대외 활동을 펴 대일, 대독 선전포고문을 발표하였으며, 광복군을 연합군의 일원으로 참전시켜 침략자를 무찌르는 데 앞장섰다(1943). 광복군은 일본군이 있는 곳이라면 모두 독립전쟁을 위한 전투지역이라는 판단하에 각지에 파견하였는데, 광복군을 버마, 인도 전선에까지 파견, 참전시켜 영국군과의 연합작전을 수행하였다.

대일전에 참전한 광복군은 전투에 참가하는 것 외에도 대적 선전, 포로 심문, 암호문 번역, 선전 전단의 작성 회유 방송 등에 주력하였다. 이처럼 광복군은 여러 가지 악조건을 극복하면서 항전을 계속하였다. 조국의 광복은 줄기차게 계속된 이러한 독립전쟁의 댓가라고 할 수 있다.

9

봉오동·청산리대첩

1920년 6월 홍범도가 이끄는 대한독립군이 봉오동에서 일본군 1개 대대 병력을, 최진동의 군무도독부군, 안무의 국민회군과 함께 포위 공격하여 큰 승리를 거두었다. 이를 봉오동의 대승이라고 한다.

그 해 10월에는 청산리 대첩이 있었다. 이는 우리 역사에 길이 남을 항일 독립전투였다. 김좌진(金佐鎭), 나중소(羅仲昭), 이범석(李範奭) 등이 이끄는 독립군은 공격해 오는 일본군 2개 사단을 청산리 갑산(甲山) 등지에서 반격하여 크게 이겼다. 3·1 혁명 후 일제의 탄압이 점점 심해지자, 이에 의분을 참지 못한 우국지사들은 동삼성 등지로 모여들었다. 한편 러시아의 자유시로부터 무기 수입이 수월해지자, 독립군의 세력 팽창을 걱정한 일본은 중국 정부에게 중국 정부가 동삼성에서 한국의 독립군을 지원하여 육성하고 있다고 항의하였다.

이 항의에 굴복한 중국 정부는 한국 독립군에게 일본군의 눈에 띄지 않는 산속으로 들어가라고 권유하였다. 이에 김좌진 휘하의 북로군정서(北路

軍政署)는 1920년 9월 20일 장백산에 들어가 독립군을 정예부대로 양성키로 하고, 여행단(旅行團)을 편성하여 이범석을 단장으로 이동을 개시했다.

그러나 이때 일본군은 이미 우리 독립군에 대하여 협공작전을 개시하고 있었다. 함경북도 나남에 주둔해 있던 제21사단이 북쪽으로 공격해 오는 한편, 시베리아에 출전했던 일본군 제19사단은 장고봉(張故峰)을 넘어, 남쪽으로 내려오며 공격해 오고 있었다.

이 정보를 입수한 북로군정서는 부득이 장백산으로 들어갈 계획을 포기하고, 일본군의 협공에 대항할 작전계획을 세웠다. 10월 16일 총사령관에 김좌진, 참모장에 나중소, 연성대장(研成隊長)에 이범석을 임명하고, 전투태세를 갖추었다. 19일 독립군은 화룡현(和龍縣) 청산리 백운평(白雲坪)의 우거진 숲속에 유리한 지형을 골라 잠복하고, 부대를 2개 중대로 나누어 제1중대는 김좌진이 지휘하고, 제2중대는 이범석이 지휘키로 하였다. 19일에 일본군은 3면에서 백운평 숲 속으로 공격해 들어왔다. 우리 독립군은 이들 기병대를 숲속 깊숙이 잠복한 독립군 앞으로 유인하고, 일제히 사격을 가하여 5백여 명의 적을 섬멸했다.

승리를 거둔 독립군은 이날 밤 2시 40분까지 160여 리를 강행군한 끝에 갑산촌에 도착함으로써 일본군의 포위망에서 벗어났다. 그 곳에서 감좌진 총사령관과 이범석 장군은 다시 작전 계획을 세워, 천수평(千水坪)에 있는 일본의 기병대를 습격하기로 하였다. 천수평은 우리나라 사람들이 살고 있는 부락인데, 일본 기병대 1,200명이 주둔하고 있었다. 20일 새벽 독립군이 전격적인 공격을 가하자, 적은 완전히 마비상태에 빠져, 일본군의 시체와 군마가 곳곳에서 나뒹굴었다.

10

무장독립전쟁

3·1운동은 독립운동의 분수령이 되었다. 이를 계기로 민족 지도자들은 조국의 광복을 달성하기 위해서는 무엇보다도 무장독립전쟁의 조직적 전개가 급선무임을 자각하게 되었다.

이를 수행하기 위해 민족 운동자들은 무장독립운동의 지역적 잇점을 고려하여 간도를 비롯한 만주나 연해주 일대를 무장세력 육성의 기지로 삼았다. 따라서 이 지역에 살고 있는 100여 만명의 한민족을 기반으로 독립운동 기지화가 꾸준히 추진되어, 무장독립군을 편성하고 군사훈련을 강화하는 항일단체가 많이 등장하였다.[19]

이들 독립군들은 3·1운동 이후 일제와의 독립전쟁을 최대의 목표로 삼

---

19 1920년대를 전후하여 만주에서는 대한독립단, 서로군정서, 북로군정서, 대한독립군, 대한독립군비단, 의군부, 광복단, 태극단, 광한단, 광복군사령부, 광복군총영, 대한통의부, 광정단 등의 독립군이 설립되었으며, 연해주에서는 혈성단, 의군부, 경비대, 신민단 등이, 미국에서는 국민군단, 비행사양성소, 소년병학교 등이 설립되었다. 한편, 국내에서도 천마산대, 보합단, 의용단, 구월산대 등의 독립군이 설립되어 일제에 항전하였다

아 편제를 재정비, 강화하고, 무장을 갖추어 압록강과 두만강을 건너와서 일제 군경과의 항전을 활발히 전개하였다. 이러한 소식이 국내에 전해지자 수많은 청년이 간도를 비롯한 만주와 연해주 등지로 건너가 독립군에 가담하였다. 이와 같은 무장독립전쟁은 광복이 될 때까지 계속되었다.

미주 및 하와이에서의 무력양성운동은 박용만의 대조선국민군단 및 '산넘어 병학교'의 해산으로 사실상 종결되었다. 1919년 3·1운동을 계기로 미주 한인사회의 무력 양성 및 군사활동 후원 운동은 대한민국 임시정부 군무총장 노백린의 군단과 비행사양성소 설립, 상해의 대한민국 임시정부에 대한 후원, 그리고 원동으로 이동한 박용만의 국민군단 창설계획에 대한 하와이 대조선독립단의 후원활동을 들 수 있다.

우선 3·1운동 이후 미주지역에서 추진된 군인양성운동으로 주목할 만한 것은 임시정부 군무총장 노백린이 캘리포니아에서 창설한 군단과 비행사양성소 운영이다.

이후 노백린은 캘리포니아로 가서 대한인국민회의 후원을 받아 군단 설립과 비행사 양성에 착수하였다. 이 군단의 명칭은 호국독립군(護國獨立軍)이었는데,[20] 1920년 2월 20일 노백린과 김종림의 발기로 캘리포니아 윌로스 지방에서 창설되었고, 부속기관으로 한인비행사양성소를 병설하였다.[21] 이 군단은 둔전병식으로 운영되었는데 노동을 하면서 매일 일정한 시간의 군사훈련을 하였다.

학교에는 무선전신 장치가 있는 비행기 5대를 보유하고 있었고, 비행학교를 졸업한 미국인과 한인 비행사 6명으로 교수진을 구성하였다. 간부진을 보면 총재 김종림, 총무(또는 교장) 노백린 이하 서기, 재무, 연습생 감독,

___
20 김정주, 조선통치사료7 동경, 한국사료연구소 P.417, 1971.
21 김원용, 재미한인 50년사 P.350 Reedley, CA, 1959

간사를 두었다.[22] 재정은 당초 캘리포니아 스탁톤에 거주하는 부호 김종림이 충당하였지만, 1920년 6월 30일부터 7월 8일까지 샌프란시스코에서 개최된 대한인국민회 북미지방총회의 결의에 따라 회원들이 1개년 수입의 5%를 소득세로 납부하여 후원하였다.[23]

---

22 김정주 앞의 책 P.417
23 김정주 앞의 책 P.417

6·10만세운동

1920년대의 독립운동은 민족주의계와 사회주의계의 대립 속에서 진로 모색에 어려움이 있었다. 3·1운동 이후 민족주의자들은 독립투쟁을 강화하고자 한때 사회주의계와 연결하였다.

그러나 사회주의자들 내부에서 심한 파쟁이 벌어졌고, 또 그들은 민족독립보다는 세계의 공산화를 최종 목적으로 삼았기 때문에 민족독립을 지상과제로 투쟁하는 민족주의자와의 연결은 혼선만을 초래한다고 생각했다. 독립투쟁의 이러한 혼선을 극복한 것은 6·10독립만세운동과 광주학생항일운동이었다.

1926년의 6·10독립만세운동은 순종의 인산일을 계기로 일어난 만세시위운동이었다. 그것은 3·1운동에 뒤이은 거족적 항일운동이었다. 이어서 1929년에 일어난 광주학생항일운동은 한·일 학생간의 민족 감정의 폭발로 일어난 대규모 항일학생운동이었다. 이 운동은 다음 해까지 계속되었는데, 학생뿐만 아니라 일반 국민들까지 합세하여 전국적인 규모의 독립운동으로 발전하였다. 당시 국내외에서는 독립운동이 끊임없이 계속되었는데, 김원봉 등의 의열단과 김구 등의 애국단 활동이 특히 두드러졌다. 이들에 의한 제국주의자의 암살, 착취기관에 대한 폭탄 세례, 군자금 조달 등의 활동이 잇달았다. 나석주의 동양척식주식회사 투탄 의거, 이봉창의 일본 천황 암살 미수 의거, 윤봉길의 홍커우공원 의거, 조명하의 타이중 의거는 대표적 예이다.

1926년 4월 26일 조선왕조 최후의 황제 순종이 승하하여 또 한번 온 국민에게 슬픔을 안겨주었다. 1907년(광무 11년) 고종의 뒤를 이어 융희 휘호로 강제 등극한 순종은 명성황후(민비)가 낳은 유일한 혈육이었으며 즉위 3년만에 경술국치를 당하여 16년간 창덕궁에 유폐 당하였다. 덕수궁에 유폐 당했던 아버지 고종황제(고종)는 1919년 1월 20일 독살설이 분분한 가운데 승하하였고 7년 뒤 마침내 그마저 서거하게 되었다.

당시의 신문들은 융희황제의 승하를 그 어느 때보다도 크게 보도하였다. 순종의 인산일(因山日)은 6월 10일이었다. 일제는 3·1운동과 같은 만세시위가 또다시 일어날까 두려워서 서울에 비상경계령을 내렸으며 평양과 함흥, 나남 그리고 일본 동경 등지에서 육해군 5천명을 서울로 집결시켰다.

그리고 부산과 인천에는 제2함대 군함을 대기시키는 법석을 떨었다. 종로서 형사대는 요시찰인을 대상으로 사전 검속을 시작하여 1만 수천명을 체포하였다.

그러나 4월 27일부터 6월 10일까지 창덕궁 돈화문 앞에서 애도하는 인파가 끊이지 않았고 지방에서도 망곡하는 소리가 끊이지 않아 마치 민족의 망국한(亡國恨)을 소리치는 것 같았다. 순종이 승하한 다음 다음날인 4월 28일에는 송학선(宋學先)이 창덕궁 금호문(金虎門)에 들어서는 사이토 총독 가슴에 칼을 꽂았다. 국왕의 죽음에 대한 민족의 보복이었다. 그러나 칼을 맞아 죽은 자는 총독이 아니라 좌등(佐燈)이라는 총독부 관리였다.

일제는 이 금호문 사건을 계기로 일체의 애도와 망곡을 금지한다고 발표했다가 낮에만 허용하고 오후 6시 이후에는 절대 금지한다고 바꿨다. 전국의 상가는 철시하고 학생들은 맹휴하는 가운데 6월 10일이 다가왔다. 이날 신문들은 그 광경을 대서특필하여 보도하고 있다.

"봉도민 20만명, 연도 양측에 학생 2만명 도열. 이화(梨花)같이 소복한 예기(藝妓) 5백명 청량리 일대에서 봉도"

1926년의 6·10만세운동은 7년 전의 3·1운동과 3년 뒤의 광주학생독립운동을 이어주는 가교로서 매우 중요한 사건이었다. 이 무렵 공산주의자 권오설은 융희황제를 모독하는 글을 발표했다.

"민중들이여, 우리는 우리의 가슴에 손을 대고 물어보자. 우리의 통곡, 복상의 진의가 과연 정당한 일인가. 소위 왕년의 융희황제의 성덕과 효성을 아는 사람이 몇이며 또 크게 감격한 사람이 몇이나 있었던가. 우리들 민중은 이것을 아는 사람, 감격한 사람이 하나도 없다. 다만 그이가 우리의 군주로서 일본과 병탄조약을 맺고 국가의 주권을 박탈당하고 2천만 생명을 왜놈의 노예가 되게 했다는 기억과 또 그이가 정신과 육체의 불구자였다는 것 이외에는 아무것도 아는 것이 없다."

그러나 그의 말과 달리 순종은 불효자도 아니요, 정신과 육체의 불구자도 아니었다. 그 근거는 위당 정인보가 영친왕의 명을 받아쓴 「유릉지문(裕陵誌文)」에 나와있다. 이 글은 끝내 비석에 새겨지지 못한 채 오늘에 이르고 있는 귀한 글이며 순종의 모든 것을 밝힌 기록이다. 이 글을 보면 순종은 21세에 어머니 명성황후를 일제의 칼날에 잃었으며 1919년 나이 45세에 부황인 고종을 역시 일제의 독약에 잃었다. 이처럼 인간적으로도 매우 불행한 생애를 타고 났지만 현명하게도 그는 그 슬픔을 가슴에 담은 채 신하들에게 드러내지 않았다. 그만큼 그의 한은 깊고 컸으며 결국 그것이 병환이 되어 53세의 젊은 나이로 유명을 달리했던 것이다. 정인보의 미공개 전기에 따라 순종은 마땅히 재평가되어야 할 것이다.

최근에 밝혀진 바와 같이 최후의 황제 순종은 정미 7조약이나 치욕의 경술병탄조약에 끝까지 수결(즉 서명)하기를 거부한 용감한 황제이기도 하였다. 그러나 조선왕조 최후의 황제는 '나라를 잊지 말라'고 경고나 하듯이 이 민족에게 경종을 울려주면서 숨을 거두었다.

12

광주학생독립운동

광주학생독립운동의 진원지인 광주고보는 1919년 김형옥 등 전라남도 유지 50여 명이 기금을 마련하여 이듬해 5월에 설립한 민족학교였는데 1년도 채 못되어 1922년 3월 관립학교로 강제 편입되어 일인 교장이 취임하였으니 일제식민주의 교육폭력의 대표적인 제물이 되었다. 광주는 광주학생독립운동 전부터 의병전쟁의 전통을 계승하고 있다. 1894년의 갑오동학농민운동이 농민의 구국운동이었다면 1907년 이후 4년간에 걸친 의병전쟁은 학생과 지식인의 애국무장투쟁이었다.

이 투쟁은 호남이 그 중심이었다. 1910년의 경술국치를 저지하려 했던 호남의병전쟁, 야만적인 일제의 무단통치를 반대했던 1919년의 3·1운동, 기만적인 문화정치에 반대하여 일어난 광주학생독립운동은 바로 한국근대사와 독립운동사의 세 마디요, 세 단계며 줄거리이다. 만일 이 세 운동사가 없었다면 한국근대사는 치욕과 수난의 역사일 뿐 후대에 남길 아무런 교훈거리도 없는 역사가 되고 말았을 것이다.

1929년 11월 3일 일어난 광주학생독립운동은 3·1운동때 보여 주었던 평화적 만세시위운동으로만 끝나지 않았다. 이 운동은 투쟁본부를 중심으로 조직적으로 전개된 독립투쟁이었다. 이들 구호는

"장엄한 학생 대중이여!/ 최후까지 우리들의 슬로건을 지지하라!/ 그리고 분기하자!/ 싸우자 굳세게 싸우자!/ 언론, 출판, 집회, 결사, 시위의 자유를 획득하자!/ 조선인 본위의 교육제도를 확립하라!/ 식민지 노예교육을 철폐하자!/ 청년 대중아, 죽음을 초월하여 싸우자!/ 만행의 광주중학(일인학교)을 폐쇄하라!"

이와 같이 당시 학생들의 투쟁 구호는 민족해방과 자주독립을 요구하며 죽음을 무릅쓴 항쟁과 어떤 타협도 용납할 수 없는 절대 자유와 독립을 호소하고 있다. 광주학생독립운동은 광주지방에만 국한되지 않고 삽시간에 전국으로 확대되어 갔고 1934년까지 무려 5년간이나 일제 식민지교육을 중단하지 않을 수 없게 만든 항일독립운동으로 발전하였다. 따라서 이 운동은 단순한 학생운동의 차원을 넘어선 민족운동이요 독립운동이었다. 그런 뜻에서 오늘의 공식명칭인 광주학생독립운동은 그 역사적 의의를 정확히 표현한 것이라고 할 수 있다.

첫째, 광주학생독립운동은 일제 식민정책의 핵이라 할 수 있는 이른바 민족차별교육, 노예교육에 항거하는 독립운동이었다. 일제의 교육정책은 동화주의를 기본목표로 2천만 조선민족을 일인화(日人化)하려 획책하고 있었으며 일본어나 겨우 해독하는 정도의 보통교육에다 실업교육을 곁들이는 반문맹인(半文盲人) 생산에 역점을 두고 있었다.

1930년 한국인이 다닐 수 있는 학교 총 711개교 가운데 대학은 단 하나이었고, 전문학교 13개교, 고등보통학교 24개교, 사범학교 14개교, 여자고보

16개교였다. 이에 반해 실업학교 52개교, 실업보습학교 83개교 그 밖의 학교 508개교였다는 사실만 보더라도 그들의 교육목표가 우민화(愚民化)에 있었다는 것을 알 수 있다. 이를 5년 전인 1915년의 학교 수 784개교와 비교하면 73개교나 줄어든 것이다. 학생 수 역시 1925년의 9만 9천명에서 9만 5천명으로 줄어들었다.

인구 2천만명 중 10만명도 안되는 학생을 갖고 있었다는 사실은 단지 그것만으로도 그들 교육정책의 실상을 알아볼 수 있다. 거기에 더하여 그들은 심한 차별교육을 실시하였으니 7배 밖에 되지 않는 일본인 학생들을 위하여 20배나 더 많은 예산을 일본인 학교에 지원하고 가르쳤다. 더욱이 학교 교사를 일본인으로 채웠으며 교과목 역시 일본어, 일본 역사를 가르치고 조선말과 조선 역사는 교육하지 않거나 수업시간을 대폭 감축시켰다.

한국 학생들은 이러한 식민지 노예교육에 대한 항거로서 백지동맹, 동맹휴학을 투쟁방법으로 채택하였다. 맹휴는 1921년의 33회에서 1922년 57회, 1926년 72회로 늘어났으며 특히 6·10만세운동이 일어난 1926년 이후 1929년까지 급격한 증가현상을 보이고 있다. 동맹휴학의 주된 원인은 일본인 교사의 망언과 폭언 그리고 학교의 시설 부실 등에 대한 항의가 대부분이었고 그 밑바닥에는 식민정책 전반에 대한 반대가 깔려 있었다.

우리나라 근대학생운동을 1896년의 협성회 창립 이후 1910년까지 애국계몽주의를 주조로 했던 학생운동단계, 그리고 1919년 2·8학생독립선언을 계기로 독립운동을 기본성격으로 하는 민족운동단계로 들어서게 된다고 설명하고 있다. 1919년 3·1운동에서 학생들은 운동의 전위적 역할을 담당함으로써 근대적 교육을 받은 학생운동세력이 처음으로 민족운동 내지는 독립운동에서 두각을 나타내기 시작하였다는 것이다.

그러나 3·1운동은 단지 학생운동이 아니고 3·1독립운동이라는 큰 테두리 안의 일부분이었다면 그로부터 꼭 10년 뒤에 일어난 광주학생독립운동은 학생 독자의 힘으로 독립운동을 발기하고 조직하는 단계로 성장한 것이다. 따라서 1920년대의 항일맹휴운동은 학생운동의 성장 발전을 이루는데 있어 중요한 준비과정이요 징검다리였다고 할 수 있다.

광주학생독립운동은 이와 같이 일제하 학생운동으로서는 가장 완성된 형태의 학생운동이었으며 사상적으로도 순수한 민족독립운동이었다. 다른 한편 1929년의 광주학생독립운동은 일제의 이른바 문화정치를 반대하고 이를 파탄시켰다는 역사적 의의도 갖고 있다.

13

관동대지진

1923년은 일본에 대지진이 일어나 동경 일대가 불바다를 이루고 사망자 9만 9천여 명, 행방불명 4만 3천여 명, 이재민 10만명이라는 대참사를 빚은 해다. 관동대지진은 정확하게 1923년 9월 1일 낮 12시 2분전에 일어났다. 마침 점심때라 밥 짓던 불이 목조가옥에 옮겨 붙어 동경에서는 전체의 70%, 이웃한 요코하마에서는 60%의 가옥들이 전소해 버리고 사람들은 공원 같은 넓은 광장에 모여 들었다. 때마침 불어닥친 강풍에 타죽거나 질식사 하는 참극도 벌어졌다. 한 곳에서 무려 4만명이 떼죽음 당하는 일까지 일어났다.

1923년의 관동대지진은 사상 유례 없는 대참변이었다. 그러나 관동대지진 때 벌어진 최대의 참극은 일본인들의 떼죽음이 아니라 일본인들의 죽창에 무고하게 쓰러져 강물에 던져진 한국인들의 죽음이었다. 이때 일본 경찰 총책임자인 내무대신 미즈노와 경시총감 아카이케는 3·1운동 때 조선총독부 정무총감과 경무국장을 지내면서 3·1운동 진압에 공로를 세운 자들이었다. 이들은 여론을 조작하여 재일조선인을 모조건 불령선인으로 적대시하게 유도하여 오다가 관동대지진이 일어나자 조선인 폭동설과 우물에 독약투입설을 유포시켜 지진이 일어난 9월 1일 저녁부터 9월 10일까지 군관민 합동으로 소위 조선인 사냥을 하도록 만들었다.

학살은 동경뿐만 아니라 이웃한 신내천(神奈川), 군마(軍馬), 천엽(千葉) 등지에서도 벌어져 최소한 6천 6백 61명(임시정부「독립신문」김승학의 조사 결과)이 죽창으로 혹은 총으로 참살당해 동경시내 강물 하수장에 던져졌다. 계염령하에서 자행된 천인공노할 만행은 극비리에 이루어져 당시는 물론 그 뒤에도 계속 은폐되었다. 오늘날까지도 일본 정부는 보상이나 사죄는커녕 조사조차 못하도록 가로막고 있다.

일제의 폭압을 피해 간도로 간 사람들은 1920년 경신참변(庚申慘變)을 당해 수만명이 죽고 일본으로 품팔이 간 사람들은 1923년 관동대지진때 대학살을 당했던 것이다. 겨우 살아남은 재일동포들은 대거 부산항으로 돌아왔지만 죽은 사람들은 시신도 찾지 못했다.

미 의원단 내한과 민족운동

　미국 의원단(美國議員團)의 중국 도착에 맞추어 한국독립 청원운동(韓國獨立 請願運動)을 시도하였다. 미의원 관광단(美議員觀光團)이라는 명목으로 미국 상·하 의원과 그 가족들이 1920년 8월 5일 상해에 도착하였다. 전체 인원은 123명이었는데 상원의원 3명, 하원의원 39명, 그리고 그들의 가족과 수행원이 74명이었다.[1]

　일제의 강압적인 통치하에서도 거족적인 3·1운동이 전개되었고, 이로 인하여 상해에 임시정부가 새로이 수립되어 일제로부터 한국독립을 쟁취하려는 한민족의 의지가 강렬했던 시기에 한국으로서는 미국의 지원이 필요하였기 때문에 활동을 전개할 중요한 기회라고 생각하였다.

　한편 만주와 노령지역에서는 독립전쟁을 수행하고 있었지만 상해의 임

1　김정명(金正明) 편(編), 민족주의운동연감(民族主義運動年鑑), 1920년 8월 5일자, 『조선독립운동(朝鮮獨立運動) Ⅱ』 동경(東京) 원서방(原書房), p.241.

시정부에서는 외교적 활동이 당면문제이었으며, 당시로서는 미국이 제일 큰 우방이라고 생각했다. 미의원관광단이 상해에 도착하자 한국측에서는 미의원단과 교섭하였는데, 한국측 대표는 임시정부측의 정인과(鄭人果), 여운형(呂運亨), 이희경(李喜儆), 여운홍(呂運弘), 이유필(李裕弼), 그리고 교회측의 서병호(徐丙浩)와 부인회측의 김순애(金淳愛) 등 이었다. 이들은 진정서와 기타 서류를 미의원단에게 제출하였는데, 그것은 독립단총단장(獨立團總團長)인 조맹선(趙孟善) 등 36명이 연서(連署)한 영문(英文) 진정서와 한국 민족학생회(韓國民族學生會) 연서(連署)의 진정서 43통이었다.

같은 날 미의원관광단을 공식적으로 환영하기 위한 태평해협회(太平海協會) 연회에 대한민국 임시정부 교제위단(交際委團) 전원이 참석하였다.[2] 한국측에서는 미의원단 일행이 가는 곳마다 접촉하면서 한국의 입장을 이해시키려고 노력하였다. 한편 미의원단 일부는 상해에 체류하고 있었는데 8월 16일 하원의원 죠터를 여운형, 장덕수, 황진남 3인이 방문하여 한국헌법(韓國憲法)과 한일관계(韓日關係), 그리고 일제의 한국과 중국에 대한 불법적 침략행위 등을 영문으로 작성하여 건네주면서 한국의 상황을 설명하는 외교 활동을 하였다. 미국 상·하 의원들은 한국의 상황을 이해하면서 한국의 독립에 협조할 것을 약속하였다.[3]

미국 상·하 의원들은 한국의 애국지사와 임정(臨政) 요인들이 일제의 불법침략 행위를 고발하면서 한국의 독립을 요청한데 대하여 개인적인 동정을 표하였다. 그러나 미국의 극동정책(極東政策)은 일본과 미국 즉, 강대국(强大國) 간의 이해관계 문제이어서 개인적인 동정과는 별개의 문제로 여겨졌을 것이다. 이렇게 항일독립운동과 민족해방운동의 일환으로 적극적인

---

2 국사편찬위원회, 『일제 침략하(日帝侵略下)』5, 탐구당(探究堂), 1970, p.506

3 '미의원단(美議院員)의 착경기(着京期)는 래삼월십사일(來三月十司日) 오후–당국에서 오지 말기를 청했으나 개인으로라도 오기는 곳 오리라' 동아일보 1920년 8월 14일 자.

외교 활동이 중국에서 전개되었다.[4]

미의원단 일행이 23일 특별열차로 봉천(奉天)을 출발하여 서울에 도착한다는 발표가 있었다. 8월 16일자 동아일보 기사에 의하여 미의원단 일부가 서울에 도착한다는 사실이 확실시 되었고, 조선총독부 경무국은 하는 수 없이 치안에 대비해야만 했다.

상해 임시정부 내무총장 안창호는 미의원단과 비밀리에 만나서 한국의 진정한 의사를 사전에 알려 주었다. 이것은 일제의 방해로 한국 내에서는 자유롭게 의사를 전달할 수 없고, 또 임정(臨政)이 한국을 대표하고 있었으므로 한민족의 진정한 의사를 사전에 전달한 것이다.

이들은 8월 24일 오후에 도착하여 25일 저녁에 부산으로 출발하기로 되어 있어서 일정이 짧았지만 그 가운데에서도 기독교청년회관에서 강연과 인사가 있었고 개인적인 접촉도 있었다.[5]

미의원단의 서울 도착을 기하여 국내에서 제2의 독립운동을 전개하였다. 이러한 분위기를 우려한 조선총독부 경무국에서는 미의원단이 한국을 방문하지 못하도록 방해공작을 폈으나 실패하고 말았다. 미의원단 일행이 도착하던 날 서울의 시내 상점들은 모두 철시하였고, 서울 시내의 경비에 지방경찰까지 총동원하여 300여 명이 계엄경비를 하였다.[6] 더구나 남대문에서 조선호텔까지는 경비대의 철통같은 경비로 미의원단을 구경조차 못하게 하였다.

---

4 '조선(朝鮮)'을 방문(訪問)할 미의단(美議員)의 면영(面影)—상원의원 '해리쓰'씨 외에 오십여 명은 못 오게 된다. 동아일보 1920년 8월 16일자.

5 경성부내(京城府內) 불온문서(不穩文書) 동아일보 1920년 8월 16일자.

6 '24 일야(日夜) 미국의원단(美國議員團)을 영(迎)한 후 경성(京城)의 만세소요진상(萬歲騷擾眞相)' 동아일보 1920년 8월 26일자.

이러한 조선총독부의 경계에도 불구하고 의주로에서는 오후 7시경에 인력거꾼 약 50명이 모여 대한독립만세 시위를 하고 일반 시민도 여기에 합세하였으나 경찰의 제지로 해산당하고 주모자 1명이 체포되었다.[7]

미의원단이 서울에 도착하기 수일 전부터 환영회를 개최하기 위한 환영준비위원회가 조직되었다. 그러나 일본 통치지역에서 일본의 보호를 받지 않고는 환영회에 참석할 수 없었다. 의원단은 한국인의 후의에 대해 "참석치 못함을 유감으로 생각하며, 한국인의 행복을 빈다."라고 대답하였다. 이 소식이 종로 기독교청년회관에 전해지고 모였던 군중이 헤어지기 시작할 무렵에 성조기 휘장을 단 해스만 의원이 도착하였다. 이에 약 700여 명의 군중은 만세를 부르고 윤치호(尹致昊)의 통역으로 강연을 하였다.

미의원단의 스몰 단장은 동아일보를 통해 한국 청년들에게 감사의 뜻을 전달하고 8월 25일 오후 8시에 부산으로 향했다.[8] 스몰 일행은 한국 민족의 제문제를 상해 등 중국에서 임정요인(臨政要因)으로부터 이미 들었고, 식민지 통치하에서 신음하는 실태를 직접 보고 간 것이다. 일본과의 관계 때문에 한국인과 흉금을 털어놓고 직접 말할 수 없는 사정을 간접적으로 동아일보 기자에게 전하였고, 일부나마 기사화될 수 있었다.

여기서 미국 극동정책상 한·미 간의 문제 등을 검토해 보고자 한다.

첫째, '미의원단을 환영하노라'라는 사설에는 기독교의 종교적인 차원에서 형제국으로서 미국을 형으로 보고 한국을 동생의 나라로 자칭하면서 미국을 민주주의가 극도로 발달한 나라로 보고 우리 한국도 민주주의를 성장

---

7 '난언(難言)의 실망의외(失望意外)의 환희(歡喜)', '정의인도(正義人道)로 분투(奮鬪)', 동아일보 1920년 8월 26일자.

8 미주의원단을 환영하노라, 동아일보, 1920년 8월 26일자.

시켜서 일제로부터 해방되어야겠다는 것이 간접적으로 시사되어 있다.[9] 또 '권리(權利)와 의무(義務)'에 대한 사설의 내용은 "미의원단이 내한하는 것을 한국민이 환영하는 것은 당연한 권리이니 환영 나온 서울시민을 조선총독부 경찰이 마구 구타하는 것은 있을 수 없는 일이다. 소위 문화정치를 표방하고 있는 터이고 한민족이 낸 세금으로 경찰이 존재하는 까닭에 그 경찰은 국민을 보호할 의무가 있음에도 불구하고 오히려 탄압을 가하기가 일수이다."라는 논리로 미의원단의 내한을 환영하는 한국인에 대한 경찰의 구타행위를 책임을 망각한 처사로 규탄하였다.[10]

해스만의 연설과 스폴 단장의 얘기에 '미의원단이 전하는 말'이라는 사설의 내용은 "조선총독부의 감시 때문에 기독교청년회관에서 미국 국회의원이 하고 싶은 말을 노골적으로 한국 청년에게 하지는 못했어도 인간은 영적(靈的)으로 하고 싶은 말을 서로 알 수 있다."는 것이었다. 미의원단 일행이 9월 2일 동경역에 도착하여 제국호텔로 가는 도중에 홍승로(洪承魯, 일본 중앙대학교 유학생) 외 4명이 태극기와 한국독립단기를 가지고 미의원단의 자동차에 탑승하여 한국독립문제를 외치다가 일본 경찰에게 체포되었다.

이렇듯 우리 민족은 미국 의원관광단 일행이 1920년 8월 5일에 상해에 상륙하여 남경(南京), 북경(北京), 봉천(奉天), 서울을 경유하여 동경에 도착할 때까지 일제의 철저한 감시와 방해에도 불구하고, 미국 정계에 큰 영향력을 행사하는 상·하 의원들에게 한국의 독립을 청원하는데 최대의 노력을 경주하였다.

9 '권리(權利)와 의무(義務)' 동아일보 1920년 8월 27일자.

10 김정명편(金正明編), 「조선독립운동(朝鮮獨立運動)」 II, 「민족주의운동(民族主義運動)」 전게서(前揭書), p.423

15

일제의 동화정책

　3·1운동이 보여 준 것과 같이 천도교, 개신교, 학생은 일제의 모든 지배에 대한 저항의 중요한 수행자였다. 학생들은 1929년 우발적 사고로 불붙은 광주 학생의거의 주역들이었다. 일본 학생들이 한국 여학생을 괴롭힌 일로 양쪽 학생들이 다투게 되면서 시작된 시위는 나라 전역으로 번졌다. 194개 학교 및 대학교의 학생들 54,000명이 참여했다. 이 시위의 배후는 1927년 민족주의자들과 공산주의자들이 연합하여 구성된 신간회였다. 이 단체의 구성원들은 반일주의에서만 일치했고 나머지 측면에서는 여러 노선으로 갈라져 있었다.

　삼일운동 후 총독부는 개혁의 일환으로 1920년 동아일보, 조선일보를 허가했다. 이 일간지들은 저항운동의 중심 역할을 했다. 한국의 신문들은 처음부터 일본의 검열을 받아야 했기 때문에 힘든 세월을 보냈다. 1940년에 이 신문들은 결국 폐간되었다. 동아일보와 조선일보는 해방 이후에 다시 발간되어 현재까지도 존속하고 있다.

창간 65년을 맞은 1985년 두 신문은 상대방에게 서로에게 일본제국주의의 전위대이었다고 비난을 퍼부었다.

외국에 사는 한국인들도 일본 지배에 항쟁하였다. 19세기 말에 많은 한국인들은 국외로 이주했다. 합방 이후 이민의 수는 엄청나게 늘었다. 그 이유로는 정치적인 것뿐만 아니라 많은 경우 경제적인 것도 있었다. 의지할 곳 없는 한국 농민들의 상황이 수천 명을 나라 밖에서 생업을 구하도록 만들었다. 외국 거주 한국인들 중 대부분은 일본(1934년 50만명 이상), 만주(1934년 70만명), 그리고 시베리아에서 살았다. 미국과 하와이에 살던 망명 한국인 집단도 중요했다. 상해는 한국인 상주인구가 고작 수백 명에 지나지 않았지만 역시 중요했다. 삼일운동을 기점으로 상해에는 임시정부가 들어섰다.

1919년 4월 13일 임시정부 수립이 선포되었다. 한국의 역사 서술은 일제 식민시대를 저항의 시대로 묘사하려는 경향을 가지고 있다. 이는 이해되는 바이지만 사태를 너무 단순화시킨다. 우선 일본인들과 협력한 한국인들이 있었다. 그리고 일본 지배하의 조선에서 살았던 한국인들은 대다수가 일본이 세워놓은 조건에서 사는 것 이외의 다른 방도가 없었다.

일본이 노력한 것은 한국인을 경찰력으로 질곡에 묶는 것뿐만 아니라 그들을 자신의 편으로 끌어들이는 것이기도 했다. 그들이 한국에 영향을 미치기 시작한 때부터 그들은 예전의 영향력 강한 양반들에게 칭호와 연금을 제공했다. 제국주의 세력에 협력한 한국인 개인과 단체도 있었다.

한국의 대중들에게 특별한 배신자로 비친 사람들은 일본 경찰에 몸담고 있던 한국인들이었다.

식민기간 동안 경찰에 투신하여 출세할 기회를 많은 한국인들이 이용했다. 경찰은 일본 지배의 관철을 위한 형리(刑吏)였기 때문에 한국 사람들에게 특히 미움을 받았다. 자의로 일본 군대에 들어간 한국인은 분노를 덜 샀다. 그들은 전방에 배치되었고 고향에 투입되지는 않았기 때문이다. 여타의 기구도 한국인에게 자리를 열었다. 대개는 하위직들이었지만 그래서 많은 한국인들이 도(道) 관리가 되었다. '반도인'을 황제의 신민으로 변화시키기 위해서 총독부는 능동적인 교화정책을 폈다. 총독부 학무부의 사회교육을 위한 상성분과의 장 자리에 한국인이 임용되었다.

이 부서와 함께 일한 라디오선전위원회, 한국예술인연합, 여성문제를 위한 한국회 등의 조직들에는 많은 한국인이 조력했다. 민중의 단합을 위한 한국연합이나 국가 보호를 위한 문학회 등과 같은 일본화 정책을 지지했던 많은 한국 단체들이 생겨났다. 따라서 일제 말기 식민지시대의 현실은 우울했다.

일본은 1937년 7월부터 중국과 전쟁을 벌였다. 그리고 1941년부터는 태평양과 동남아지역에서 주로 미국과 전쟁을 했다. 1939년부터 한국인은 강제노동의 의무를 졌고 점점 더 많은 한국인이 군인으로 입대했다. 일부는 자의이고, 일부는 강제에 의해서였다. 이미 1930년대 초부터 소수의 한국인들은 장교의 길을 걸을 수 있었다. 여기에는 두 가지의 방법이 있었다.

조선인 장교 지원자는 동경에 있는 일본군관학교에 들어가거나 형식적으로 독립한 만주국의 만주군관학교에 들어가든지 해야 했다. 만주군관학교에서는 훗날 한국의 정치가들이 배출되었고 그 중의 일원이 박정희 대통령과 전직 국무총리이자 후일 국회의장을 지낸 정일권이다. 이 학교에서 교육받았다는 것이 후일 한국의 정치가들에게는 자랑스러운 일이 되었다.

전쟁을 위하여 일본군에 입대하라는 한국인에 대한 압력은 점점 강해져 갔다. 그러나 조선에서 국민개병제가 실시된 것은 1944년 1월이었다. 1944년에는 대략 270,000명의 한국인이 일본군에 몸담고 있었다. 한국은 전쟁 기간 동안에 예전보다 더 가혹하게 지배당했다. 1928년 이래로 조선의 모든 학교에서의 사용 언어는 일본어였다. 한국인들은 일본의 신사참배를 강요당했다. 게다가 1940년에는 창씨개명을 하도록 강요받았다. 한국인의 일본화 정책이 가장 극명한 모습을 드러내는 것이 동화(同化)정책이다.

일본의 조선 통치는 그들에 대한 저항을 분쇄하고 조선을 일본제국주의 속에 편입시켰다. 일본은 자원, 특히 쌀과 광물을 강탈하였고 조선의 노동력을 자신들의 목적을 위해 사용했다. 그러나 조선을 일본과 융합시킨다는 그들의 목적은 가혹한 통치에도 불구하고 성공하지 못했다.

총독부는 끊임없이 7천만명의 일본인과 2천만명의 조선인의 일치로 '9천만 신민'이라는 구호가 구현되도록 노력하였다. 이에 대하여 총독 우가키는 1934년 9월 11일에 서울에서 열린 중등교사협의회에서 이 과제의 어려움을 강조하고 이것을 영국의 인도 지배와 비교하였다. 그는 "세계 역사상 어떤 나라도 조선 같은 단일민족 2천만명을 성공적으로 병탄하여 완전히 동화시키기 못했다."고 말했다. 비록 우가키가 한 말의 뜻은 다르지만, 조선의 동화에 관한 한 우가키는 바른 말을 한 셈이다.

한국인들에게 중요한 것은 자신들의 문화적 정체성을 보존하는 일이었다. 동아일보는 일본에 대한 직접적 공격을 피해야 했던 서정적 논조의 창간호 논설에서 문화적 재각성(再覺醒)이라는 목표를 강조하였다. 수많은 노래와 시가들이 보여주는 것처럼 한국의 문화는 일본 정부의 급진적인 정책에도 불구하고 손상되지 않았다.

일본 정부는 한국인을 동화시킨다는 그들의 목적을 달성하지 못했다. 그뿐만 아니라 식민지 주둔군에 의해 자행된 억압으로 한국 민족은 오히려 자기 자신을 발견하고 선명한 민족의식을 발전시켰다.

일본인은 1945년 이후 예전의 점령국과 새로운 관계를 전개해 나가려는 한국인들의 노력에 그다지 호응하려 하지 않는다. 일본은 독일이 프랑스에 대해서 행했던 것과 같은 광범위하고 진정성 있는 화해행위는 거부하고 있다.

제12장

최근의 논쟁과 우리의 과제

1

건국일 논쟁

대한민국 정부는 1919년 상하이에서 '임시'로 수립됐고, 일제로부터 독립한 후 1948년에 '정식'으로 수립한 것이다. 1948년 8월 15일 정부수립 선포식 때 내건 현수막에 '대한민국 건국'이라 하지 않고 '대한민국 정부 수립'이라고 한 의미를 유념할 필요가 있다. 대한민국이 1948년에 건국되었다는 것은 민족사에서 독립운동의 역사를 단절된 역사로 보는 몰이해, 그리고 독립운동가들의 근대의식을 과소평가한 데서 비롯된 것이다.[11]

2008년 5월, 한시준은 어느 신문이 "올해는 대한민국 탄생 60주년이 되는 해이니 대대적인 국민 축제로 나라의 환갑을 맞자."는 내용의 글을 실은 것을 문제 삼았다.[12] 그는 "고려대가 2005년에 성대하게 개교 100주년 기념 행사를 치른 것은 1905년 이용익이 설립한 보성전문학교부터 연원을 따졌

---

11 정운현, 「정직한 역사 되찾기: 친일의 군상(24회)」, 『서울신문』, 1999년 2월 8일, 13면.
12 한시준, 잘못 알고 있는 임정수립일, 조선일보 2005년 4월 5일

기 때문이다. 고려대학교란 이름은 1946년 미군정청 시절에 정해졌다. 설립자도 다르고, 학교의 이름도 달랐지만 1946년을 건학의 출발로 삼지 않는다. 연세대, 이화여대, 동국대 등도 마찬가지"라며 다음과 같이 주장했다.

"그런데 유독 임시정부의 역사만 제외시키고 다른 잣대를 들이댄다. 더욱이 일부 역사학자들이 앞장서서 건국 60주년이라고 주장하는 데는 할 말을 잃는다. 우리는 그동안 일본과 중국이 역사를 왜곡하고 있다는 사실에 흥분해왔다. 그렇지만 건국 60주년이란 주장을 보면서, 정작 우리 자신이 우리의 역사를 왜곡하고 있는 게 아닌가 하는 생각을 하게 된다. 우리 자신이 우리의 역사를 제대로 이해하지 못하고, 또 그것을 왜곡하면서 일본과 중국의 역사 왜곡을 막아낼 수 있을까?"

2008년 7월 우리어문학회 고문 박영원도 「조선일보」가 '건국 60주년'이란 표현을 쓰는 것에 이의를 제기했다. 그는 '건국 60주년'이라는 표현을 고집하면 60년 이전의 우리나라 역사를 우리 스스로가 부정하는 꼴이 된다며 "과거의 왕조나 일제 치하의 역사와 구분하기 위한 것이라면 '대한민국 정부 수립 60주년'이나 '민주헌정수립 60주년'으로 표현하는 것이 좋겠다." 고 했다.

1948년 정부 수립 당시 이승만도 '대한민국 30년'을 주장했었다는 점을 지적하면서 '건국 60년'을 고집하는 근저에는 '대한민국 국부 이승만'에 대한 추앙심이 전제되었다고 보는데, 왜 이승만의 이런 역사의식은 공유하지 않는지 궁금하다. 다른 관점에서 보자면, 1919년을 건국으로 보지 않고 1948년을 건국으로 보는 사람들은 자국 영토에 주권을 행사할 수 있느냐 하는 실질을 중요하게 생각하는 것 같다.

그러나 이 일이 정치적으로 얽히면서 그런 선의의 해석은 어렵게 돼버렸다. 『한겨레』 2008년 7월 17일자는 「보수세력 주도로 이승만 영웅화 '일방통행'」이라는 제목의 기사에서 "정부가 주도하는 2008년 건국 60년 행사에 대해 학계가 '현기증'을 느끼는 이유는 충분한 공감대 없이 특정 학자 집단 및 보수세력의 주장에 기대어 대대적인 정부 행사를 펼치고 있기 때문이다."고 주장했다. 안타까운 일이다. 2008년을 '건국 60주년'이냐, '건국 89년'이냐 하는 건 차분하게 이야기해 볼 수 있는 주제임에도 정부 주도의 행사가 스스로 특정 이념과 정치적 성향의 색깔을 강하게 내세우는 바람에 일을 그르치게 만든 것 같다.

1948년 정부 수립 당시 제정된 헌법 전문에 "대한민국은 3·1운동으로 건립된 상해 임시정부의 법통을 계승한다."라고 되어 있음을 상기했으면 한다. 환언하면 대한민국 건국절 논쟁은 대한민국의 건국기념일을 정하자는 데서, 건국일이 언제인지에 대한 논쟁을 말한다.

1919년 4월 13일을 지지하는 견해는 "1919년 4월 13일은 상하이에서 대한민국 임시정부가 창립된 날이다. 9월 11일에 몇 개의 임시정부들이 상해 임시정부를 중심으로 통합되었기 때문에 궁극적인 정통성은 상해 정부에 있다."는 시각이다.

국제법적 관점에서 법적 요건(국제법에 입각한 주권 주장, 망명정부 소재지 국가의 승인, 실질적인 국가행위)을 갖추었기에 합법적인 정부로 볼 수 있다. 임시정부는 중화민국의 승인을 받았고 교육, 문화, 군사, 외교 활동 등을 시도하였다.

이 견해를 지지하는 입장에서는 1948년을 건국 기점으로 삼는 견해는 침략사를 시혜사로 왜곡하려는 일본 우익에게 힘을 실어주게 될 것이라고 본다. 1948년 8월 15일을 지지하는 견해는 "임시정부는 정부의 요건(영토 확보, 주권적 지배권, 법률 제정 및 집행이 가능한 물리적 강제력)을 갖추지 못했다.

5·10총선거로 구성된 제헌국회는 1948년 7월 새 나라의 국호를 '대한민국'으로 정했으며, 이는 대한민국 헌법 전문에서 임시정부를 정신적으로 계

승한 의미로 나타난다."고 주장한다. 이 견해에 따르면 1919년의 정부는 말 그대로 임시정부이다.

임시정부는 독립운동의 구심점을 마련하고 향후 실질적 건국을 예비하는 과도기적 시스템으로 볼 수 있으며, 1948년의 정부는 그 임시정부의 정신을 이어받아 엄밀한 의미에서의 국가를 탄생시켰다고 보는 것이 합당하다. 그리고 김대중 정부는 1998년을 '대한민국 50(제2 건국)'으로 기념하고 정부 수립 50주년 기념주화도 발행했다. 김대중 대통령은 1998년 8월 15일 광복절에 '대한민국 50주년 경축사(제2의 건국에 동참합시다)'라는 제목의 연설을 하고, '제2의 건국운동'을 추진하면서 제2의 건국범국민추진위원회를 설치했다. 이는 제1 건국을 1919년으로 보는 견해이다.

애초에 '임시정부는 법통성, 정통성이 없다'고 주장한 쪽은 여운형, 박헌영, 허헌 등 좌익이었다. 김구 등 우익은 '임시정부는 법통성, 정통성이 있다'고 주장했다. 1948년 8월 15일 건국론은 대한민국 임시헌장과 대한민국 임시헌법, 대한민국 건국강령, 제헌헌법과 현행 대한민국 헌법에 반할뿐더러, 국민의 대부분이 임정법통론을 지지하고 있어서 큰 호응을 받지 못하고 있다.

대통령으로서 건국절 논란은 이명박 정부가 2008년 건국 60주년 행사를 추진하며 촉발됐다. 뉴라이트 계열 학자와 일부 보수진영에서 광복절을 건국절로 바꾸려는 움직임으로 시작됐다. 진보진영이 임시정부의 법통을 부정하는 역사관이라고 반대하며, 건국절 논란은 보혁 갈등으로 번졌다. 문재인 대통령은 8·15 경축사에서 국민주권의 거대한 흐름 앞에서 보수, 진보의 구분이 무의미하듯 우리 근현대사에서 산업화와 민주화를 나누는 것도 이제는 뛰어넘어야 한다며 사회 통합을 강조하기도 했다.

그러나 류석춘 자유한국당 혁신위원장은 이날 문대통령의 건국일 규정에 대해 너무 당연한 1948년 건국을 견강부회해서 1919년을 건국이라고 삼는 것은 지나친 확대해석이라고 비판하며 논란을 이어갔다. 그는 1948년 이승만 대통령이 제1대 대통령이라며 문 대통령 본인도 이승만 대통령을 초대 대통령이라고 인정하면서 1919년을 건국한 해라고 말하는 것은 앞뒤가 맞지 않는다고 지적했다.

2

초·중등학교에서 다루는 3·1운동

　우리나라 학생들은 초중등학교에서 우리 역사를 세 차례 반복해서 배우게 된다. 초등학교는 사회과 역사 영역에서, 중학교는 사회과 역사 과목에서, 그리고 고등학교는 사회과 한국사 과목에서 다루고 있다.

　그 가운데 초등학교 사회과 교과서에서의 역사 영역은, 5학년 2학기에서 6학년 1학기에 걸쳐 학습하도록 되어 있다. 5학년 2학기에는 우리 역사의 시작인 선사시대부터 유교문화가 발달한 조선 중기까지의 역사를 다루었고 6학년 1학기에는 조선 후기의 움직임부터 오늘날의 대한민국까지의 역사와 문화를 다루고 있다.

　교과서 내용 중, '조선을 뒤덮은 농민의 함성'이라는 중단원에서는 농민 봉기의 배경과 과정을 제시하면서 인물 소개 코너에 '조선 후기에 새로 생겨난 종교에는 무엇이 있을까'라는 제목으로, 최제우를 소개하며 용담유사와 동학농민운동의 전개 이유를 비중 있게 다루고 있다. 이는 학생들로 하여금 그 당시의 역사적 배경과 처한 상황이 어떠하였는지를 잘 알 수 있게 해 주는 내용이다.

이어서 '근대국가 수립을 위한 노력과 민족운동'이라는 대단원에서 일제에 대항하여 나라를 지키려 했던 우리 민족의 독립운동과 나라를 되찾기 위한 구국운동의 역사적 사실을 바탕으로 초등 수준에 맞게 간략히 제시하고 있다. 그 중 조정의 폭정에 반대하고 백성을 구하기 위해 전봉준을 비롯한 농민들이 봉기를 일으켰던 동학농민운동의 발생 이유를 제시하고, 동학농민군을 이끌었던 지도자로 전봉준을 소개하면서 재판을 받기 위하여 이송되는 모습과 동학농민군의 백산봉기 등 그림 자료를 제시하여 아이들에게 동학농민운동의 의미와 가치를 전달하는 데 중점을 둔 점이 주목할 만하다.

그리고 구국운동의 백미인 3·1운동에 대한 내용은 헌병경찰에게 체포된 독립운동가들이 갇혀서 고문을 받고 배고픔에 시달렸던 서대문형무소의 사진을 크게 게시한 점이 눈에 띈다. 이는 그 당시 우리 민족이 겪었던 모진 고문과 고통이 얼마나 컸는지를 알 수 있게 해주는 중요한 자료라 하겠다.

3·1운동은 우리 민족의 독립에 대한 희망의 근거로, 윌슨 대통령의 민족자결주의를 세계사적 관점에서 연계하여 제시하였고, 이에 각 종교계의 지도자들로 구성된 민족대표들이 태화관에서 독립선언문을 낭독하는 모습과 3·1독립선언문을 소개하고 있다.

그러나 민족대표자들이 몇 명이고 누가 포함되어 있으며, 어떠한 활동을 하였는지에 대해서는 구체적으로 제시되지 않아서 이는 교사의 관련 인물에 대한 보충 설명이 꼭 필요한 대목이라 생각된다. 그리고 일제의 무차별한 농민 학살의 대표적 사례로 경기도 화성의 제암리 사건을 간단히 소개하며 이에 대한 내용을 마무리하고 있다.

관련 인물 소개면에서는 유관순의 업적을 인물 및 활동 사진과 함께 나타낸 점이 눈에 띈다. 3·1운동의 주도자인 33인 민족지도자들에 대해서는 인물 구성과 설명을 최소화한 반면에, 유관순에 대해서는 심도 있게 교과서 한 면을 모두 채워 눈에 띄게 다루었다.

3·1운동이 우리에게 던져 주는 교육적 메시지는 3·1운동만이 갖고 있는 정신적 가치와 확고한 신념이라 하겠다. 일제의 식민지로부터 벗어나기 위해 온 민족이 하나로 뭉치고 나라를 찾고자 하는 강력한 기운이 모여 우리 민족의 의지를 전 세계에 알린 비폭력 독립운동이었다.

지금의 우리 사회에 만연하고 있는 개인주의적인 사회 풍토를 더 이상 간과하지 말고, 3·1운동 100주년을 맞는 지금의 중요한 시점에서, 3·1운동의 고귀한 정신이 우리 후손들에게 의미 있는 배움의 씨앗이 되어 올바른 가치관과 정체성을 확립하는데 큰 역할을 하였으면 하는 바람이다(한주희 글에서).

3·1정신과 통일정신

1920년 3월 1일 「독립신문」 3·1운동 1주년 기념호에는 크게 독립선언서가 게재되고, 민족대표 손병희와 임시정부 대통령 이승만, 국무총리 이동휘(李東輝)의 사진이 실려 있었다. 이날 중국 상해, 프랑스 조계에 사는 한국인들은 집집마다 태극기를 게양하여 3·1절을 경축하였고 임시정부 청사에서는 오전 10시부터 경축식을 거행하였다. 그러나 이름이 청사였지 가정집에 지나지 않았다.

식장에서 이동휘 국무총리는 "독립선언 1주년이 되는 오늘까지 우리는 한 치의 땅도 광복하지 못하고 이 경축식을 외국인의 집에서 거행하게 되니 진실로 가슴이 아픕니다."라고 말하면서 오열하였다.

"우리는 과거 1년간 오직 평화주의로만 운동을 수행하여 왔지만 이제부터는 방침을 바꾸어 최후의 1인까지 대한의 독립과 자유를 위하여 싸워야 하겠고, 싸우지 않겠다는 사람은 대한인이 아니라 하겠습니다. 우리는 이 태극기 아래서 혈전을 단행하기로 합시다."하고 외쳤다.

사실 3·1운동은 폭력에 항거하는 비폭력적인 평화주의를 그 기본정신으로 삼고 있었다.

'최후의 1인, 최후의 일각'까지라는 표현은 끝까지 싸워서 독립을 쟁취하겠다는 뜻이 아니라 죽는 한이 있더라도 독립만세를 외치겠다는 뜻이었다. 그렇다고 마냥 독립을 시켜줄 때까지 기다리고만 있을 수는 없는 일이었다. 그래서 임시정부는 1920년 3·1운동 1주년을 맞아 새해를 '독립전쟁의 해'로 선포하고 모든 국민이 독립군 병사가 되어야 한다면서 국민개병(國民皆兵)을 외치게 되었다.

3·1운동 이듬해, 상해에서 열린 첫 3·1절 행사에서 해외동포들은 일제의 학정으로 신음하던 고국동포들을 생각하면서 눈물을 흘리고 조국의 독립을 굳게 다짐하였다. 그러나 그 뒤 8·15광복을 맞기까지는 거의 30년 이상을 더 기다려야만 했다. 조급하면 조급할수록 광복의 날은 멀게만 느껴졌다.

우리의 통일도 마찬가지다. 우리 민족들이 조급하게 생각하면 생각할수록 통일의 날은 멀리 달아나 버리는 것 같이 느껴지고 있는 것이다. 느긋하게 기다리면 도리어 통일의 날은 빨리 다가오는 것이다.

그러나 그렇다고 해서 마냥 기다리고만 있을 수 없다. 민족의 정신적 역량을 길러야 한다. 3·1정신으로 돌아가야 하는 것이다. 그리하여 우리들의 통일민족국가를 완성하여 다시는 갈라지고 서로 대결하는 어리석은 일을 되풀이하지 말아야 한다.

4

3·1운동 100주년 기념사업추진위원회
(민간 주도)

 2019년은 일제의 억압을 벗어나기 위해 민족이 하나 되어 분연히 궐기한 3·1운동과 이에 힘입은 대한민국임시정부 수립 100주년이 되는 해이다. 이에 '3·1운동과 대한민국임시정부 수립 100주년'을 맞이하여 민간과 정부 차원의 기념사업이 추진 중이다.

 3·1운동은 동학사상, 개화사상, 의병정신을 계승하는 정신으로 대한민국 역사의 기원이며 그 정신의 원천이라 할 수 있다. 따라서 3·1운동의 기본정신은 일원화, 대중화, 비폭력운동이다.

 3·1운동은 내가 너와 함께 하나를 위해서 우리 모두가 양보하고 함께 가자는 운동으로 셋이 하나가 되는 정신이다. 또한 3·1운동은 삼위일체운동으로 국가와 국민, 시민사회단체가 하나 되는 운동이다. 전국화, 대중화, 지방화에 적극적인 역할을 했다.

3·1운동 100주년 기념사업추진위원회

3·1운동은 계층, 남녀노소, 지역, 종교, 사상을 떠나 민족이 혼연일체가 되어 참여한 운동이라는 데 역사적 의의가 있다. 또한 국내뿐만 아니라 해외에서도 동참하였다는 점에서 민족통합이 절실히 요구되는 현재에도 그 의의가 크다. 현재 우리나라에서는 내 생각과 다르면 모두 적이다. 합리적 이성이 작동하는 사회를 만들어야 한다. 진보와 보수, 촛불과 태극기 사이의 깊은 골을 3·1운동정신으로 대립과 갈등을 풀어야 한다.

3·1정신은 자주, 자립, 자생의 정신이지만 배타적이고 폭력적인 사상이 아니다. 3·1운동은 국민의 정신이요, 국가의 기본이고 우리 국민이 미래로 나아갈 수 있는 기본이다.

남과 북이 공유하고 공감할 수 있는 3·1운동 100주년을 민족통일의 원동력으로 승화시켜 나가야 한다. 분열되는 것은 3·1정신이 아니다. 3·1운동 100주년 기념사업 추진의 첫날은 위대한 3·1정신 부활의 첫날이다.

2019년으로 다가온 3·1운동 100주년을 앞두고 본격적인 기념사업 추진을 위한 사업보고회가 2010년 2월 26일 서울 종로구 하림각에서 개최되었다. 이날 행사는 문화체육관광부 장관, 대한불교 조계종 자승 총무원장, 민족종교협의회장, 김영주 목사(KCRP 대표회장), 법륜 스님, 3·1운동 유족, 정관계 인사, 시민사회단체 원로, 학계 인사 등 300여 명이 참석한 가운데 2015년 사업에 대한 경과보고, 3·1운동 100주년기념사업 종합계획서 보고, 기념공연 순으로 진행되었다.

3·1운동 100주년기념사업회에는 7대 종단, 시민사회단체, 해외동포들이

참여하고 있기에 민족통합, 국론통합으로 가야한다. 식민지에서 대한민국이 여기까지 왔다. 그러나 국토가 반토막 났다. 3·1운동 100주년을 맞이하여 우리 국민은 연립·협치·협력을 3·1정신으로 전통을 세워야 하고 통일로 가야 한다.

2016년 2월 26일, 100년 전의 '3·1운동정신'으로 민족의 화합을 도모하고자 7대 종단과 시민사회단체가 주도하는 민간 차원의 '3·1운동 100주년 기념사업 보고회'가 서울 종로구에 위치한 하림각에서 개최되었다. 이날 행사는 정세균 국회의장, 문화체육부 장관, 대한불교조계종 자승 총무원장, 민족종교협의회장, 김영주 목사, 법륜스님, 해외동포 대표로 차종환 박사(미국), 정정이 회장(미국), 이옥순 회장(일본) 등을 비롯하여 3·1운동 유족, 정·관계 인사, 범시민사회단체연합 이갑산 상임대표를 비롯한 시민사회단체 대표들, 학계인사 등 300여 명이 참석하여 보고회를 가졌다.

'3·1운동 100주년 기념사업추진위원회'는 2010년 3월부터 천도교 등 종교단체들이 각 교회 및 사찰, 교당 등에서 3·1절 기념식과 관련 행사를 연례적으로 공동 개최하며 '100주년 기념사업'을 위한 동력을 마련하였고, 2014년 3월 "3·1운동 100주년을 남과 북이 공유하고 공감할 수 있는 민족통일의 원동력으로 승화시키고 사회 통합과 갈등 해소를 이룰 수 있는 방향으로 확산시켜야 한다. 이것이 우리에게 주어진 소명이고 자손들에게 더 나은 미래를 물려줄 수 있는 길이다."라는 취지로 종교계, 독립유관단체, 학계, 여성, 노동, 보수·진보가 동참한 시민사회단체, 700만 해외동포 대표 등 333인의 민족대표 발기인단을 구성하고 "3·1정신 재조명, 사회통합 실천, 100주년 기념사업 전개, 세계 속의 한국 위상 재정립"을 목표로 창립되었다.

'100주년 기념사업'에는 종교계의 김영주, 박기성, 어윤경, 이정희, 이철기, 자승, 한광도 님과 시민사회단체의 김진현, 이영훈, 정성헌 님, 해외의 차종환, 이민휘 님이 고문으로 참여하였고, 상임대표에는 박남수 전 천도교 교령, 공동대표단에 종교계 김광준, 김대선, 김명혁, 김재완, 김홍진, 도법, 무원, 박경조, 박종화, 법륜, 법현, 염상철, 윤석산, 이홍정, 주경, 진각, 주선원 님과 시민사회단체 김인수, 리광평, 박인주, 윤경로, 윤여두, 이갑산, 이일영, 정유헌, 최완규, 태범석, 하윤수, 전성 님, 해외의 오공태, 이숙순, 임도재 님 등 33인으로 구성되었다.

'3·1운동 100주년 기념사업추진위원회'는 2016년 1월, 중국 흑룡강성 일대 3·1운동 및 독립운동 사적 조사사업을 시작으로 3·1운동 해외 네트워크를 마련하고 러시아의 신한촌·블라디보스토크, 재중국 한국인회, 일본 재일민단·재일한인회, 미국 서부지역 LA·시애틀과 기념사업회 등 지역·단체와 교류협력을 하고 있다. 2017년 여름에는 민족대표 33인 대표들이 중국을 방문하여 상해에서 남경까지 대한민국임시정부의 행로를 찾았고, 미국 캘리포니아의 리들리와 리버사이드를 찾아 3·1운동 당시의 흔적을 탐방하고 3·1운동정신을 계승하였다. 민간 차원의 '100주년 기념사업'의 최종 목표는 분열과 분단을 넘어 통합과 통일의 주춧돌을 마련하기 위해 3·1운동 100주년 기념관을 건립하는 것이다.

대통령 직속 3·1운동 및 대한민국 임시정부 수립 100주년 기념사업추진위원회(정부 주도)

2018년 2월, 정부 차원의 기념사업을 추진하기 위해 대통령 직속 '3·1운동 및 대한민국임시정부 수립 100주년 기념사업추진위원회'가 설치되었다. 대통령령으로 마련된 '100주년 기념사업추진위원회'는 "3·1운동 100주년을 맞아 3·1운동과 대한민국임시정부 수립에서 나타난 자유와 독립을 향한 정신을 계승하고 자유롭고 정의로운 대한민국의 미래를 제시"하기 위해 국내외 기념행사, 학술대회, 문화예술행사, 출판 등의 사업을 준비하고 있다.

정부의 국정과제인 '국가를 위한 헌신을 잊지 않고 보답하는 나라'를 실현하기 위해 설치된 '100주년 기념사업추진위원회'는 이낙연 국무총리와 한완상 전 통일·교육부총리가 공동위원장을 맡고 기재·교육·과기정통·외교·통일·법무·국방·행안·산업·문체·여가부 장관과 방통위원장, 국무조정실장, 보훈처장, 시도지사협의회장 등 15명의 정부위원과 각계각층의 민간위원 82명, 1명의 국민의 자리 등 총 100명의 민간과 정부 위원으로 구성되었다.

1차 위촉된 민간위원 68명에는 김명환 전국민주노동조합총연맹 위원장, 김주영 한국노동조합총연맹 위원장, 박용만 대한상공회의소 회장, 박유철 광복회 회장, 서명숙 제주올레 이사장, 손경식 한국경영자총협회 회장, 윤미향 한국정신대문제대책협의회 공동대표, 이갑산 범시민사회단체연합 상임대표, 유종렬 흥사단 이사장, 차범근 차범근축구교실 이사장, 한우성 재외동포재단이사장 등이 임명되었으며 여성위원은 절반이 넘는 35명이다.

위원회는 기획소통, 기억기념, 발전성찰, 미래희망 등 4개 분과위원회로 나눠 운영된다. 각 위원회 위원장으로는 김정인 춘천교대 교수와 윤경로 친일인명사전편찬위원장, 김동춘 성공회대 교수, 김호기 연세대 교수 등 문재인대통령의 국정철학을 공유하는 인사들이 지명됐다.

기획소통분과는 효율적 기념사업 추진을 위한 위원회 전체의 운영을 담당하고, 기억기념분과는 독립운동 관련 기록·시설물의 발굴·보존, 각종 기념사업 추진을 통한 애국선열들의 자주독립정신을 기억하고 계승 발전하는 사업을 담당하며, 사업발전성찰분과는 민주공화국으로서 대한민국 100년의 역사 재조명을 통해 대한민국 정통성 재확인 및 미래 100년의 비전 제시에 기여하는 사업, 미래희망분과는 주체적·비판적 시민 양성 및 미래세대의 지속적인 관심과 참여를 유도하고 대한민국 미래 100년의 비전과 희망메시지를 제시하는 사업을 담당하고 있다.

'100주년 기념사업추진위원회'는 '3·1운동과 임시정부수립 100주년'을 맞아 대한민국의 법통과 정체성을 재정립하고 민주·인권·평화에 기반한 번영의 미래 100년을 준비하기 위해 '자랑스런 국민, 정의로운 국가, 평화로운 조국 한반도'라는 비전을 선포하고 '나라를 위한 헌신의 기억기념, 대한민국 100년의 발전 성찰, 국민과 함께 만드는 미래희망'의 세 가지 추진 전략을 제시하고 있다. 특히 세부적 사업인 '역사적 의미를 담은 기억의 공간 조성, 과거 100년 성찰을 통한 치유와 화해, 남과 북이 함께 만드는 평화와 번영의 한반도 조성'의 세 가지 사업은 괄목할 만하다.

　　3·1운동 100주년을 맞아 대한민국이 번영의 미래를 약속받기 위해서는 '과거 100년의 성찰을 통한 치유와 화해'는 반드시 이루어져야 한다. 용서와 치유와 화해는 진정한 반성과 사죄가 선행되어야 가능한 일이나 여전히 행위자의 반성과 사죄의 부재로 갈등이 치유되지 못하고 있다. 이는 '100주년 기념사업추진위원회'의 활동이 더욱 기대되는 이유이기도 하다.

　　'3·1운동 및 대한민국임시정부 수립 100주년'을 맞아 우리는 한 세기가 흐르는 동안의 수난과 번영을 동시에 기억해야 한다. 치욕과 망국의 역사를 기억하고 나라를 위해 헌신한 애국선열들의 독립정신을 발굴·선양하여 미래 세대를 자각시켜야 한다. 전쟁과 분단을 넘어 산업화를 일군 발전사를 조명하고 민주화와 인권의 민주공화국 100년사를 고찰해 「행복과 번영의 미래 100년 비전」을 수립해야 한다. 또한 우리 민족의 숙원인 통일을 위해 「남과 북이 함께 만드는 평화와 번영의 한반도 조성」도 모든 국민이 참여해야 할 과제다.

◈ 기념사업추진위원회

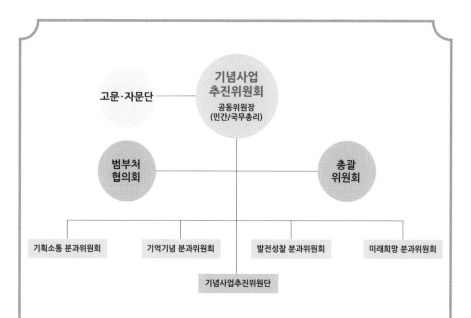

- 위원장 : 국무총리, 민간 공동위원장

- 위원 : 100명 이내로 구성(대통령령 제4조)

  − 위원장 2, 민간위원 82, 정부위원 15, 국민의 자리 1

※ 정부위원: 기획재정부, 교육과학부, 과학기술정보통신부, 외교부, 통일부, 법무부, 국방부, 행정안전부, 산업부, 문화관광체육부, 여성가족부 장관, 방송통신위원회 위원장, 국무조정실장, 보훈처장. 시도지사협의회 회장

공동위원장 ┬ **국무총리**
　　　　　 └ **한완상**(前 교육부총리, 前 대한적십자사 총재)

〈고문 명단〉

분야	성명	대표경력
종교	원행 스님	(現) 대한불교조계종 총무원장
종교	이홍정	(現)한국기독교교회협의회(NCCK) 총무
종교	김희중	(現)한국천주교주교회의 의장
종교	오도철	(現)원불교 중앙총부 교정원장
종교	김영근	(現)성균관 관장
종교	이정희	(現)천도교중앙총부 교령
종교	박우균	(現)한국민족종교협의회 회장
유관단체	함세웅	(現)안중근의사기념사업회 이사장 (現)항일독립운동가단체연합회 회장
유관단체	도문 스님	(現)(사)백용성조사기념사업회 이사 (現) 죽림정사 조실 *독립운동가 용성스님의 법손
학계	강만길	(現)고려대학교 명예교수 (前)친일반민족행위 진상규명위원회 위원장
학계	전기호	(現)경희대학교 명예교수 (前) 일제강점하강제동원피해진상규명위원회 위원장
학계	신인령	(現)이화여자대학교 명예교수 (前) 국가교육회의 의장

〈기획소통분과〉

이 름	경 력	이 름	경 력
김정인	**분과위원장** • 現 춘천교대 교수 • 現 정책기획위원회 위원	권영주	• 現 한복여행가 단장 • 現 한국취업진로학회 상임이사
김귀옥	• 現 한성대학교 교수 • 現 민주화를 위한 전국 교수 협의회 상임공동의장	김미진	• 現 홍익대 미술대학원 부교수 • 예술의 전당 전시예술 감독

김선현	• 現 대한민국임시정부기념관
	  건립위원
	• 現 대한민국임시정부기념
	  사업회 이사
		류종열	• 現 흥사단 이사장
			• 現 우토로역사관건립위원회
			  공동대표

서명숙	• 現 제주올레 이사장 • 오마이뉴스 편집국 국장	원옥금	• 現 서울특별시외국인 명예시장 • 現 주한 베트남 교민회장 • 現 (사)외국인노동자와 함께 이사

윤홍조	• 現 ㈜마리몬드 대표
	• 위안부 꽃할머니 프로젝트,
	  사회적기업, 수익50% 위안부
	  피해자들에게 환원
		이갑산	• 現 범시민사회단체연합 상임대표
			• 現 국가전략포럼 공동대표

이기연	• 現 ㈜질경이 우리옷 대표이사 • 現 생활문화원 '무봉헌' 관장	이예람	• 現 은평청년새싹공간 경영 지원팀장 • 現 3·1운동민주운동 기념사업회 민족대표
이혜경	• 現 (사)서울국제여성영화제 이사장 • 現 문체부 성평등위원회 위원장 • 現 (사)경기가족여성연구원 이사	임흥순	• 現 영화감독, 미술작가 • 現 반달 공동대표

정창현	• 現 건국대 통일인문학연구단
	  연구원
	• 국정교과서 진상규명 위원
		채광석	• 現 시인(한국작가회의)
			• 現 (사)남북경제문화협력재단
			  이사회 이사

홍서윤	• 現 (사)한국장애인관광협회 대표 • 한국방송공사 보도국 앵커		

〈기억기념분과〉

이름	경력	이름	경력
윤경로	**분과위원장** • 現 친일인명사전편찬위원회 위원장 • 現 한국기독교3·1운동 백주년기념위원회 대표	구익근	• 現 3야전군(용인) 육군 소령 • 이라크 자이툰부대 파병
김길열	• 중동실업 택시기사 • 김주열 열사 동생 • 대한석탄공사 자재부장	김수옥	• 現 우사 김규식연구회 부회장 • 성프란치스코의원 원장
김올가	• 통번역 프리랜서 • 카라간다 초등학교 교사 • 독립운동가 김경천 장군 (대통령장) 외증손녀	문영미	• 現 이한열기념사업회 학예연구실장 • 現 (사)문익환 통일의 집 상임이사
박남수	• 現 3·1운동100주년기념사업회 상임대표 • 現 한국종교연합 상임대표 • 천도교 55대 교령	박유철	• 現 광복회 회장 • 독립기념관장 • 국가보훈처장
심옥주	• 現 한국여성독립운동연구소장 • 現 여성독립운동학교 '여독스쿨' 대표	이부영	• 現 몽양 여운형선생 기념사업회 회장 • 14~16대 국회의원
이상경	• 現 한국과학기술원 교수 • 現 (사)한국여성연구소 이사	이윤옥	• 現 한일문화어울림연구소장 • 現 한국외대 일본어학과 강사
임순례	• 現 영화감독 • 現 인천영상위원회 운영위원장	임종선	• 現 민족대표33인 유족회 회장 • 광복회 의전복지국장
장미현	• 現 ㈜젠더공간연구소장 • 現 한국도시설계학회 이사	장애진	• 現 동남보건전문대 재학 중 • 세월호 생존 학생
조선희	• 소설가 • 서울문화재단 대표이사		

〈발전성찰분과〉

이름	경력	이름	경력
김동춘	**분과위원장** • 現 성공회대학교 교수 • 진실화해위원회 상임위원	강이수	• 現 상지대학교 교수 • 現 여가부 여성정책자문위원회 위원
김명환	• 現 전국민주노동조합총연맹 위원장 • 現 일자리위원회 위원	김병연	• 現 (사)파독광부 · 간호사 · 간호조무사 연합회 감사 • 現 가천문화재단 이사
김수진	• 現 대한민국역사박물관 연구관 • 서울대여성연구소 책임연구원	김주영	• 現 한국노동조합총연맹 위원장 • 現 일자리위원회 위원
김효순	• 現 포럼진실과정의 공동대표 • 한겨레신문 대기자, 편집인 • 경향신문 기자	손경식	• 現 한국경영자총협회 회장 • 現 CJ주식회사 대표이사 회장 • 대한 · 서울상공회의소 회장
신순애	• 現 탁틴 청소년 인권센터 소장 • 참터 이사 • '열세살 여공의 삶' 저자	윤황	• 現 선문대학교 교수 • 現 정책기획위원회 위원 • 現 중부미래포럼 상임대표
장주효	• 現 미소금융 대구서구지점 이사 • 2 · 28민주화기념사업회 초대 회장	정강자	• 現 참여연대 공동대표 • 국가인권위원회 상임위원
정성헌	• 現 새마을운동중앙회 회장 • 現 한국DMZ평화생명동산 이사장 • 민주화운동기념사업회 이사장	조천호	• 現 광주시청 공무원(지방행정7급) • 5.18 민주화운동 희생자 부친 故조사천씨의 영정을 든 사진으로 세계인을 울렸던 '꼬마 상주'
지은희	• 現 일본군성노예제문제해결을 위한 정의기억재단 이사장 • 여성부 장관	한우성	• 現 재외동포재단 이사장 • 現 (사)유엔인권정책센터 이사

〈미래희망분과〉

이 름	경 력	이 름	경 력
김호기	**분과위원장** • 現 연세대학교 교수 • 現 행안부 정책자문위원회 위원장	김가을	• 반크 청년 공공 외교대사 • 여가부 꿈드림청소년단 경북 청소년대표
김삼열	• 現 6.15공동선언 남측위원회 상임대표 • 現 민족화해협력범국민협의회 공동의장	김영호	• 現 서울특별시 시장 고문 • 한국사회책임투자포럼 이사장 • 산업자원부 장관
김의성	• 現 다락골농원 대표 • 現 청년농업인정자연합회장	박용만	• 現 대한상공회의소 회장 • 現 두산인프라코어 대표이사
박진	• 現 다산인권센터 상임활동가 • SBS 시청자위원회 위원	서승희	• 現 한국사이버성폭력대응센터 대표 • 소라넷 폐쇄 프로젝트팀 활동
윤미향	• 現 한국정신대문제대책협의회 공동대표 • 現 일본군성노예제문제해결을 위한 정의기억재단 상임이사	이공주	• 現 이화여대 약대 석좌교수 • INWES (세계여성과학기술인네트워크) 3, 4대 President
이지원	• 現 대림대학교 교수 • 現 교육부 교육과정심의위원회 위원장	이충재	• 現 한국YMCA전국연맹 사무총장 • 대전YMCA 사무총장
장임원	• 現 주권자전국회의 상임고문 • 現 참여연대 고문	장혜영	• 現 다큐멘터리 감독, 프리랜서 • 제2회 인디애니영화제 '다락'운영위원장
정상규	• 現 (주)포윅스 공동대표 • 現 한국여성독립운동가연구소 문화인대표	차경애	• 現 YWCA복지사업단 이사장 • 現 민족화해렵력범국민협의회 통일공감포럼
차범근	• 現 차범근축구교실 이사장 • FIFA U-20 월드컵조직위원회 부원장		

〈제2차 위촉 민간위원〉

이 름	경 력	이 름	경 력
김삼웅	• 現 국립대한민국임시정부기념관 건립추진위원 • 前 친일반민족행위진상규명위원회 위원 • 前 독립기념관장	김숙임	• 現 (사)조각보 이사장 겸 공동대표 • 前 (사)평화를만드는여성회 상임대표 • 前 6.15남측위 공동대표
김정혁	• 現 지역특화 문화콘텐츠기획사 ㈜자이엔트 대표 • 前 충남문화콘텐츠협동조합 이사장	남슬기	• 現 농업회사법인(주)리아프 대표 • 前 아산아름다운정원영농조합법인 기획실장
박걸순	• 現 충북대학교 사학과 교수 • 前 한국근현대사학회 회장 • 前 한국독립운동 인명사전 편찬위원회 위원	박미현	• 現 강원도민일보 기획위원실장 • 現 (사)의암류인석기념사업회 상임이사 • 前 강원여성연구소 소장
박시백	• 現 만화가 ※ 조선왕조실록(전 20권) 집필, 현재 일제강점기를 주제로 〈35년〉 집필 중(총 7권 중 3권 완료) • 前 한겨레신문 만평담당자	이승훈	• 現 시민사회연대회의 사무처장 • 前 국민주도헌법개정전국네트워크 사무처장 • 前 총선시민네트워크 사무처장
이정옥	• 現 대구가톨릭대학교 사회학과 교수 • 現 한국 NGO 학회 회장 • 前 참여연대 운영위원	이항증	• 現 경상북도 독립기념관 이사 • 現 신흥무관학교기념사업회 공동대표 • 前 광복회 경상북도 지부장
최철	• 現 광주학생 독립운동 기념사업회장 • 現 전남대 민주동우회 부회장 • 前 광주 YMCA이사	하윤수	• 現 한국교원단체총연합회 회장 • 現 민주평화통일자문회의 자문위원 • 前 부산교육대학교 총장
황정아	• 現 한국천문연구원 책임연구원 • 現 과학기술연합대학대학원 대학교 교수 • 現 한국과학창의재단 이사	조성우	• 現 (사)겨레하나 이사장 • 現 주권자전국회의 상임대표 • 前 민족화해협력범국민협의회 상임대표
김민철	• 現 경희대 교수 • 現 민주화운동기념사업회 한국민주주의연구소 운영위원 • 前 교육부 교육과정심의회 역사과위원회 위원	손지수	• 現 대구가톨릭대 재학 • 前 UN CSW 청년대표 참가 • 前 대구광역시 청년위원회 위원

6

3·1운동 100년 범국민대회

◈ 대회 조직도

시민위원회 · 나도 독립운동가 · 시민 10만명

↓

참여단체 1,000여 단체 종교계, 시민사회단체, 여성단체, 노동계, 경제계, 해외단체 등

↓

실무주관단체 흥사단, 한국YMCA전국연맹

◈ 참가 단체(무순)

한국종교인평화회의 7대 종단(개신교, 불교, 원불교, 유교, 천도교, 천주교,

민족종교협의회), 시민사회단체연대회의(350여 단체), 범시민사회단체연합(300여 단체), 새마을운동중앙회, 한국교원단체총연합회, 광복회, 평화민족문화연구원, 한겨레통일문화재단, 한국교회총연합, 한국여성단체연합, 한국YWCA연합회,전국민주노동조합총연맹, 한국노동조합총연맹, 6.15공동선언실천남측위원회,사단법인 국학원,3.1운동 100주년기념사업 추진 조직이 구성된 지역 대표(광주, 대구 외),세계한상대회 및 일본, 미국 등 3.1운동 기념사업추진위원회, 흥사단, 한국YMCA전국연맹, 동북아평화연대, 진해YWCA,평화민족문화연구원, 참여연대, 아시아평화와역사교육연대, 한반도 평화만들기 은빛순례단, 민청학련계승사업회, 한국기독학생회총연맹(KSCF), 민주화운동공제회, 세계성시화운동본부, 경제정의실천시민연합 등 1,000여개 시민사회단체

◈ **조직 구성(무순)**

• **명예대회장**

한국종교인평화회의 7대 종단(개신교, 불교, 원불교, 유교, 천도교, 천주교, 민족종교협의회) 수장

• **고문**

김삼열, 김상근, 박유철, 백낙청, 이삼열, 이부영, 이해동, 지선, 함세웅 외 40여 명

• **상임대회장**

시민단체연대회의 정강자대표, 범시민사회단체연합 이갑산대표, 한국YWCA연합회 한영수회장, 새마을운동중앙회 정성헌회장, 한국교원단체총연합 하윤수회장,전국민주노동조합총연맹 김명환위원장,

한국노동조합총연맹 김주영 위원장, 6.15 공동선언실천 남측위원회
이창복상임대표의장, 3.1운동100년 기독교범국민대회추진본부 이
영훈목사 등 15인 이내

• 공동대회장

참여단체의 대표, 지역 대표 등 100명 이내

◆ 상징

• 대회 엠블럼

• 대회 슬로건

• 대회 배지

◆ 행사 내용

'3·1운동 100년 범국민대회'는 3·1운동 100년을 기념하고 한반도가 평화로 나아갈 새로운 100년을 준비하기 위하여 마련된 행사이다. 대회는 3월 1일 서울 광화문광장과 세종대로에서 정오부터 저녁 6시까지 이어졌다.

행사 준비위원회에는 종교계와 시민사회단체, 여성계, 노동계, 경제계, 해외단체 등 1,000여 단체가 참여하였다.

종교계에서는 사단법인 한국종교지도자협의회에 속한 7대 종단(개신교, 불교, 원불교, 유교, 천도교, 천주교, 민족종교협의회)이 뜻을 모았다.

시민사회단체로는 시민단체연대회의에 속한 350여 단체와 범시민사회단체연합의 300여 단체와 새마을중앙회, 자유총연맹, 교원단체총연합회, 3·1운동 범국민대회 기독교추진위원회가 참여하였다.

여성계에서는 한국여성단체연합, 한국YWCA연합회가 함께하였고

노동계에서는 민주노총과 한국노총, 그리고 해외의 2·8독립선언 100주년 기념사업회도 동참하였다.

'3·1운동 100년 범국민대회'는 종교와, 성, 계층, 지역, 세대, 정파를 망라하여 민족의 통합과 평화를 지향하는 행사로 진행되었다.

대회는 총 3부로 구성되어 저오부터 2시까지 진행된 1부에서는 33인의 기미독립선언문 낭독과 시민합창단 공연, '남북평화의 떡 나눔 잔치'가 벌어졌다.

'남북평화의 떡 나눔 잔치'는 3·1운동을 기념하고 모두가 한겨레라는 공동체의식 체험을 위하여 마련되었다. 전국 8도를 대표하는 떡을 미리 준비하여 대회 당일 현장에 모인 모든 이들이 함께 나누었다.

오후 2시부터 3시까지 진행한 2부에서는 남과 북, 해외 인사들의 영상 메시지 상영과 함께 '3·1운동 100년 범국민 선언문'을 발표하였다. '3·1운동 100년 범국민 선언문'은 3·1운동 100년을 기념하고 한반도와 세계의 평화를 지향하는 내용으로 구성되었다. 이 선언문은 윤경로 한성대학교 명예교수를 중심으로 종교계, 역사학계, 시민사회단체 등에서 추천한 인사들이 초안을 작성하여 '만민공동회'라는 시민참여 방식으로 확정하였다.

오후 3시부터 6시까지 진행된 3부에서는 시민과 함께 화합과 평화의 의미를 다지는 '만북 울림'과 영산줄다리기(국가무형문화재 제26호) 행사를 한국민예총의 채희완 선생, 이청산 회장 등 문화예술계 인사들이 중심이 되어 진행하였다. '만북 울림'은 시민 8천명이 참여하여 풍물과 북을 울리며 세종대로를 행진하였고 영산줄다리기는 세종대로와 시청 앞에서 펼쳐졌다.

3.1운동 100년 선언

3·1운동 100년을 맞은 오늘, 우리는 선조들의 피로 되찾은 이 나라를 더욱 정의로운 민주국가로 가꾸어 우리와 미래세대 온 인류와 더불어 행복한 삶을 누리게 할 것을 굳게 다짐하면서 이 선언을 발표한다.

100년 전 오늘, 조선의 민중들은 일제의 억압에 맞서 평화롭게 일어섰다. 후손들에게 고통스러운 유산 대신 완전한 행복을 주기 위해 마지막 한 사람까지 마지막 한 순간까지 일제의 총칼 앞에 섰다. 제국주의의 군화발 아래 쓰러져가면서도 우리 선조들은 배타적 감정에 치우치는 것을 경계했다. 우리의 독립운동은 남을 파괴하고자 하는 것이 아니라 어느 민족 누구에게나 평등하게 부여된 권리를 우리 자신은 물론 온 인류가 함께 누리게 하려는 것이었다.

3·1운동은 나라의 독립과 민족의 자결을 이끄는 겨레의 횃불이요, 만인의 자유와 평등, 인류 행복과 세계 평화로 가는 길을 비추는 등대이다. 지난 100년 우리 겨레가 걸어온 역사의 깊은 어둠, 거센 격랑 속에서도 이 불빛은 변함없이 우리의 앞길을 밝혀왔다. 일제의 민족말살정책으로 고통 받을 때에도, 수많은 우리의 젊은이들이 침략전쟁에 강제로 동원되어 이역만리에서 온갖 수난 속에 죽음을 맞았을 때에도 온 겨레의 가슴에 품은 3·1운동의 빛이 우리를 다시 일어서게 했다.

그러나 광복의 기쁨도 잠시, 전 세계를 휩쓴 냉전이 한반도를 남북으로 갈라놓았다. 온전한 독립국가를 세우려던 꿈은 또 다시 외부 간섭에 직면했고, 이념 대결의 벽에 가로 막혔다. 우리 자신의 책임도 크다. 남과 북으로 외세가 갈라놓은대로 갈등하고 대립하다가 끝내 전쟁까지 치렀다. 그 후 60여년 이상 불안정한 휴전 상태에서 남과 북은 대결과 적대를 계속하여, 한반도와 그 주변은 열강의 군비가 집결한 세계의 화약고가 되었다. 분단체제는 민족의 자유로운 발전을 가로막고 모든 이들의 자유와 안전과 행복을 위협해왔다. 부끄럽고 후회스럽다.

하지만 우리는 역사의 막다른 길목에서 결코 주저앉지 않았고, 우리의 어리석음을 한탄하며 절망하지 않았다. 선조들이 피워 올린 3·1 정신의 빛을 따라 앞으로 나아가 끝내 새 길을 열어왔다. 전쟁의 폐허 위에서 우리는 맨 손으로 세계가 괄목할만한 경제적 성취를 이루었다. 온갖 독재와 억압을 이겨내고 이 나라를 존중받는 민주국가로 가꾸었다. 4·19, 5·18, 6·10, 촛불시민항쟁에 이르는 민주항쟁의 역사가 입증한다. 녹슨 분단의 장벽도 8천만 겨레의 손으로 함께 걷어나가고 있다. 우리는 오늘 한반도를 뒤덮은 한 겨울의 냉기를 떨쳐내고 평화 번영 통일의 봄을 열어가고 있다.

잊지 말고 기억하자. 식민지배에 맞서 목숨 바쳐 싸웠던 독립투사들을. 잊지 말고 기억하자. 이 강토를 지키고 이 나라를 자유롭고 평등한 행복의 터전으로 가꾸기 위해 스러져간 모든 영령들을. 나라가 제 구실을 하지 못했던 식민과 분단의 긴 시간을 고통 속에 살아왔고 끝내 오늘을 일구어온 모든 평범한 사람들, 우리의 할머니와 할아버지, 어머니와 아버지, 자매와 형제들을. 잊지 말고 기억하자. 역사의 여러 구비에서 중국으로, 러시아로, 미국으로, 일본으로, 5대양 6대주 세계 곳곳으로 떠나가 온갖 설움을 겪어야 했던 동포들을, 그리고 우리를 찾아와 이 땅에 뿌리내리고 동포로 이웃으로 함께 살게 된 모든 이들을.

이제 이 모두를 위한 나라를 만들자. 평범한 이들이 지키고 건설해온 이 땅 위에 주권이 바로 선 자유롭고 정의로운 나라를 세우자. 뿌리 깊은 권력 남용과 부정부패를 청산하고, 주권자 위에 군림하는 국가, 민의를 왜곡하는 정치를 바로잡자. 시민의 참여와 자치를 기반으로 저마다의 차이가 존중받고, 다양한 생각이 자유롭게 소통되는 역동적인 시민의 민주주의를 꽃피우자.

모두가 존엄하고 행복한 사회를 만들자. 성차별을 비롯한 모든 차별과 혐오를 극복하고 모두가 실질적인 평등을 누리는 세상을 열어가자. 왜곡된 경제구조를 바로잡아 모든 경제주체에게 공정한 기회와 일할 권리를 보장하자. 아무도 탈락하지 않고 건강하고 안전하며 균등한 삶을 누리게 하자. 무분별한 개발과 이윤 추구의 대상으로 파괴되어온 생태계를 보전하고 모든 면에서 지속가능한 사회적 경제적 구조를 발전시키자.

이제 함께 평화를 누리는 새로운 시대를 열자. 전쟁을 끝내고 모든 군사적 적대행위를 멈추자. 분단의 시대에 종지부를 찍자. 이 땅을 핵무기와 핵위협이 없는 항구적인 평화의 터전으로 만들자. 가로막힌 교류와 협력의 길을 열어 한반도에 상생의 공동체를 건설하자. 온 겨레의 지혜와 힘을 모아 평화 번영 통일의 길을 열자.

식민지배 과거사 왜곡을 바로잡자. 나라의 주권과 자결권을 민주적으로 바로 세우자. 군사주의와 패권주의가 더 이상 발붙이지 못하도록 한반도와 동아시아에 평화와 공존의 질서를 새롭게 구축하자.

우리 스스로 평화가 되어 지구촌에 공존의 희망을 열어가자. 진정으로 독립된 민주국가, 복지국가, 문화국가, 평화국가로 이 나라를 가꾸어 나가자. 국제사회에 인도와 정의를 확립하는 일에 국경을 넘어 협력하자. 세계를 평화의 동산, 인류와 모든 생명체들이 함께 조화롭고 공존하는 풍요로운 생명공동체로 가꾸어가자.

일본 정부와 시민사회에 제안한다. 우리는 한일관계가 불행하고 어두웠던 과거에 갇히지 않고 미래로 나아가기를 원한다. 그러자면, 먼저 식민지배의 잘못을 진심으로 인정하고 반성해야 한다. 특히 일본군 성노예, 강제징용 노동자 등에 대한 국가폭력과 인권침해에 대해 정부가 공식 인정하고 책임 있는 조치를 취해야 한다. 한반도 평화체제와 일본 평화헌법은 동아시아 평화공존의 가장 중요한 기둥이다. 100년의 꿈인 동양평화의 초석을 놓기 위해 손을 맞잡자.

주변국과 국제사회에 호소한다. 한반도 주민들은 지난 60여년을 불안정한 휴전체제에서 살아왔다. 한반도에서 더 이상 전쟁이 일어나서는 안 된다. 우리는 이 땅에 사는 이들을 볼모로 하는 어떤 종류의 무력 사용에도 반대한다. 우리는 오직 대화와 협상을 통해 한반도에 항구적 평화체제를 구축하고 완전한 비핵화를 달성하기를 간절히 원한다. 북미 협상을 비롯해 한반도 평화와 관련한 모든 양자-다자 협상은 적대관계를 청산하고 새로운 공존의 시대로 나아가려는 진정성 있는 자세를 바탕으로 이루어져야 한다. 국제사회에 호소한다. 이제 평화에 기회를 주자. 불신과 적대가 아니라 이해와 존중이 묵은 갈등을 해결하는 열쇠가 될 수 있음을 온 인류 앞에 함께 입증해내자.

8천만 겨레여, 전 세계의 자유민이여

우리가 꿈꾸어오던 인도와 정의의 시대가 아직 오지 않았다. 물질문명이 고도화되고 세계가 하나로 연결되었지만, 억압과 차별, 분쟁과 빈곤의 악순환은 계속되고 있다. 인류문명을 파멸시킬 수 있는 대량살상무기와 파괴적 군비는 증가해 왔다. 과학기술의 발전이 도리어 새로운 억압과 가난을 낳기도 했다. 무분별한 개발은 지구를 병들게 했다.

그러나 다른 세상을 향한 인류의 열망은 온갖 퇴행과 절망을 딛고 수많은 희생과 죽음을 넘어 끈질기게 이어지고 있다. 누구나 원래부터 지닌 인간의 권리를 정당하게 누릴 수 있는 세계, 아무도 차별당하거나 배제당하지 않고 안전하고 행복하게 사는 세계, 자연환경과 조화를 이루어 평화롭게 사는 세계를 열고자 하는 인류의 의지가 굽힘 없이 새 길을 열어왔다.

지금 한반도가 새 시대의 문 앞에 서 있다. 분단과 대결의 시대를 넘어, 전쟁을 끝내고 무기를 내려놓고 평화로운 통일 한반도와 동아시아, 핵무기와 전쟁이 없는 세상, 모두가 자유롭고 행복한 세상을 향해 큰 걸음을 내딛는다. 모두를 위한 나라를 바로 세워 동아시아에 평화의 시대를 열고 온 세계와 함께 행복을 누리려 했던 100년의 꿈, 힘으로 억누르지 않는 세상을 향한 인류의 꿈이 있기에 우리는 결코 물러서지 않겠다. 3·1운동이 등불이 되어 우리의 앞길을 환하게 비추고 있다. 밝은 미래를 향해 즐겁고 기쁘게 함께 나아가자.

2019. 3. 1

3·1운동 100년 범국민대회 참가자 일동

※100인 원탁토론회의 의견을 수렴하여 초안위원회가 작성하다.

대통령직속 3.1운동 및 대한민국임시정부 수립 100주년 기념사업추진위원회 출범식 2018. 7. 3(화)/문화역 서울284

참고
문헌

강만길, 독립운동의 역사적 성격, 창작과 비평사, 1978

강준만, 한국근대사 산책 6, 인물과 사상사, 2008

국사편찬위원회, 한국독립운동사 3, 1967

국사편찬위원회, 한국사21, 탐구당, 1997

김도태, 남강 이승훈전, 문교부, 1950

김성보, 3·1운동에서 33인은 민족대표가 아니다, 역사비평, 계간 7호, 1989년 겨울

김진봉, 3·1운동사 연구, 국학자료원, 2000

김희곤, 대한민국 임시정부 연구, 지식산업사, 2004

김희곤, 제대로 본 대한민국 임시정부, 지식산업사, 2009

김희곤, 3·1운동과 민주 공화제 수립의 세계사적 의의, 한국근현대사연구48, 2009

대한민국 국회도서관, 한국 민족운동사료 3·1운동편 1-3, 1977-1979 임시정부자료집
    편찬위원회

독립운동사편찬위원회, 독립운동사. 4, 1975

동북아역사재단편, 3·1운동과 1919년의 세계사적 의미, 동북아역사재단, 2010

동북아역사재단편, 근현대 한일관계의 제문제, 동북아역사재단, 2010

동아일보사, 3·1운동 50주년 기념논집, 1969

박경식·조성, 3·1운동, 평범사, 1976

박성수, 알기 쉬운 독립운동사, 국가보훈처, 1995

박은식, 조선독립운동의 혈사, 서울신문사, 1946

서중석, 신흥무관학교와 망명자들, 역사비평사, 2001

손세일, 대한민국 임시정부의 정치지도체제, 한국근대사자료Ⅱ, 지식산업사, 1977

신복룡, 신복룡 교수의 한국사 새로 보기(18), 3·1운동 동아일보 2001, 8월 4일

신용하, 3·1운동 독립운동의 사회사, 현암사, 1984

신용하, 3·1운동 독립운동의 사회사, 서울대 출판부, 2001

신용하 외, 일제 강점기하의 사회와 사상, 신원문화사, 1991

안병직, 3·1운동, 한국일보사, 1975

윤병선, 증보 3·1운동사, 국학자료원, 2004

이지원, 민족대표 33인의 비폭력 주장, 어떻게 볼 것인가, 역사비평, 계간16호, 1992

이현희, 민족독립운동의 자립시대, 학원출판공사, 1993

정광현, 3·1독립운동사, 법문사, 1978

조동걸, 한국근현대사의 탐구, 경인문화사, 2003

천경화, 한국독립운동사, 대왕사, 1991

최남선, 조선독립운동사, 동명사, 1946

한국근현대사학회, 대한민국 임시정부 수립 80주년 기념 논문집 상·하, 국가보훈처, 1999

한시준 외, 대한민국의 기원, 대한민국 임시정부, 국가보훈처, 독립기념관, 2009

홍순우, 대한민국 임시정부의 성립과정, 한국근대사론Ⅱ, 지식산업사, 1977

大內武次 朝鮮에 있어서의 米穀 生産(朝鮮經濟의 硏究 第3, 京城大法學會論集10.

　　岩波書店, 東京, 1938)

연 표 3·1운동을 중심으로

1894 ~ 1895	청일전쟁
1902	영일동맹
1903. 1. 13	첫 하와이 이민선 도착
1904 ~ 1905	러일전쟁
1910. 8. 29	한일 병탄 조약 발표(대한제국을 조선으로 개칭)
1912. 10. 28	일본 동경에서 유학생회 창립(안재홍 등)
1913. 5. 13	LA에서 흥사단 조직/ 네브라스카주에서 유학생회 조직
1914 ~ 1918	일본 제1차 세계대전에 참전, 연합국측에 합류, 대중국 21개조 요구(1915)
1918. 1. 8	미 윌슨 대통령 14개조항 평화원칙 제의
1918. 11. 11	제1차 세계대전 종던(사망자 1,000만명, 부상자 2,000만명, 포로 650만명)
1919. 1	32개국 대표 파리 강화회의 개최
1919. 1. 21	고종황제 덕수궁에서 승하
1919. 2. 8	2·8독립선언(동경 유학생 600명)
1919. 3. 1	3·1운동 시작(서울), 민족대표 33인 태화관에서, 인민 2만명 탑골공원에서 독립선언 발표
1919. 3. 3	고종황제 국장, 3월 전국적 만세운동
1919. 3. 24	김규식 파리 한국대사관 설립

1919. 4. 6	인도 간디 1차 비폭력저항운동 시작
1919. 4. 10~11	민족운동 지도자 29인 상해에서 임시정부 수립
1919. 4. 13	대한민국 임시정부 수립을 내외에 선포
1919. 4. 15	일본군 제암리 학살 사건
1919. 5. 4	5·4 운동(중국 북경 학생 반일시위)
1919. 4. 23	국내 13도 대표 24명 국민 이름으로 한성임시정부 수립
1919. 5. 12	김규식 파리 강화회의에 독립청원서 제출
1919. 11. 8	의친왕 이강, 상해로 탈출, 11. 11 국내로 압송됨
1920. 3. 5	조선일보 창간
1920. 4. 1	동아일보 창간
1920	국제연맹 창설
1920. 6. 7	봉오동 전투(만주 왕청현 봉오동, 홍범도의 대한독립군, 일본군 1개 대대 섬멸)
1920. 10. 20	청산리 대첩(만주 화룡현 청산리, 김좌진, 이범석 등 북로군정서군, 일본군 3,300명 사상)
1921. 7. 29	히틀러 나치스당 당수 취임
1923. 1. 3	임정 내분(개조파와 창조파의 대립)
1923. 9. 1	일본 관동대지진사건(일 관헌이 한인폭동조작, 동포 한인 5,000여 명 학살)
1924. 5. 2	경성제국대학 예과 개교(서울대 전신)
1925. 4. 17	조선공산당 창립(김찬, 조봉암 등)
1925. 9. 29	조선농민사 창립(김준연, 유광역 등)
1926. 6. 10	6·10 만세운동(조선 마지막 왕 순종 인산일을 기해 일어난 독립운동)
1927. 2. 15	신간회 창립(이상재 등 중심)
1927. 5. 27	근우회 창립(신간회의 자매단체)
1929. 11. 3	광주학생운동(~1930) 전국 194개교, 5만 4천명 참가
1930. 1	김좌진(연안 안시 역전) 암살당함.

1931. 5. 16	신간회 해산
1932. 1	애국단원 이봉창 투탄
1932. 4. 29	한인 애국단원 윤봉길 투탄(상해 홍구공원)
1932 ~ 1945	중일전쟁
1933	히틀러 독일 수상이 됨
1935. 9	총독부 각 학교에 신사참배 강요
1936. 6	안익태 애국가 작곡
1939	제2차 세계대전 시작
1940. 2. 11	창씨개명 실시
1940. 8. 10	조선일보, 동아일보 폐간
1941. 3. 15	학도정신대 실시(근로동원)
1944. 3. 18	여자정신대 강화 방책
1945. 7. 26	포츠담선언
1945. 8. 15	일 황제 항복 방송
2019. 3. 1	3·1운동 100주년

국립중앙도서관 출판예정도서목록(CIP)

3·1운동 숨은 이야기 / 글쓴이: 차종환, 이갑산. ― 서울 :
다락방, 2019
    p. ;   cm

참고문헌과 연표수록
ISBN 978-89-7858-076-2 03910 : ₩15000

3.1 운동[三一運動]

911.065-KDC6
951.903-DDC23   CIP2019002837

3·1운동 숨은 이야기

발행일 : 2019년 3월 20일

글쓴이 : 차종환, 이갑산

펴낸이 : 김태문

펴낸곳 : 도서출판 다락방

주 소 : 서울시 서대문구 북아현로 16길 7 세방그랜빌 2층

전 화 : 02) 312-2029

팩 스 : 02) 393-8399

홈페이지 : www.darakbang.co.kr

정가 : 15,000원

ISBN 978-89-7858-076-2 03910